JOURNAL D'UN MYTHOMANE

NICOLAS BEDOS

JOURNAL
D'UN MYTHOMANE

Vol. 1

Préface de Régis Jauffret

ROBERT LAFFONT

© Éditions Robert Laffont, S.A., Paris, 2011
ISBN 978-2-221-12608-0

Manifesto

par Régis Jauffret

Quand la censure reviendra ? Une censure courageuse, implacable, sans pitié. Les sociétés humaines ne peuvent se permettre la liberté d'expression, cette fiction à laquelle ne croient que les sots. Les artistes aussi, mais c'est leur métier de n'être intelligents que de temps en temps pour faire semblant d'avoir compris à quel point nos valeurs sont l'acmé, celles d'hier des horreurs ou de vagues brouillons, et celles de demain les mêmes qu'aujourd'hui puisque nous sommes arrivés au sommet de l'éthique.

Je veux bien écrire en alexandrins, respectant l'hémistiche et la règle des trois unités, comme au temps du dégoûtant Louis XIV avec sa perruque, sa canne, son dentier en bois, cette mineure de Louise de La Vallière dans son lit et sa manie de ne pas abolir la question. Point ne me dérange de châtier mon langage, d'écrire des romans menteurs, d'user de personnages aux aspérités pittoresques que le récit se chargera de poncer à la toile émeri de situations et de péripéties cocasses qui les laisseront lisses et brillants. Des miroirs dans lesquels se contempleront les droits humains, les valeurs occidentales de la seconde décennie de notre millénaire, qui deviendront caduques comme les autres et feront de nous les malotrus de demain.

Peu me chaut ou me navre, d'écrire un de ces romans

français sympathiques, émouvants, où le rire survient à l'occasion, hygiénique et rafraîchissant comme un fade verre d'eau tiède assez chloré pour exterminer les bacilles, pas assez cependant pour faire pisser aigre, un de ces romans gris où un rayon de soleil se lève poussivement à l'avant-dernier chapitre pour laisser entrevoir au client l'espérance, dont les dernières pages seront assez gavées pour qu'il puisse s'en bâfrer et tout guilleret continuer à louer cette vie où l'on espère pouvoir courber assez longtemps l'échine pour mériter la retraite devenue le but de la vie.

De grandes vacances où l'on brûle de ses derniers feux en se rengorgeant d'être devenu enfin assez adolescent pour entreprendre une véritable carrière d'érotomane à l'intérieur de son couple au poil blanc comme le loup, tout en trottant sur les sentiers battus des squares entre deux coquineries afin d'entretenir sa pompe cardiaque et repousser la panne qui mettra un terme à cette vie de rouage ébaubi.

L'humour, cette plaisanterie. Une façon de collaborer, de tutoyer les murs de la morale du jour, d'en tracer en creux les frontières. Quand l'humoriste passe au-delà des barbelés, perchés sur leurs chaises d'arbitrage les gardiens de l'ordre les bombardent à coups de volants. Dans les cas où les bornes leur semblent par trop outrepassées, on les traduit en justice. Ils sortiront libres du tribunal, délestés de quelques piastres. Autant dire que la loi permet aux nantis de dire tout ce qui peut leur passer par la tête pour peu qu'ils ne soient pas avares et payent le moment venu leur écot à l'État et aux désobligés. Une sorte de permis de causer dont la cotisation fluctue au fil du temps selon l'humeur des magistrats et le montant des honoraires des avocats.

Les impécunieux assez mesquins pour refuser de se soulager de leur épargne sont priés de fermer leur gueule. C'est inégalitaire et peu républicain, mais après tout la vie est injuste. Les progressistes de mon acabit souhaitent néanmoins que la loi vienne au secours de ces victimes du libéralisme. Ils demandent que désormais ces problèmes frontaliers soient jugés au pénal et que, nantis ou peu favorisés, les prévenus soient passibles de la contrainte par corps. Rien n'est plus démocratique qu'une peine de prison.

Par ailleurs, notre tribu ne devrait plus compter sur les contrevenants pour dessiner de leurs méfaits les frontières. Les lois permettant de condamner un artiste, et l'humour n'est après tout qu'une banlieue de l'art, sont brèves, floues et charge demeure aux magistrats de les interpréter avec une boule de cristal ou un jeu de tarot. Il serait bien inspiré le législateur qui s'assurerait les services d'un Boileau. Ils seraient heureux les artistes de connaître les nouvelles règles de la bienséance. Ils seraient sereins, apaisés, assurés d'œuvrer à l'intérieur du terrain de jeu qui leur serait alloué.

Les plus intrépides accepteraient d'affronter la loi en connaissance de cause et n'auraient pas à pleurnicher quand on les introduirait dans une de ces prisons modernes et dépeuplées qui parsèment le territoire français.

Les brimades de la vie carcérale, le manque absolu d'intimité, les séjours au cachot pour les plus incorrigibles, nous seraient bénéfiques. Les mous s'amenderaient, les autres puiseraient dans ces agaceries assez de fureur pour récidiver et exacerber leur talent. Écrire dans la bibliothèque de la prison avec dans les oreilles le bruit des portes, les hurlements des gardiens et des pensionnaires, au lieu de lanterner dans le silence de nos cabinets, nous saoulant de champagne et de prostituées, voilà qui serait propice à la rage d'écrire. Des saynètes, des pièces de théâtre, des poèmes scandaleux, des romans âcres, hilarants, destructeurs, immoraux, désespérés. Une nouvelle génération d'artistes infréquentables, proscrits. Des Sade, des Baudelaire, des Genet,

9

toute une flopée de mal polis dont certains feraient honneur à la lointaine postérité, cette fée imprévisible qui change les valeurs d'un coup de dés.

En attendant l'ordre nouveau, faites-vous plaisir. Indignez-vous, rêvez tout votre saoul de remplacer les romans par des missels. L'indignation, cet exercice stérile comme toutes les masturbations, nous est nécessaire pour soulager notre conscience intermittente de passer notre vie à la niche en laissant crever la dalle aux maladroits sans toit ni pâtée. Voilà des paroles excessives. Je suis excessif comme le futur.

J'appartiens à mon époque, je chéris viscéralement les droits des gens et je suis prêt à me battre à coups de clavier si d'aventure ma tribu les bafouait. Me révoltent les tortures, le racisme, l'humiliation des victimes, les viols, les violences conjugales et les torgnoles sur les joues des gamins.

Mais, comme l'écrivait Gilbert Lely évoquant les cent vingt journées de Sodome, *au matin du cent vingt et unième jour, le langage étendra sa merci*. Le langage dans la bouche des histrions, sous la plume des romanciers, ce beuglement, ce chiffon de papier, cette ombre de pixels, et pourtant ce mirage où l'on aperçoit l'envers de l'époque et ses abjections.

L'artiste d'aujourd'hui ne se soucie pas davantage de respecter les tabous que les tragédiens de la Grèce antique. Transgresser les valeurs dans une œuvre d'art n'est pas un souhait, pas un but, c'est un risque que prend le faiseur d'histoires qui s'accorde l'absolue liberté en dehors de laquelle il n'y a pas d'art.

Ne me parlez pas de Céline, il a cantonné ses ignominies dans ses pamphlets et sa correspondance. Le seul inconvénient de l'avoir passé par les armes à la Libération aurait été de nous priver de ses romans tardifs. Mais il nous aurait quand même laissé en héritage le

Voyage et *Mort à crédit*, et le peloton d'exécution lui aurait mis du plomb dans la tête.

Étant donné qu'il est un artiste privilégié, qu'il a souventes fois fauté et mérité des procès dont il paiera la note en ricanant, je réclame l'incarcération de Nicolas Bedos.

Cher lecteur,

Afin de donner un peu de gueule à ce livre, qui – avouons-le – n'est qu'un copié-collé de ce que j'ai déjà écrit, déjà dit (et Dieu sait que c'est meilleur dit par moi que par ta petite voix intérieure de lecteur dépourvu d'instinct comique, jeux de regards, effets dramatiques et autres gadgets merveilleux qui transforment un torchon d'ironies en cachemire drolatique), bref, afin de donner du relief à une compil opportuniste, mon éditrice – la sublime Nicole Lattès (06 12 36 46) – m'implore d'ajouter à chaque chronique un petit commentaire, un peu comme la salade autour de l'entrecôte.

« Un commentaire du commentaire ? me suis-je étonné.

– Mais oui ! m'a répondu Nicole la main posée sur son chéquier. Ça te prendra un week-end, vu que tu écris comme tu pisses, et tu pourras ainsi revenir sur les douze polémiques que tu as soigneusement déclenchées tout au long de l'année.

En effet, cher lecteur, je pourrais arborer comme autant de médailles les treize procès que je me traîne aux basques, celui pour homophobie qu'ont cru bon de m'intenter deux pédés mal lunés (j'ai beau vivre dans le Marais, rien n'y fait), celui d'une association catho pour antipédophilie (je suis pourtant le fils d'une sainte), je

13

pourrais sérieusement me vanter de cette plainte (toujours en cours) dont m'honore Brice Hortefeux, cet ancien ministre et actuel rouquin très solidaire des cowboys de la police dont j'avais osé souligner les « excès » après que j'eus subi un double toucher rectal (j'ai beau vivre dans le Marais, jamais je ne m'y ferai), bref, je pourrais jouer les martyrs de la liberté de cracher, en attendant sagement la révolte des ostréiculteurs (ne me suis-je pas publiquement indigné contre une Gillardeau douteuse ?), et celle des enfants (que n'ai-je pas balancé sur ces nains dépendants et incultes ?).

Dans un genre plus langue de pute, je pourrais raconter en détail le soir où Jean-François Copé, juste après avoir tiré la gueule durant toute ma prestation, est venu minauder dans ma loge en me disant : « Désolé, Nicolas, moi je vous trouve très drôle, mais vis-à-vis du président, mettez-vous à ma place, j'étais obligé de me retenir », je pourrais raconter, non sans vanité (une fois n'est pas coutume), comment l'ancienne patronne de la fiction de TF1, une femme que j'appréciais au point de l'emmener guincher dans les rues de Montmartre, a gelé tous les projets qui me liaient à la chaîne suite à une boutade innocente mais coupable, selon elle, de « très haute trahison », (pour ceux qui prétendent que l'on provoque pour le pognon, j'en profite pour affirmer que cette année à la télé m'aura fait perdre un paquet de fric !), je pourrais te décrire la risible rancune d'un Jérôme Garcin (commissaire culturel au *Nouvel Observateur*) cruellement coincé entre ma frêle carcasse et celle – plus attractive – de Mélanie Laurent au festival de Cannes, la façon très XIXᵉ dont il ignora la main moite que je lui tendais, tout ça pour une vanne trop gentille au regard des quatre démolissages dont je fus la victime à travers le micro de son Masque et de sa Plume.

Et puis, évidemment, je pourrais t'achever par un vibrant chapitre sur MA grande affaire, ce malentendu qui me fit passer pour un antisémite pendant quarante-huit heures et qu'un brillant journaliste avait alors qualifié de « tempête dans un dé à coudre » (j'ai envie de dire : « D'accord, mais ça fait quand même super peur quand on habite le dé à coudre ! »), je pourrais me rappeler le lendemain de cette chronique, lorsque, sortant de chez moi, je vis un petit monsieur avec une tête vachement sympa traverser la rue, me tendre la main (propre), me dire en souriant : « Dites, c'est quoi votre problème, avec les juifs, au juste ? », m'écouter gentiment me défendre, me dire au passage : « Moi, j'ai pas la télé, mais on m'a raconté », puis soudainement me balancer un glaviot sur le front, s'échappant comme un lâche avant que je puisse lui démonter sa gueule de psychotique paranoïaque. Je pourrais te raconter (une fois de plus) les affreux compliments des amis de Dieudonné et d'Alain Soral qui envahirent ma messagerie, entre deux insultes des amis de la Licra (entre la peste et le choléra, je choisis la Licra), je pourrais reproduire ici les photos d'archives représentant un charnier juif qu'un fou furieux avait glissées dans ma boîte aux lettres et sur lesquelles il avait tagué au feutre rouge sang : « Ça vous fait rire, la mort de millions de gens ? », je pourrais enfin m'épancher sur le sermon bidon que me fit le Conseil supérieur de l'audiovisuel, sermon qui finissait par un surprenant : « Ne recommencez pas. » « Ne recommencez pas quoi ? m'étais-je indigné. À être antisémite, ce que je ne suis pas ? » Bref, mon très cher lecteur, je pourrais en faire des caisses de larmes libertaires sur la persistance des tabous, la perversité de la censure 2.0 et le volumineux carnet d'adresses d'ennemis en tout genre, tout sexe, toute classe et toute confession religieuse que je me suis fabriqué tout seul en quelques phrases.

Sauf que, primo : ça me gonfle. Car, à l'heure où je t'écris, le soleil se réveille sur Saint-Rémy-de-Provence (et le corps chaud de ma petite amie), les oiseaux font leur Star Ac (pour le rossignol, tapez 3), et j'ai bien envie d'aller chercher des croissants au village, de fredonner du Bob Dylan sur mon scooter de location, puis de rentrer à la maison (locative, elle aussi, comme la petite amie), tel le héros des viennoiseries, de nourrir mes amis (encore saouls de la veille) avant de tremper ma peau carbonisée dans la piscine olympique qui nous sert de baignoire estivale.

Deuxio, j'ai déjà répondu à vingt-sept interviews (gratuitement) sur le sujet et t'en as au moins chopé une, connard, ou alors tu n'es qu'un ermite misanthrope à qui un cousin distrait vient de refourguer ce bouquin, auquel cas je t'ordonne de le revendre sur-le-champ ou d'en faire du papier à rouler (si, si, ça se fume, demande à feu Amy Winehouse, TOUT se fume).

Et tertio, te dirai-je sur un ton solennel façon Guy Carlier : je déteste les impertinents qui pleurnichent dès qu'on leur reproche leurs impertinences. Ne crachons pas sur la main qui nous gifle, c'est aussi celle qui nous nourrit.

Non, je ne me plaindrai pas : j'ai adoré faire ce métier.

Et je méprise volontiers cette poignée de snobinards qui méprisent la télé. D'ailleurs, était-ce de la télé, telle que les snobinards en question l'imaginent ? Quitte à être accusé d'authentique mythomanie ou de mégalomanie atavique, j'y suis allé chaque vendredi avec la même fierté solennelle qu'Isabelle Adjani se rendant au théâtre Marigny (ou chez le dentiste, d'ailleurs). Oui, je le confesse non sans rougir : fût-il risible, j'ai vraiment eu le sentiment de découvrir la scène devant les caméras. Dénouant et renouant ma cravate bleu marine, je me revois trembloter dans ma petite loge (c'était le service public), relire mon texte vingt-deux fois, comme si c'eût été du Shakespeare, m'entraîner à sourire devant ce miroir sale, puis m'emparer d'un pot de poudre L'Oréal, me barbouiller le visage, noircir un peu mes cils (ça reste entre nous, promis ?), danser sur un pied (j'avais vu Jérôme Kircher, immense comédien de théâtre, faire ce truc ridicule avant chaque représentation), tordre ma bouche dans tous les sens (j'avais vu Mélanie Laurent, immense actrice, faire ça avant chaque prise), recoiffer ma calvitie, boire une demi-bière et un demi-Coca zéro, avaler un comprimé d'anti-diarrhéique (forcément), gifler une stagiaire qui me pressait d'y aller, traverser un long couloir (que n'aurait pas renié l'architecte de Staline), mettre une main au cul de trois assistantes (j'avais vu Richard Berry, immense connard, faire ça avant chaque bide), et pénétrer sur le plateau tel Gérard Philipe dans la cour d'honneur du Palais des papes ! Rassure-toi, mon petit pote, je suis encore assez lucide pour ne pas m'être menti en quittant le studio : mes petits monologues cathodiques ne méritaient ni la Pléiade ni le Molière du meilleur comédien ! Mais, en matière de trac, de jubilation, de sensations fortes, de communion avec le public, personne ne m'empêchera d'oser la comparaison. Surtout quand la liberté de temps et de discours est presque totale. J'en profite, même si c'est le moment où tu bâilles, pour remercier Mlle Rachel Kahn, productrice bien-aimée, ainsi que Franz, mon ami, mon amour, qui ont pris beaucoup de risques pour ne pas me contrarier. Tellement de risques qu'à l'heure où nous parlons, Giesbert présente le rayon fruits et légumes au Super U de Quimper ! J'embrasse au passage Alexis Trégarot, excellent animateur-producteur, qui fut le tout premier à me donner le micro, du temps où je n'étais qu'une lueur dans la notoriété de mon père. La vie est une histoire de rencontres, et de même que je ne saurais trop vous conseiller la boulangerie « Chez Gisèle » (11, rue de Bretagne), les gens que je viens de citer m'ont fait gagner au moins trois quarts d'heure sur le planning de ma gloire.

Voilà (Nicole me presse de conclure) : j'ai mis dans ce livre l'ensemble de mes pitreries, et comme je suis très généreux (et pas encore suffisamment drogué pour m'imaginer que ça mérite déjà un livre), je te file en bonus une dizaine de nouvelles tout aussi mythomanes. Ces nouvelles, je les ai publiées dans *L'Officiel de la mode* (dont la rédactrice en chef n'est autre que la plus jolie femme du monde, titre certifié AAA par une agence de notations financières), je les ai surtout publiées dans l'indifférence générale (excepté celle de la plus jolie femme du monde, ce qui vaut bien les trois mille lecteurs de Guillaume Musso) : j'y esquisse le portrait d'une vedette (de la plus insignifiante à la plus admirable, d'Édouard Baer à Robert De Niro), en m'inventant une passion fatale avec elle. Sache-le, mon vieux : dans ces récits, tout est vrai, surtout les dates, le prénom des parents et les titres des films. Pour le reste, je m'amuse. À chaque fois je la tue : parce que je l'aime, parce qu'elle est trop célèbre, parce que rien n'est plus douloureux que d'aimer une femme ou un homme que tout le monde aime déjà. N'a-t-on pas écrit quelque part : « L'amour est propriétaire » ? Si cette affirmation s'avère juste et si, par le plus doux des hasards, tu apprécies ce petit livre, ne le dis jamais à ma femme : elle me tuerait.

Voilà, pour moi ce fut un été de merde, alors imagine ce que je pense du tien.

À la télévision

1

Première télé

En présence de Jean d'Ormesson et Alain Minc

Lundi, alors que la plupart des ramenards dans mon genre vomissent encore leurs mojitos sur une plage de Saint-Tropez, le cul posé entre Jean Roch et Fabien Onteniente, moi, tel un travailleur pathétiquement normal, je prépare mon passage de l'ombre à la télé, du théâtre à l'argent, tout ça pour contenter mon camarade Giesbert, qui lui-même passe chaque jour de ses savoureuses impudeurs romanesques à la direction du *Point*, de Sarko à Villepin, de Patrick de Carolis à Rémy Pflimlin, d'une notaire ménopausée à une pigiste intéressée, tout en animant des émissions plus ou moins culturelles, tout en caressant quelques Bulgares à peine pubères dans des troquets sordides, buvant du pinard (du bordeaux comme du bourgogne) et construisant un mini mur de Berlin entre toutes ses activités ! Donc lundi, moi, je vais jouer à être Franz... en à peine plus jeune, en à peine plus à gauche.

Mardi, dans la nuit, après une soirée comme toujours trop liquide, je rêve soudain d'avoir Jean d'Ormesson pour grand-mère. Oui, j'ai bien dit grand-mère. En effet, la mienne est morte avant d'avoir lu deux livres – cette pied-noir antisémite n'ayant même pas fini *Mein Kampf* – et il me semble que le légendaire académicien dont la tignasse opaline exagère son teint hâlé sur les ponts de

Venise –, oui il me semble que d'Ormesson, après avoir séduit des centaines de jeunes lectrices, les a presque assimilées, au sens mangées, au sens de devenir sa propre proie. Ce type aime tant les femmes qu'il s'est d'un coup féminisé ! Chaque jour ses cils semblent plus longs, sa voix plus aiguë et ses gestes plus gracieux. Au point que j'irai bien poser mes chagrins adulescents sur son épaule et lui demander : « Dis-moi, Mamie, pourquoi j'ai l'impression que la vie c'est moins bien qu'avant, pourquoi France Inter sera bientôt plus sage que la radiodiffusion française des entretiens de Paul Léautaud ou d'Emmanuel Berl, pourquoi Sarkozy, c'est moins bien que Mitterrand, pourquoi Carla Bruni a déjà l'air de se faire chier, pourquoi tout semble faux à l'intérieur de la télé ? » Mon aïeule d'Ormesson remplirait alors nos deux tasses de thé bio – pioché avec soin dans les rayons du Bon Marché (oui, ce serait forcément une mamie chic et distinguée, loin de la vieille rombière aigrie que mon père a eue pour mère) – et il tempérerait mes états d'âme systématiques à coup d'épicurisme.

Tout ça pour vous dire, mon cher Jean, que votre ravissement me ravit. Vous êtes passé de la Pléiade au livre numérique, de l'*Iliade* à l'iPad, de la guerre à l'ennui, d'une génération perdue à une génération vendue, et vos sourires paraissent si frais que je suis presque sûr que c'est vous qui allez m'enterrer. D'ailleurs, ne loupez pas cette putain de cérémonie, car tout autour de mon cercueil, comme disent les jeunes : y aura d'la meuf ! Des grappes de blondes, des essaims de rousses, de la cynique, de la sensible, de l'arabe et de la jaune, avec ou sans papiers : après ma mort, promis, je ne vous décevrai pas !

Jeudi, je saute le Mercredi parce qu'on est à la télé, et qu'il faut faire court, c'est-à-dire superficiel. Jeudi, alors que douze conseillers de ceci ou de cela s'agitent autour de la dernière version d'un scénario que je dois rendre bientôt – ce début de phrase assez pénible me donnant l'occasion de rappeler que je suis l'un des plus brillants scénaristes de ma génération –, jeudi, je m'interroge sur la fonction de « conseiller ». Et je le dis devant l'iné-branlable Alain Minc, ici présent : Dieu, qu'il est plus commode d'être celui qu'on conseille, plutôt que celui qui conseille. Demandez au jeune connard passé d'HEC à TF1 et qui voudrait m'apprendre à bâtir une intrigue, ce marketeur du rêve que j'envoie chier à chaque fois qu'une statistique lui tombe de la bouche (et vas-y que la ménagère n'aime pas ceci, vas-y qu'elle rira là et pas ici, savez-vous, Nicolas, que les gens de la Creuse ne com-prendront jamais cette vanne ?)... Et si tu dégageais, toi, connard ?!

Demandez à Georges-Marc Benamou – qui porte très bien la dernière syllabe de son nom –, Benamou, le conseiller de Sarkozy qui rêvait de la villa Médicis et qui se retrouve coincé dans une studette à Nice. Demandez à Attali, qui nous pond une histoire de l'avenir par semaine, alors que son avenir se conjugue à l'imparfait, demandez à François-Marie Banier, le lèche-bottes de la vieille Bettencourt, Banier que les journaux osent encore appeler « le dandy de Saint-Germain-des-Prés », sachant qu'il est à Oscar Wilde ce que Mimi Mathy est à Romy Schneider, et demandez à Alain Minc, ici présent, toujours présent, dont les revers stratégiques s'accu-mulent à la une des canards qu'il contrôlait jadis.

Non, vraiment, comme disait Lamartine, ou Bigard, je ne sais plus, « l'époque pue » ! Du coup, me vient une question : Cher Alain (bonjour), de même que le nègre d'Alexandre Dumas possédait lui-même un nègre, ne devriez-vous pas changer de conseiller ?

Pour ma part, pas de conseiller, pas d'enfant, même pas de femme, je change de mère une fois par an : person-nellement, je préfère me gourer seul.

C'est pourquoi Vendredi, en lisant devant vous ces

quelques foutaises de papier qui me mènent tranquillement au désastre, je sais d'ores et déjà que je ne pourrais gifler personne, excepté mon profil reflété dans la glace de ma salle de bains, une salle de bains que je vais enfin pouvoir redécorer – façon japonisante – maintenant que je passe de mes cahiers à la télé, du talent à la gloire, grâce à l'armée de conseillers qui ont bourré le mou de Franz-Olivier Giesbert pour qu'il m'engage à l'année, et ce pour un salaire que même Christine Boutin trouverait inacceptable*.

Voilà, pour moi ce fut une semaine de merde, alors imaginez ce que je pense de la vôtre.

3 septembre 2010

---

* Le *Canard enchaîné* venait de révéler qu'elle touchait un salaire de neuf mille cinq cents euros pour une mission sur la « Mondialisation ».

2

Pères célèbres

En présence de Marine Le Pen

Lundi, alors que nous est révélé le nom des invités de ce soir, à savoir Marine Le Pen en tête de gondole, tête de Turc et – pour beaucoup – tête à claques, je ramasse quelques conseils autour de moi.

Lundi, plusieurs de mes amis me conseillent, plutôt qu'un blabla prétendument vachard et finalement convenu, d'en venir carrément aux mains avec notre invitée, procédant en guise de joute verbale à de véritables prises de catch, envoyant la fille Le Pen valdinguer dans le décor en carton-pâte de France-Télé, la finissant avec les dents, tranchant dans les veines pour finalement engager le pronostic vital, et ce sous le regard éberlué des quarante téléspectateurs qui nous regardent encore, à cette heure si tardive que même David Guetta et Frédéric Beigbeder s'apprêtent à se coucher. La méthode « Défonce-lui sa grande gueule, à cette conne » me semble assez originale, en cette période politiquement correcte où il n'est pas bien vu d'assassiner une femme, fût-elle blonde et d'extrême droite, ni même – féminisme oblige – de la corriger. Voilà pour les conseils du Lundi, proférés par les plus raisonnables de mes camarades.

Mardi, d'autres connaissances éclairées me conseillent plutôt la méthode « séduction » : ne diabolisons pas le

FN ; au contraire, faisons preuve d'entrisme en péné- trant notre invitée d'un regard embrasé mêlant charme et complicité feinte. C'est ainsi que je pourrais compli- menter Marine sur sa chevelure dorée, indéniablement propre, loin de la tignasse foutraque de Fadela Amara et autre Christine Boutin (deux personnalités politiques avec qui je partage quelques idées, certes, mais avec qui l'idée de partager mon lit me semblerait aussi odieuse que de lire cette chronique sans être excessivement payé !). Oui, chère Marine, vous avez un physique passa- blement passable, voire plutôt sympathique, et c'est à nous dégoûter de la morphopsychologie, tant le patrio- tisme ringard et l'agressivité que diffusent vos discours ne semblent pas contaminer vos expressions plutôt char- mantes, votre sourire plutôt amical et vos yeux d'un bleu presque enfantin... D'ailleurs, si vous étiez ma meuf, comme disent les jeunes, je passerais mon temps à dire à mes amis : « Mais l'écoute pas, Jeannot, tu la connais, elle est mignonne, elle est sympa, mais la pauvre, tu sais très bien qu'elle y comprend que dalle, puis elle revient de si loin, t'imagines un peu le père qu'elle se tape, tu crois que c'est facile, toi, d'écouter des horreurs depuis l'âge de cinq ans, d'être montrée du doigt à l'école, telle une négresse sans ses papiers, tu penses pas que ça te brise un cerveau aussi efficacement qu'une consom- mation quotidienne de crack sur un banc de Stalingrad ? Laisse-la causer, Jeannot, et goûte plutôt ce qu'elle vient de nous cuisiner, la poulette, au moins ça, elle sait faire » !

Jeudi, alors que je termine ma prochaine pièce – un chef-d'œuvre parmi d'autres –, je me rends compte que quelque chose me relie à Marine, quelque chose que peu de gens vivent : nous sommes, elle et moi, des enfants de célébrités. Et elle comme moi a dû trouver un moyen d'exister en portant un patronyme qu'il s'agissait de servir, de revendiquer, de transcender, ou de pourrir littéralement. Marine, tout comme moi, a décidé de le revendiquer, moi en écrivant quelques pièces pour mon père, prenant le risque de susciter le sarcasme de la critique parisienne, et elle en reprenant carrément la même pièce dramatique et boulevardière que son père nous inflige depuis des décennies. Sauf que ce soir j'ai envie de dire à Marine qu'il lui ferait le plus grand bien d'aller fouiller dans d'autres répertoires, qu'il y a des auteurs merveilleux sur d'autres étagères, et de même que la chrétienne chichi pompon Christine Boutin est en train de virer vers une gauche humaniste, je rêve de ce jour où Marine éclatera en sanglots devant nous en hurlant : « Ça suffit, nom d'un cul, j'en ai marre de tout ce folklore, de mon père et ses calembours vaseux, son petit rire pervers, ses électeurs haineux, ses meetings pauvres, ce vin blanc dégueulasse qu'on m'oblige à avaler avec de vrais fachos, de vrais racistes, de vrais antisémites. Putain, je suis encore jeune, j'ai de l'esprit, moi aussi j'ai envie de rencontrer d'autres gens, dans des dîners spirituels, loin de l'affreux Bruno Gollnisch et tous les sbires de papounet. Pardonnez-moi, je m'appelle Marine Le Pen et je craque ! »

Me vient alors une idée, qui n'est pas sans évoquer ma propre situation : et si Marine n'attendait pas la mort de son papa pour nous surprendre tous ? De même que je ne sais plus quoi faire pour profiter du mien – multipliant les vacances familiales, les projets communs, me forçant à lire *Marianne, Le Nouvel Obs*, et même *Le Point*, m'empêchant poliment de lui dire toutes les réserves que je fais parfois devant ses prises de position quelque peu manichéennes, tant je l'aime, tant je l'admire, et tant je veux qu'il vive les plus belles et les plus longues dernières années qui soient – Marine Le Pen n'est-elle pas en train de jouer cette comédie pour que son paternel disparaisse (enfin) avec dans le cœur la conviction qu'il est immortel grâce à une relève organisée par le fruit de ses propres entrailles ?!

Du coup, Vendredi, c'est-à-dire ce soir, j'ai envie de vous dire, Marine, entre fille et fils de : Retrouvons-nous à la mort de nos pères respectifs, allons nous bourrer la gueule dans une boîte à chagrin, et trinquons à votre différence future, dégueulons nos whiskies sur tout ce qui vous fait déjà mourir de honte, et ce depuis l'âge tendre, lorsque petite, toute seule quand la nuit tombait après le JT, vous vous disiez sans doute : « Pourquoi Dieu m'a-t-il fait fille de Le Pen, et pas de Marcello Mastroianni, de Robert Redford... ou même de Guy Bedos ! Lui, au moins, il est beau, il est drôle, les gens l'aiment, les femmes lui sourient, et puis son fils a du talent, peut-être on pourrait jouer ensemble, Nicolas et moi, faire de la balançoire avec la fille de Depardieu et celle de Bohringer ? »
Eh oui, peut-être, on aurait pu... Je vous aurais présentée à Gisèle Halimi, Plantu, vous auriez pris des bains avec Nicolas Rey et fumé un pétard avec Jamel Debbouze et vous ne seriez pas là à supporter les perfidies d'un jeune prétentiard.
Oui la vie est injuste, Marine, mais il ne tient qu'à vous de lui donner un nouveau départ, plutôt que de la prolonger dans les pires conditions, c'est-à-dire en faisant à vos enfants ce que votre père vous a fait.

Voilà, pour moi ce fut une semaine de merde, alors imaginez ce que je pense de la vôtre.

10 septembre 2010

3

Banier, mon maître

En présence de Jacques Attali

Lundi, gros coup de cafard face à mon relevé de comptes. J'ai beau m'agiter depuis l'adolescence, à coups de précocité ostentatoire, de scénarios pour la télé, intimes ou franchement racoleurs, j'ai beau avoir rempli quelques salles de théâtre, poussant le vice narcissique jusqu'à pérorer devant vous tous les Vendredis soir, Lundi me vient une question d'ordre économique, et je le dis devant Jacques Attali (l'un des hommes les plus brillants du monde, voire d'Île-de-France) : comment fait-on pour être VRAIMENT riche ?

J'entends par là cette fortune qui me permettrait enfin d'agrandir d'une ou deux pièces mon minable 125 mètres carrés de la rue de Rivoli, de n'être point obligé de vendre ma Jaguar pour m'offrir une Bugatti, et de m'autoriser enfin l'écriture d'un théâtre de recherche, un théâtre audacieux, avec bébés en cire poignardés par des intermittents furibards, défécation à tendance politique sur les tréteaux enflammés du festival d'Angers, bref, comment devenir riche à ne plus savoir quoi foutre de sa putain de caillasse !

Car Mardi, je réalise soudain que j'ai tout fait de travers, péchant bêtement par esthétisme : en effet, voilà des années que je m'affiche avec les plus belles comédiennes de notre capitale, collectionnant leurs césars du meilleur espoir à défaut de leur donner le moindre espoir quant à ma fidélité. Sauf que Mardi, je fais le compte : oui, grâce à elles j'ai connu l'amour et le désir paroxystique ; oui, grâce à elles j'ai voyagé parfois gratis, de festival en festival, m'incrustant à leur côté pendant qu'on les photographiait ; oui, j'ai bénéficié de certaines de leurs relations, me faisant prêter des slips signés Karl Lagerfeld et arranger ma calvitie naissante par le coiffeur domestique de Monica Bellucci ; d'accord, j'ai ramassé les centaines de bouquets de fleurs qui grouillaient dans leur loge, les revendant le soir même place des Ternes ; bref, d'accord, j'ai profité à mort des avantages du cœur, mais nom d'un cul rien à côté de notre Dieu à tous : François-Marie Banier !

Quelle leçon ne nous a-t-il pas infligée !

Voilà pourquoi, Mardi, je décide de m'attaquer à une toute nouvelle clientèle, certes moins photogénique, mais tellement plus spirituelle que nos jeunes névrosées aux dimensions paradisiaques qui remplissent les magazines mais jamais nos coffres-forts !

Mardi, je me coiffe en arrière – façon années 50 – réveillant l'éventuelle nostalgie de mes proies à venir, et j'installe ma sveltesse devant une table du Fouquet's, à l'endroit précis où un soir de victoire, notre cher président avait mixé tout le gratin du CAC 40, lui qui a bien compris que ce n'est pas au Baron ni autre Montana truffé de sublimes jeunes modeuses qu'on assure son avenir !

Mercredi, après m'être pris un râteau par trois comtesses tuberculeuses et une fringante héritière de soixante-quatorze ans (qui portait très bien le fauteuil roulant), je décide, comme Banier en son temps, de sortir mon appareil photo et mon bloc à dessin, faisant poser toutes les sorcières visonnées devant mon objectif.

La méthode fut payante, au sens propre, car Jeudi, me voilà balançant des saillies drolatiques datant du XIXᵉ siècle au bras d'une certaine Mme de Reitweiller – 60 millions d'euros au compteur, veuve à quatre reprises, plus méchante que Zemmour et Naulleau réunis, et assez charitable pour me dispenser de dormir avec elle.

Jeudi matin, je suis blindé d'oseille, elle me refile ses Picasso, je lui fais l'amour avec des mots, critiquant son entourage, la peignant de dos – c'est-à-dire sous son meilleur profil –, je passe de l'hôtel Raphael au Bristol avec escale au George-V, je dégueule mon caviar au petit déj, l'ayant noyé dans le champagne afin d'oublier la lettre de rupture qu'une jeune comédienne au chômage vient de m'envoyer, prétendant que j'ai changé.

Jeudi soir, à la demande de la vieille peau, qui ne tolère aucun refus, je couche carrément avec son neveu, son fils et son conseiller financier, moi qui ne suis pourtant pas plus homosexuel que David Douillet !

Vendredi, que m'arrive-t-il, je vote à droite, je console la plupart des ministres du gouvernement, je fais de la luge à Megève et je ricane à Capri.

Vendredi, c'est en posant mon jet privé à Londres, où j'allais faire du shopping chez Sotheby's que j'ai croisé Chloé, la jeune comédienne suicidaire, oisive et fauchée qui m'avait largué quelques jours plus tôt. Je lui cours après, je m'agenouille à ses pieds, froissant l'alpaga de mon costume Lanvin dessiné sous mes yeux par Alber Elbaz, je lui promets le premier rôle de mes dix prochaines pièces, y compris ce monologue que j'ai tricoté pour Jean-Pierre Marielle, je lui propose la moitié de ma récente fortune – tendant des billets avec le même regard plaintif que le Roumain qui les mendie –, je suis prêt à m'installer dans une cabane du Gers et relire Nabokov jusqu'à la fin de mes jours, tellement son jeune corps me manque, ses seins aussi fermes qu'une boule de pétanque lancée par Patrick Bruel sur une terrasse de Saint-Tropez, son regard idéaliste, son manteau mal coupé de chez Zara, je l'aime, reviens, pardon... !

Rien n'y a fait, que dalle : elle est remontée sur le scooter trafiqué d'un jeune connard des cours Florent, et je suis resté planté là, telle une merde, de la honte plein les poches et le regard aussi vif que Jean-Luc Delarue à la sortie d'une garde à vue.

Tout ça pour te dire, François-Marie Banier, que tous les rêves que tu m'as vendus sont déjà frelatés, j'ai cru à ton bonheur et j'ai perdu le mien. Il ne me reste plus qu'à espérer que la vieille Reitweiller me couchera sur son testament, plutôt que dans le plumard de ses meilleurs amis, et que jamais sa vilaine progéniture n'ira m'intenter un procès pour abus de confiance, car – comme dirait l'abbé Pierre, ici présent –, le seul procès qui mérite d'être fait reste celui de notre propre avidité !

Voilà, pour moi ce fut une semaine de merde, alors imaginez ce que je pense de la vôtre.

24 septembre 2010

4

Les Roms

En présence de Jean-Louis Debré

Lundi, alors que le succès titanesque de cette chronique (auprès des téléspectatrices pré-pubères et insomniaques) me fait littéralement crouler sous les éloges facebookiens, lettres de fans parfumées à la cyprine de leurs orgasmes coupables, me permettant dans le genre « pseudo-bellâtre cultivé » de coiffer au poteau David Abiker, qui s'accroche, Franz-Olivier Giesbert, qui s'acharne, et tous les Florian Zeller de la terre, Lundi je décide donc de vendre le manuscrit original de mes textes sur le Net – chaque feuillet étant paraphé d'une goutte de mon sperme truffé de chromosomes gagnants (je jure à celle qui déciderait de se faire inoculer un embryon de mon cru que celui-ci remportera et le Goncourt et le Molière et le César avant l'âge de treize ans !). À ceux qui oseraient souligner l'opportunisme de ma démarche, je rappelle que nous sommes en temps de crise, que le théâtre privé (qui est censé me nourrir) se porte on ne peut plus mal, la sottise boulevardière salissant les plateaux autrefois gratifiés par les répliques d'Anouilh, Pinter ou Giraudoux (y a qu'à voir la énième version du *Dîner de cons* qui se prépare, version dans laquelle le con invité au dîner n'est autre que le public !). Bref, face à cette décadence, il faut bien que j'anticipe, assez pour m'offrir ce petit appartement dans le Sud, tout près de la maison de Franz, dans laquelle celui-ci organise chaque week-end les plus surprenantes partouzes méridionales de France !

Mardi, apprenant que Jean-Louis Debré sera l'un de nos invités ce soir (salut, Jean-Louis), me voilà pris d'un gigantesque coup de cafard, à peu près comparable à celui que Debré a dû lui-même ressentir en voyant la tronche malicieuse de Mitterrand apparaître dans le poste en 1981. Coup de cafard car, si Debré mérite tout notre respect – surtout lorsqu'il évoque le président de la République –, il m'excusera de penser que ce n'est pas l'objet télévisuel le plus percutant du PAF. Disons que je ne vois pas des foules de pucelles sorbonnardes se ruer, la culotte sur la tête, pour assister à une conférence de Jean-Louis Debré, à côté de qui Michel Onfray est la Lady Gaga de la pensée hexagonale. Du coup je pense à notre audience qui, forcément, va s'effondrer, je pense à notre productrice bien-aimée qui va devoir se reconvertir dans la création de jeux télévisés présentés par Nagui – pauvre Rachel, quel destin pour une femme qui, cinquante ans plus tôt, a épousé Jean-François Kahn !

C'est pourquoi, Mercredi, je décide donc de relever un peu le niveau, je parle du niveau commercial, à base de foutaises provocatrices, d'approximations politiques, de vannes sur le physique des ministres et de généralités racistes : rien de tel pour faire bander l'audience ! Je prends donc exemple sur mon ami Stéphane Guillon – dont le licenciement par France Inter lui permet aujourd'hui d'engager une promo sur toutes les autres fréquences de l'univers, y compris dans des pays sud-africains qui ne connaissent même pas la liberté d'expression...

C'est ainsi que Jeudi, poussant la chronique racoleuse jusqu'au cul, j'envisage de dresser devant vous la liste des anciens amants roumains que Carla Bruni a bien dû se goinfrer dans des caravanes nomades, du temps où elle traînait pieds nus, vêtue d'une simple guitare acoustique, et chantonnant dans toutes les langues, sur toutes les langues, des ritournelles libertines à base de « Aimons-nous, aimons-nous les uns les autres, et surtout aimez-moi, aimez-moi tous autant que vous êtes, les riches, les pauvres, les Roms, les jaunes, les vieux, les nains et les bâtards »... Oui, Jeudi, j'imagine avec joie une armée de manouches accompagnant la première dame de France dans des concerts itinérants, redonnant des couleurs à ses mélodies aussi jolies que facultatives et propageant dans nos campagnes une odeur de haschisch nécessaire au moral de chacun !

Jeudi, comme vous le constatez, je griffonne sur le papier un certain nombre d'idioties, ce qui me rapproche d'Henri Guaino, Brice Hortefeux et autres Sarkozy qui ne sont pas les derniers à servir au public les pires déchets qui soient afin de garder leur petite émission à eux, leur petit programme populiste et nauséabond*..., et à ceux qui me diront qu'il est vachement fastoche de critiquer la politique sécuritaire quand on habite chez les bobos du 3e arrondissement (ce qui est mon cas), je réponds par avance qu'il est encore plus con de l'applaudir à quatre mains quand on habite dans les faubourgs du 16e arrondissement, quartier que les Gitans n'osent même plus fréquenter tellement eux-mêmes s'y feraient chier.

Vendredi, pour finir, je m'interroge surtout sur la façon de « dire » les choses, n'ayant guère oublié que la gauche chevènementiste a viré les sans-papiers à peu

---

* Le gouvernement venait de stigmatiser la communauté rom, procédant à six cent trente expulsions et plusieurs arrestations.

près au même rythme et d'une main aussi ferme que Jean-Louis Debré.

Sauf que la forme compte : la même blague proférée par Pierre Desproges au théâtre Fontaine, puis Jean-Marie Bigard au Stade de France ne ferait pas le même effet (excepté pour Giesbert, qui se marre à tous les coups). Et de même que, ce matin, en virant une jeune Asiatique sublime qui s'attardait dans mon plumard, je lui ai dit, façon Jospin : « Dites-moi, belle inconnue, savez-vous qu'il est midi, je vais devoir travailler, voulez-vous un thé au lait avant de prendre un taxi, et auriez-vous la gentillesse de me rappeler votre prénom ? », je ne lui ai pas balancé – façon Brice Hortefeux : « Dis-moi, connasse, tu comptes t'incruster longtemps ? C'est mon pognon qui t'intéresse ou quoi, la niaque ? Faudrait que tu penses à t'bouger l'cul parce qu'hier soir j'en avais p't'être envie, mais ce matin il sert à rien, alors tu ramasses ta culotte et tu dégages vite fait ! »

Cet exemple nuancé vous fera sans doute admettre qu'une différence de forme peut très vite devenir une différence de fond.

Voilà, pour moi ce fut une semaine de merde, alors imaginez ce que je pense de la vôtre.

17 septembre 2010

5

La réforme des retraites

En présence de Max Gallo

Lundi, je me fais réveiller à l'aube par ma petite nièce Charline qui – du haut de ses sept ans et demi – me demande de l'accompagner à la manif contre la réforme des retraites.

Je lui dis : « Mais qu'est-ce qui te prend, Charline ? » Elle me dit : « Ta gueule, tonton, et lève-toi : l'avenir appartient à ceux qui se lèvent tôt. »

Lundi après-midi, me voilà place de la Bastille, guidé par la main d'une pucelle haute comme trois pommes, alors qu'elle tient dans l'autre une banderole CGT, je la vois qui prend très vite la tête du cortège...

Devant un stand, un peu plus loin, je rencontre Jérémy, onze ans, qui me demande si j'ai bien placé l'argent que m'a rapporté ma dernière pièce avec Mélanie Laurent. Je demande à ce petit connard s'il a vu la pièce. Il me dit : « J'ai pas eu le temps, y en a qui travaillent. » Il me demande ensuite si je suis propriétaire de mon appartement, je lui réponds que je loue, et le voilà parti dans un fou rire assez vexant. Après quoi il m'explique le principe du prêt immobilier, me conseillant d'investir dans la pierre et les cabinets dentaires. Je lui dis : « Mais tu n'es qu'un enfant », il me répond : « Peut-être, mais la dent est un marché stable, tout le monde a des caries, les riches comme les pauvres, depuis la nuit des temps, et il est peu envisageable qu'une avancée scientifique nous dispense un jour d'aller chez un dentiste. » Je me pince pour y croire, alors que le petit branleur me saute au visage, attrape ma cigarette et l'écrase contre le sol. Je lui dis : « Mais pourquoi ? » Il me répond : « C'est quoi ton but, espèce d'abruti ? Mourir à cinquante ans d'un cancer de la gorge ? Sais-tu, en outre, me dit-il, "en outre", que le tabac favorise également le cancer des testicules, pour un gars qui comme toi se vante partout d'être un tombeur, ce n'est pas ce que j'appelle un bon investissement ! » Je lui demande son numéro, il me file son e-mail, son pseudonyme Facebook...

Avant de rejoindre la manif, il me présente sa petite sœur, Jennifer, cinq ans, qui aussitôt me somme d'arrêter le théâtre pour me consacrer à l'écriture de séries télévisées. Et la voilà qui part... « Oui, dit-elle, le marché français est encore un peu timide, mais le conglomérat des productions européennes laisse entrevoir des jours meilleurs », je prends sa carte, ainsi que celle de son avocat, m'apercevant que la merdeuse tient fermement dans sa menotte le dernier livre d'Alain Minc. Bref, je suis bel et bien coincé dans un attroupement de morveux, scandant : « Protéger notre avenir, la retraite à 60 ans » entre Jean-Luc Mélenchon et la chorale des Petits Chanteurs à la croix de bois (extrêmement remontée) !

Mardi, je demande à Natacha, quatorze ans et demi, la fille de ma concierge, si elle aussi s'inquiète à ce point-là pour ses vieux jours, c'est alors qu'elle m'explique que pour elle cela n'a aucune importance puisque, de toute façon, elle compte s'exiler en Suisse dès sa majorité, pour des raisons fiscales. Je lui dis : « Mais, Natacha, tu vas te faire chier à Genève », elle me dit : « Parce que tu crois pas qu'à Paris tu te fais pas chier ? T'as vu ta tête, à toi ? » Je lui dis : « Mais, à Paris il y a les restaurants, les musées, les boîtes de nuit... ? » Sur ces mots, elle me sort aussitôt une étude prouvant l'incidence de la consommation d'alcool sur les troubles de la mémoire. Je lui dis : « Mais la mémoire, Natacha, c'est pour les gens très vieux, les septuagénaires ! », elle me dit : « Ah, tu crois. T'as pas vu Franz-Olivier Giesbert ? Il a moins de soixante-dix ans, eh ben regarde un peu le temps qu'il met à conseiller un livre, on sent bien qu'une fois sur deux le titre lui échappe, c'est à peine s'il ne confond pas Max Gallo et Marc Dugain, David Abiker et Élisabeth Lévy. » Je lui dis : « Mais l'Amour, Natacha, le fameux charme des Français ? » Elle me dit : « Pour quoi faire ? Il a été prouvé que l'amour dure trois ans et le désir provient d'un paradoxe neuro-bio-chimique entre la découverte d'un corps nouveau et la frayeur d'une perte imminente : ça dépasse pas six mois. » Je lui dis : « OK », et je lui file une fraise tagada, elle accepte le bonbon puis ajoute qu'à la limite l'intérêt du coït résiderait essentiellement dans la procréation, mais qu'après avoir analysé le niveau du PIB mondial dans les trente prochaines années, elle préfère éviter de mettre au monde tant que la conjoncture économique n'est pas plus favorable. Et elle termine : « Non, moi, ce sera la Suisse, un vibromasseur, le régime Dukan, la salle de sport et peut-être que, le 15 août, je m'autoriserai une glace, et encore, aux légumes ! »

C'est à ce moment-là que je me suis emparé de sa corde à sauter et que je l'ai fouettée jusqu'à ce qu'elle chiale à chaudes larmes, comme une vraie petite fille naïve et inconsciente, merde !

Jeudi, sur les conseils de mes petits camarades, je suis debout à 6 h 30, pour la première fois de ma vie, et en croquant dans une carotte crue (c'est bon pour le cœur), je déprime totalement, rongé par la culpabilité de mes inconséquences passées, le sentiment qu'il est trop tard, moi qui depuis toujours balade mon cœur précaire sur des corps provisoires, moi qui ai très longtemps placé mon argent sous mon oreiller ! Jeudi, vers 15 heures, alors que je suis scotché au site de l'office du tourisme de la ville de Lausanne, coup de fil de ma meilleure amie, Diane : elle vient d'accoucher ! Et je suis le parrain ! Waouh... Je soupire, je trépigne, ravi de constater que la vie parfois se venge dans le bon sens, y compris avec ma meilleure amie – cette ancienne nymphomane que tout Paris a visitée (certaines langues de poète la surnommaient « la gare de Lyon ») et qui, désormais, ultime revanche sur les pisse-froid, coule des jours bienheureux avec le père de son bébé. Rien n'est foutu, me dis-je, et je file à la maternité. Mais là-bas, coup de théâtre, je retrouve mon amie en sanglots, sans le moindre nourrisson dans ses bras épuisés. J'apprends rapidement que le bébé, à peine sorti du ventre, exige de passer un check-up, et que, très bien conseillé par un juriste de l'hôpital, il intente contre sa mère un procès pour tabagisme passif et consommation de bordeaux bouchonné. Je lui dis : « Mais il a le droit ? » Elle me dit : « L'enfant a tous les droits... ils se sont battus pour les obtenir, mon chéri, on est cuits. »

Vendredi, c'est-à-dire ce matin, littéralement terrorisé par la société de demain, je me surprends à préférer la compagnie de jeunes bambins comme Jeanne Moreau, Claude Rich ou l'excellent Jean-Pierre Marielle, autant de jeunes premiers que le progrès n'a pas réussi à vieillir prématurément, et je me dis que l'argument de Sarkozy selon lequel il faudrait repousser l'âge de la retraite afin d'éviter de faire payer la note à nos enfants n'est pas très convaincant, puisque, dans cette société, il n'y aura bientôt plus d'enfant.

Voilà, pour moi ce fut une semaine de merde, alors imaginez ce que je pense de la vôtre.

15 octobre 2010

6

Séquestration

En présence d'Ingrid Betancourt et Laurent Fabius

Lundi, j'apprends que notre invitée de ce soir sera la Madonna des otages politiques, Mlle Betancourt – non pas la vieille mesquine flattée jusqu'au lifting par son valet Banier, j'ai nommé Liliane (la seule Betancourt des deux qui nous aurait enfin permis de faire assez d'audience pour résister à « Koh-Lanta » et autres programmes culturels de la première chaîne de France). Non, ce soir, c'est Ingrid, rien qu'Ingrid – on fait ce qu'on peut avec ce qu'on a...

Du coup, Lundi, je suicide mon égoïsme militant, je ferme les yeux et je tente d'imaginer le calvaire de cette femme, moi-même enfermé dans une chambre du Ritz avec Jean-Luc Delarue et 350 grammes de farine Francine. Lundi, je me rappelle ses années de douleur, son visage à la fois moribond et céleste, braquée par les Farc – les Farc qui, je le rappelle à mes fans prépubères, ne sont pas un groupe de rock alternatif des années 80, mais bel et bien une bande de brutes cagoulées à la mode corse dans la forêt colombienne. Colombienne ! En parlant de colombienne, je vois soudain le visage de Delarue qui reprend quelques couleurs, sans doute nostalgique du temps béni où Canal + était encore dirigé par Pablo Escobar, Pablo qui – généreux en diable – payait ses pigistes à la ligne (moyen).

Lundi, je pense donc à Ingrid, à son courage, à sa

grâce touchée par la grâce, et je verse une larme − de whisky − dans mon verre compassionnel, obligé d'admettre que pendant que nous autres, parisianistes désœuvrés, brodons quelques autofictions sur nos chagrins d'amour et autres désirs refoulés de rouler des patins à nos mères respectives, certaines femmes comme Ingrid ont du lourd à vomir sur la page : son livre est palpitant, vraiment vrai, vraiment bon et vraiment grave.

Seulement, Mardi, en apprenant le reste du casting de ce soir, je me dis que, mine de rien, chacun porte sa croix, y compris dans ce studio, que le thème de l'émission est vraiment celui de la captivité car j'ai soudain envie de placarder la tête de Laurent Fabius − ici présent − sur le parvis de l'Hôtel de Ville ! En effet, quoi de plus émouvant qu'un ancien jeune et brillant Premier ministre aujourd'hui séquestré au siège du parti socialiste ! Vous voilà claquemuré, cher Laurent, pieds et poings liés, dans une cave avec Martine, Bertrand, Ségolène et François, braqués par une armée de militants insatisfaits et divisés, réclamant une rançon présidentielle qu'ils ne sont pas près d'obtenir. Quel cri strident que celui que vous poussez la nuit, pauvres éléphants sans défense, oubliés par presque tous, dans l'obscurité d'un local nauséabond de la rue de Solférino et hurlant votre peine d'université d'été en déconfiture d'hiver, ne sachant même plus quelle cause revendiquer.

Oui, Mercredi, Laurent, je me dis que ça n'a pas dû être marrant tous les jours, notamment en 2006, lorsque vous avez carrément tenté de vous flinguer les uns les autres, pourtant otages du même parti, frôlant l'auto-cannibalisme, parodiant sous nos yeux un épisode de *Prison Break* et subissant le leadership de Ségolène Royal et sa voix de prof de maths sous Lexomil, Ségolène que vous auriez bien envoyée chez les Farc en échange d'Ingrid, ou même en échange d'une branche d'arbre calciné, d'une capote usagée ou d'une barre de Carambar moisi, tant son regard de poisson mort ne parvenait guère à dissimuler une ambition et un orgueil tels qu'ils feraient presque passer Sarkozy pour l'un des moines philanthropes du dernier film de Xavier Beauvois ! Moi-même, combien de cierges me suis-je surpris à allumer sous les vitraux d'une chapelle parisienne – moi qui offense pourtant notre seigneur chaque nuit – afin que vous, Laurent, ainsi que vos amis, soyez libérés du joug de cette perdante annoncée. J'aurais poussé le zèle jusqu'à sucer le doux Jésus s'il m'avait jurer sur la Bible qu'il la sortirait du loft car, de même que le présentateur Arthur rendrait Élie Wiesel antisémite, je connais des gauchistes qui auraient préféré voter Bush ou Ben Laden plutôt que de la voir chanter « Tous ensemble tous ensemble, tous, tous » un soir de victoire chimérique.

Jeudi, jeudi, jeudi je dis quoi... Ah oui, jeudi je réalise que ce que j'ai écrit Mercredi est un peu excessif. Jeudi, je me dis qu'il me faudrait à mon tour freiner sur la coke, bien que grassement payé par le service public, car je me dis que la rancœur fait mal au cœur, osant cette rime riche soufflée par le nègre du nègre de Patrick Bruel.

Je me dis même que Ségolène a peut-être changé, puisque même vous, Laurent, ne semblez plus vouloir la noyer dans un bain d'eau bouillante, vous contentant de la gifler une à deux fois par semaine, comme vous l'a conseillé votre psychanalyste. Je me dis que le ralliement que vous nous promettiez du fond de votre geôle est peut-être sincère maintenant que vous apercevez le jour par l'entrebâillement d'une porte que la xénophobie sarkoziste vient par miracle de déverrouiller ; je me dis que la prochaine élection sera peut-être la bonne puisque nous sommes dans un pays où même Nagui fait de l'audience à la télé, je me dis que votre bande de bras cassés tient encore sur ses frêles guiboles, et je décide d'éteindre ma lampe sur quelques somnolences d'espoir.

Vendredi, mon cher Laurent, je vous souhaite donc à vous, à Martine, à Bertrand et autre lointain DSK, bref je souhaite à tous les otages du PS tous mes vœux de prompt rétablissement (je vous déconseille au passage de réclamer aux autorités françaises des dédommagements pour l'enlèvement que vous avez subi pendant toutes ces années), et je vous souhaite bonne route car, comme dirait Jean-Luc, mon jeune oiseau blessé par son ego hypertrophié : « N'a-t-on pas tous le droit à une seconde chance ? » Demandez à Franz-Olivier Giesbert : après 13 divorces et 316 ruptures, il a enfin trouvé l'amour, c'est du moins ce qu'il croit.

Voilà, pour moi ce fut une semaine de merde, alors imaginez ce que je pense de la vôtre.

1er octobre 2010

7

Rama Yade, mon amour

En présence de François Hollande et Laurent Joffrin

Lundi, énorme clash dans les bureaux de cette production ! En effet, après plusieurs émissions auxquelles j'ai apporté à la fois mon esprit stupéfiant et ce regard animal qui rendrait jaloux Leonardo di Caprio, j'attrape Franz-Olivier Giesbert par le col de cette veste en tweed qui lui va si mal, et je lui dis : « Franz, arrêtons les frais, veux-tu, ça suffit, tu m'avais promis une émission culturelle, cinéma, littérature, des actrices en pagaille, j'ai passé l'été à m'imaginer minaudant comme une pouffe devant Emmanuelle Béart défendant je ne sais quels nègres télégéniques, Léa Seydoux et son museau timide faisant la promotion de ses seins aussi lourds qu'un secret, ou même dans le genre littéraire, le nouveau recueil de l'anxiogène Claire Castillon, bref de la meuf mutine, spirituelle ou engagée, à la place de quoi voilà plusieurs semaines que je me goinfre de l'Attali, du Bruckner et autres d'Ormesson, certes encore très séduisant, mais à qui j'ai plus envie de demander des conseils qu'un numéro de portable, sans parler de Fabius et son regard d'homme politique battu – Fabius qui la semaine dernière nous a quand même fait perdre 25 points d'audimat rien qu'en disant « Bonsoir » ! Et que dire de Mélenchon qui a maigri, c'est vrai, il a maigri, mais enfin Mélenchon, fût-il anorexique, reste pour moi moins érotique que n'importe quelle vilaine obèse ! Bref, voilà des semaines que je me coltine une armée d'intellos vieillissants et sans doute déjà vieux à l'époque du biberon, alors lundi, moi, je dis : Stop. Stop : j'ai une carrière au théâtre, des projets au cinéma, plusieurs maîtresses à entretenir, une consommation de poudre hebdomadaire à payer moi-même – maintenant que Delarue ne fournit plus personne – et ce n'est pas mon maigre cachet de 8 000 euros la chronique qui va suffire à me motiver ! »

Du coup, Mardi, grosses négociations autour de mon petit nombril, je dis à Franz : « Franz, mon chéri, oui je t'aime, oui nous avons passé des heures délicieuses dans ta maison du Sud, et oui tu cuisines très bien les fleurs de courgette, mais quand tu sais que le Grand Journal de Michel Denisot me propose le triple pour reluquer chaque soir la silhouette extraterrestre de la nouvelle Miss météo (cette espèce de bombe si bombe que dans sa bouche l'accent québécois a des résonances brési-liennes !)*, va falloir qu'on discute ! En plus, Franz, soyons francs, j'en ai marre des politiques, les gens de ma génération s'en foutent éperdument, ou n'y croient plus depuis longtemps, et quand j'imite mon père en envoyant des Scuds sur Ségolène Royal, j'ai l'impression d'être diffusé en noir et blanc sur l'antenne 2 de Michel Polac ! Merde ! »

Mercredi, menaçant donc de foutre le camp sur une chaîne commerciale, superflue et glamour, je propose à Franz d'inviter au moins UNE actrice par mois, le néces-saire vital pour un pervers dans mon genre et, afin de donner une consistance intellectuelle à mes supplica-tions, je cite le nom d'Isabelle Adjani – qui ne ressemble plus vraiment à Isabelle Adjani, mais qui a le mérite

---

* C'était les débuts de Charlotte Le Bon. C'était bien.

d'avoir gardé dans le grenier de son regard turquoise le souvenir vibrant de sa beauté d'antan. À peine ai-je prononcé son nom, qu'on me répond : Laurent Joffrin. Merde ! Du coup, franchement provoc, je cite Paris Hilton, on me répond Christine Lagarde, ce qui – dans le genre femme – est encore pire qu'un homme !

Jeudi, c'est fini, je prépare mes cartons, serrant la main humide et sale des adorables techniciens de cette chaîne, embrassant tendrement mes collègues chroniqueurs qui me regardent partir avec respect et jalousie, un peu comme s'ils étaient restés coincés à l'entrée du Baron...

Michel Denisot, pas peu fier de sa belle prise, m'attend devant France 2, dans sa décapotable ostentatoirement lustrée, avec le sourire fier de celui qui en un mois a vu passer Penélope Cruz, Julia Roberts et autre Louise Bourgoin... Lorsque mon pauvre Franz confond encore Louise Bourgoin avec je ne sais quelle députée centriste du Languedoc-Roussillon ! Je monte à bord, et me voilà parti vers les paillettes, les soirées Canal, les débats sous ecsta autour du dernier album de Mika, et je sais dès lors que je perds en crédibilité ce que je gagne en hédonisme, serrant déjà dans ma poche gauche un paquet de préservatifs parfumés à la cerise !

Seulement jeudi, coup de théâtre, à 5 heures du matin, la sonnerie retentit, réveillant les quatre prostitués slovaques que j'avais loués sur e-bay la veille. J'ouvre la porte en pyjama Petit Bateau : qui ça peut être ? Franz ! En larmes. Il grelotte de chagrin, ayant perdu avec moi un fils spirituel (et quelques points d'audience). Je lui lance un Kleenex et je décide de l'écouter.

« Nicolas, me dit-il, j'ai bien réfléchi, je respecte ton point de vue, dans un couple il faut savoir écouter l'autre, alors je vais faire un effort : bon, je ne te promets pas de déprogrammer Laurent Joffrin, c'est quand même le patron de *Libé*, je suis obligé d'inviter Marc Weitzmann, c'est le neveu d'un vieux copain, le type est très fragile, il a besoin de vendre son livre... »

Là, autant dire que je m'apprête à le foutre à la porte, sous le regard vitreux des trois putes de l'Est, lorsque Franz a l'audace, le talent et l'intelligence de prononcer les mots magiques, trois syllabes aux parfums ivoiriens : RA-MA-YADE. Je lui ai dit : « Répète-moi ça ! » Craignant l'entourloupe, me rappelant la versatilité d'un homme capable de pisser de concert avec Mitterrand tout en rédigeant une biographie à charge. Franz s'est alors jeté sur moi, il m'a serré contre son cœur en jurant : « Nicolas, c'est promis, on va faire ça pour toi, Rama Yade sera là. »

Vendredi, c'est-à-dire ce matin, je débarque au studio le cœur battant, le verbe haut et le visage brûlé par six séances d'UV, j'ai rêvé de Rama jusqu'à l'aube : j'imagine déjà notre complicité ce soir, ma fausse impertinence de faux don juan cathodique, ses petits rires à peine réprimés par ses lèvres généreuses, mes vannes en forme de caresses, mes preuves d'érudition directement piochées dans le dictionnaire Larousse, et puis ce verre de connivence que l'on boit toujours avec les invités, après le tournage, ce verre qui m'a déjà permis de rouler une jolie pelle à Marine Le Pen il y a deux semaines (c'est vous dire à quel point je ne tiens plus l'alcool !).

J'imagine Rama Yade à l'arrière de mon scooter, traversant Paris dès le lendemain matin, nous envolant par-delà les clivages gauche-droite, vers le Modem de notre amour, ses mains de panthère noire réchauffant ma bedaine d'ours blanc... Bref, à 18 heures, tout à l'heure, je fais irruption dans la salle de maquillage et, disons-le franchement : je bande !

Quelle ne fut pas ma réaction en découvrant à la place de Rama la tronche sympathique et blafarde de

François Hollande ! Merde !!! Jusqu'au dernier moment, ils m'auront bien baisé !

Je vois déjà le tableau : Hollande à gauche, Joffrin un peu à gauche – mais pas complètement, parce que réaliste, genre oui mais non, mais on s'en fout – et Giesbert au milieu, et ça va bavasser une plombe sur l'avenir républicain, la dérive sécuritaire, l'union socialiste, ravivant mes pires souvenirs de vacances en famille, lorsque mes chers parents risquaient leur propre couple sur celui de François et Ségolène, et que – pleurant comme un gamin – j'allais me ressourcer sur des sites pornographiques, enfermé dans ma piaule de 600 mètres carrés.

Autant vous dire que tout à l'heure, dans cette salle de maquillage transformée pour l'occasion en réunion de chantier, mon érection miraculeuse perdit très vite de sa superbe !

Une fois de plus, je me suis dit que la vie politique et la vie sexuelle ne faisaient pas très bon ménage... Et ce n'est pas François Hollande qui me contredira !

Voilà, pour moi ce fut une semaine de merde, alors imaginez ce que je pense de la vôtre.

8 octobre 2010

8

La gauche Prada

En présence d'Emmanuel Todd et Manuel Valls

Lundi, n'ayant pas grand-chose à foutre, je décide d'utiliser l'audience qui est la mienne afin de dénoncer toute la misère du monde.

En effet, face à la contestation bouleversante qui gronde partout dans ce pays avide d'antidépresseurs cathodiques, moi qui possède l'âme de Jean Jaurès cachée dans le corps de Brad Pitt, moi dont le sexe rocco-siffredien éjacule dès qu'il peut les colères de Besancenot, je ne peux décemment fuir mon devoir de porte-voix, de tribun humaniste !

Voilà pourquoi, Lundi, je remonte mes manches, reboutonne ma braguette et prends la décision d'aller griffonner une chronique littéralement révolutionnaire sur un coin de table... à la maison du caviar, humble auberge rouge où chaque soir je m'en vais respirer le désespoir ambiant. Afin de fournir quelque fougue à ma plume Waterman, je me saoule de Dom Pérignon cuvée 1981, année de l'arrivée salvatrice de la gauche au pouvoir.

Mardi, tel un Zola des temps modernes, je décide d'investiguer – façon Edwy Plenel – parmi les vrais gens, près du peuple et pour le peuple, me fondant dans la foule de Saint-Germain-des-Prés. Couillu comme personne, je m'aventure même jusque dans les faubourgs du

7ᵉ arrondissement, tenant d'une main fébrile une bombe lacrymogène – notamment à chaque fois qu'une personne de couleur ose fréquenter le même trottoir que moi – et je fonde au passage un courant littéraire contestataire avec les opprimés des lettres que sont Frédéric Beigbeder, Florian Zeller, Yasmina Reza et Éric-Emmanuel Schmitt – Éric-Emmanuel Schmitt qui pousse la conscience sociale jusqu'à écrire si mal que même les analphabètes peuvent le lire !

Mercredi, afin d'agir directement sur le pouvoir en place, je décide de réunir dans mon manoir de Cabourg les grandes figures de la pensée progressiste : c'est ainsi que Jacques Attali et Bernard-Henri Lévy enfantèrent de grandes idées durant la partie de tennis qui les opposa à Luc Ferry et Pascal Bruckner. Alors qu'Arnaud Montebourg et Laurent Fabius se chamaillaient sur le terrain de polo, notamment au sujet du bouclier fiscal, Martine Aubry et Alain Minc s'activaient en cuisine, plutôt attendrissants dans leur tablier signé Jean-Paul Gaultier, comparant non sans virulence leurs recettes sur la retraite, dans une bouillabaisse d'idées. Ah ! je ne fus pas peu fier de moi en les voyant vers minuit partager leur cigare et l'avenir de la France, puis se mettre d'accord au sujet des sans-papiers grâce à un bon château-margaux généreusement apporté par Jack Lang sur les conseils de Séguéla, pendant que le petit Manuel Valls distribuait des capotes à tout-va. Par pudeur, je ne vous dirais pas comment s'est finie la soirée – sachez seulement que jamais de ma vie je n'ai vu des socialistes à ce point rassemblés !

Jeudi, tel Coluche en son temps, me voilà résolu à représenter le peuple, y compris physiquement : je décide donc, non sans peine, de froisser mes pantalons Prada, d'emprunter les vieilles chemises mitées de Franz-Olivier Giesbert, et de ne plus porter que des slips

Monoprix (ceux avec une jolie rose dessinée à l'endroit même où mon père – pourtant goy – décida il y a trente ans de m'arracher le prépuce, et ce avec les dents).

Et, oui, jeudi, pour faire prolo, je coupe ma cocaïne avec de la farine Leader Price, je prends quelques kilos prolétaires en résiliant mon abonnement au club de gym de l'hôtel Costes, et – sacrifice ultime – je remplace dans mon lit le top model Katoushka Bentavia par une ouvrière bedonnante fascinée par Karl Marx et la blanquette de veau.

Jeudi, afin de monter une amicale des billettistes gauchisants, je tente un rapprochement avec mon brillant camarade, le bolchevique Stéphane Guillon, qui facture ses colères 40 000 euros par semaine, certes, mais dont j'applaudis le talent autant que le conseiller en communication !

Jeudi, Peuple de France, je vais te venger, moi, Rosa Luxemburg ! À base de vannes désopilantes sur le nanisme du président de la République et le gigantisme du salaire des grands patrons.

Jeudi, Peuple de France, je propose la retraite à quatorze ans et demi ! Vlan !

En ce qui concerne Liliane Bettencourt, je propose l'euthanasie !

En outre, j'engage les lycéens à brûler toutes les bagnoles – y compris la mienne ! – une banale Bugatti que je viens de garer au 45 bis de la rue des Cévennes, juste à côté de celle de Michel Denisot qui, lui-même, gagne trop bien sa vie !

Pour ce qui est de l'ouverture, je propose de tondre tous les ministres de gauche ayant de près ou de loin participé à la propagande gouvernementale, afin que Bernard Kouchner sache enfin l'effet que ça fait d'avoir le crâne d'Alain Juppé...

Pour ce qui est de David Pujadas, sur qui Mélenchon a bien fait d'attiser mes soupçons, je propose qu'on le relègue à la présentation des jeux télévisés jusque-là présentés par Nagui, que je rêve de ne plus jamais voir dans le poste, ou alors à la météo, les jours de grêle !

Voilà, Jeudi, je m'endors le cœur ivre de ma propre philanthropie, ayant bien envie de rouler un patin à l'homme si généreux que mon miroir reflète.

Sauf que Vendredi, c'est-à-dire ce matin, coup de tonnerre dans mon cerveau épileptique : alors que je m'apprête à lire ce soir mon « J'accuse » bien-pensant, me voilà pris d'une soudaine crise de sincérité (ce qu'il peut arriver de pire à un provocateur français !) C'est ainsi, Peuple de France, que je me vois dans l'obligation de faire mon coming out en t'avouant que je m'intéresse beaucoup moins à ton avenir précaire qu'à celui de ma carrière, de ma petite sœur et de Sylvie Garnier (une amie d'enfance).

Désolé, Peuple de France, mais le top ukrainien Katoushka Bentavia me manque terriblement : je m'aperçois en rougissant que je suis plus ému par son rire de gourde vénale que par les larmes d'une chômeuse en fin de droits... Et lorsque, ce matin, l'ouvrière adipeuse s'est approchée de ma carcasse rouillée, cherchant entre mes bras le salaire de son désir, je lui ai planté une fourchette Guy Degrenne dans l'aorte avant de fuir au rayon saumon bio de l'épicerie du Bon Marché...

Disons la vérité dans toute sa nudité : je ne suis qu'un enculé d'auteur sentimental de merde...

Alors, Peuple de France, regarde-moi – et lâche-moi donc la grappe : Sache une bonne fois pour toutes qu'aucune certitude économique ne remonte à la surface de mon encrier, ayant séché l'école à partir de six ans et préférant relire Musset que survoler Bourdieu.

D'ailleurs, chers camarades, n'est-ce pas en torchant aujourd'hui quelques pièces inspirées par mon nombril minable que j'ai paradoxalement le plus de chances de te faire sourire entre deux révolutions ? !

Alors, Peuple de France, si ce soir je te regarde dans les yeux en te murmurant : « Débrouille-toi, ma poule, j'ai d'autres chats à caresser », c'est que – contrairement à tant d'autres – je ne te prendrai jamais pour un imbécile !

Voilà, pour moi ce fut une semaine de merde, alors imaginez ce que je pense de la vôtre.

22 octobre 2010

9

Antisémite, moi ?

En présence de Michel Rocard et Alain Finkielkraut

Lundi, Franz-Olivier m'appelle et m'annonce les invités de ce soir, à commencer par mon idole, j'ai nommé Michel Rocard ! Michel Rocard ! Michel !
Quel bonheur...
L'ami de la famille, celui qui l'été se baladait avec ma mère sur les plages de Calvi, très très proche de ma mère (peut-être un peu trop lorsqu'on sait que, neuf mois plus tard, naquit ma petite sœur, Michelle, avec deux « L », véritable surdouée, prof de philo à quatorze ans, conseillère au Parlement européen à dix-sept ans et demi, parfaitement rébarbative mais prête à tout pour son pays). Bref, Michel, tu fais bel et bien partie de la tribu, et je le revendique, devant les quinze téléspectateurs qui nous regardent encore : j'aurais adoré pouvoir un jour voter pour toi, je le dis haut et fort – et sache que ça me coûte, moi qui suis en public d'une prudence politique qui frise la couardise intellectuelle car j'aurais bien trop peur de perdre un strapontin lors de l'exploitation de ma prochaine pièce et je le sais pertinemment, au vu du prix exorbitant d'une place de théâtre à Paris, il serait suicidaire de me mettre à dos la vieille bourgeoise UMP, celle qui traîne son connard de cocu en cachemire dans toutes les premières à la mode, s'encanaillant chez Jean Genet tout en pleurant encore

Guitry ! Oui, moi qui préférerais jouer un texte de Jean-Marie Bigard en string plutôt que de m'encarter dans un quelconque parti, il me faut bien l'avouer : Je t'adore, Michel Rocard. Ta légendaire intégrité, ton côté Schtroumpf à lunettes dans les dortoirs de Sciences-po, ton refus de diaboliser Sarko (pour mieux lui pisser dessus dès qu'il dépasse vraiment les bornes, c'est-à-dire chaque semaine), Michel : Je t'aime.

Du coup, Mardi, dans la nuit, alors que je dors seul pour la première fois depuis 1912 – ayant pris l'habitude d'avoir toujours une femme d'avance –, Mardi j'ai fait un rêve, *I have a dream,* et dans ce rêve, Michel, tu as quarante-cinq ans. Tu es beau comme un dieu, le poil aussi brillant que Manuel Valls, prêt à exploser Aubry, Sarko, Villepin, DSK et tous les Mohamed Ali de la politique française sur le ring de 2012... Les pectoraux gonflés jusque dans le cerveau, te voilà sur le point d'envahir l'Élysée, quittant ta délicieuse épouse pour la Carla Bruni de demain, aujourd'hui Miss Languedoc-Roussillon, mais bientôt numéro 1 au hit-parade de l'opportunisme, une beauté absolue avec qui je rêve que tu passes des nuits folles sans nous refaire le coup de l'attaque cérébrale ! Comme il fut doux ce rêve, Michel. Comme je rêverais que tu aies encore l'âge d'envoyer au tapis cette foule d'agités gouvernementaux qui confondent Matignon avec le fitness du Club Med et à côté de qui tu ressembles à Gandalf dans *Le Seigneur des anneaux* !

Mercredi, intrigué par la présence au générique de Kristin Scott Thomas (qui incarne si bien la frigidité qu'elle rendrait obscène la truculente Charlotte Rampling), bref, Mercredi, je cours voir le film *Elle s'appelait Sarah,* énième guimauve utilisant jusqu'à la lie le souvenir de la Shoah afin de renflouer les caisses lacrymales du cinéma français. Et moi qui me remettais à peine de

Antisémite, moi ?

La Rafle, fable extralucide qui nous prouvait avec audace que les petits juifs étaient finalement beaucoup plus émouvants que les officiers nazis – ce qui m'a surpris –, la rafle qui surfait sans complexe sur le fameux devoir de mémoire, devoir de mémoire qui dispense au passage certains cinéastes de faire preuve du moindre talent et leur permet de se hisser vers le million d'entrées en raflant les écoliers d'aujourd'hui pour les parquer de force dans des salles de cinéma pédagogique (pauvres petites têtes blondes ou brunes obligées de chialer devant des mauvais films !)

Du coup, Mercredi soir, je décide à mon tour de reprendre toutes mes anciennes pièces en collant des kippas et des uniformes SS au moindre personnage, selon les goûts vestimentaires des acteurs principaux. C'est ainsi qu'Adolf Hitler se retrouvera bientôt impliqué dans le braquage d'une bijouterie dans la région de Quimper, et qu'une de mes fantaisies futuristes se situant sur la lune décrira désormais la passion folle unissant Anne Frank et deux vigoureux cosmonautes – sorte de *Jules et Jim* yiddish parfumé à *La Guerre des étoiles* (la lune symbolisant bien sûr l'Eldorado d'un peuple élu depuis toujours persécuté).

Jeudi, dans la nuit, alors que je m'apprête à étancher ma soif d'amour précaire en composant le numéro d'une prostituée bulgare, chauve et manchote, mais qui me permettrait de serrer dans mes mains autre chose que mon chéquier, Jeudi, je fais un nouveau rêve : celui dans lequel je pourrais dégueuler sur Netanyahu et la politique menée par l'État d'Israël sans que personne, personne, me traite pour autant d'antisémite, ou d'« antisémite refoulé », ou de « demi-antisémite », ou de « quart d'antisémite », ou d'« antisémite inconscient de dans trois ans qui au fond de lui n'ose le dire consciemment mais qui en fait rêve de voir pendus Patrick Bruel, Primo Levi, Pierre Bénichou, Elsa

Zylberstein et ce qu'il reste d'Ariel Sharon dans le même sac – blanche kippa et kippa blanche – moi qui suis tellement CON que je n'ai pas saisi cette notion très subtile selon laquelle s'indigner devant une politique parfois honteuse, c'est – mais bien sûr ! – vouloir du mal à tous les juifs de la planète. »

Vendredi, c'est-à-dire ce matin, après m'être sans doute couché ivre de vodka-pomme, je me réveille à côté d'une silhouette délicieusement sombre, à coup sûr une beauté africaine, vu que mes doigts roulent comme des billes sur cette peau dont la formule chimique est aussi jalousement gardée que celle du Coca-Cola light. Elle dort encore, sans doute assommée par cette nuit gymnastique que j'ai dû lui concéder... J'entrouvre les rideaux, la personne se retourne : nom d'un cul, c'est Dieudonné !

Mon pseudo-pro-palestinianisme tardif n'est-il pas allé trop loin ? Ça a dû se savoir, l'enculé d'amalgameur s'est aussitôt pointé, avant de m'enfourcher avec sa longue épée de facho-anti-feuj : me voilà triplement humilié !

Je lui dis :

« Fiche-moi l'camp, sale Africain. »

Mais il insiste :

« Attends, mon Nico, fais-moi au moins un p'tit café, je viens de lire ta future chronique pendant que tu dormais, on est d'accord à mort, reviens sous les draps, je vais te présenter à Alain Soral, tu vas voir, il est pas jaloux, on va monter un spectacle qui partira en tournée dans tout le quartier de la Goutte d'or... »

Je lui dis : « Dégage ! »

Une heure plus tard, je réussis à le virer, en faisant appel aux services du Betar, des gars très efficaces et plutôt raffinés...

Et enfin on respire autour de quelques boulettes de viande. Sur la Torah : j'ai pris cher.

Ce soir, je réalise donc que mes déclarations de politique étrangère compliquent atrocement ma vie de jeune homme lâche, et hétéro. Résultat : je vous jure que je retourne sur-le-champ à mes fictions gauloises, loin des incendies de votre monde barbare.

Voilà, pour moi ce fut une semaine de merde, alors imaginez ce que je pense... de la vôtre.

4 novembre 2010

10

Jamais

En présence de Michel Drucker, Michel Onfray et Rama Yade

Lundi, Lundi, énorme envie de devenir Michel Drucker. En effet, ce type épatant à qui quelques cyniques reprochent encore une certaine frilosité, lui qui – d'après eux – baignerait nos Dimanches dans le consensus moelleux de son canapé rouge, lui qui – d'après les mêmes – s'empresse de s'excuser après la moindre impertinence, quitte à plonger sa langue dans un préservatif en titane (je cite les fielleux), Lundi, moi, je leur dis : Drucker a tout compris.

Que me suis-je hasardé sur le terrain de la polémique, m'embrouillant la semaine dernière avec des milliers de juifs à la plume paranoïaque, recevant des menaces de mort en pagaille dans la boîte aux lettres de mon appartement bobo du 3ᵉ arrondissement – qui l'eût cru –, obligé de m'enfermer au Baron 24 heures sur 24, véritable refuge où je risque désormais de me prendre plusieurs râteaux avec de sublimes beautés sépharades, moi qui adore les brunes aux courbes téméraires, moi qui ne suis même pas sensible au physique des Arabes, sexuellement raciste à mon corps défendant, moi dont les larmes ont mouillé douze Kleenex devant *Le Pianiste* de Polanski dont je jalouse à la fois le talent et la femme, Emmanuelle, la seule Seigner des deux qui ne dit pas une connerie par seconde et dont le regard vaporeux pourrait me faire bander rien qu'en le croisant par miracle dans la queue de Pôle emploi, Pôle emploi où rêvent de m'envoyer une petite bande de censeurs surexcités pour qui la moindre réserve à l'égard du régime israélien équivaut à une charge nauséeuse de Dieudonné. Oui, je n'ai pas aimé *la Rafle* (comme beaucoup d'amis juifs n'ont pas aimé la rafle), et oui, je suis choqué par sa réalisatrice lorsqu'elle ose déclarer que ne pas chialer devant son mélodrame clicheton serait faire preuve d'un hitlérisme sous-jacent* ! Oui, Benjamin Netanyahu ne sera jamais mon idole, pas plus que ne l'était Yasser Arafat, et, oui, la susceptibilité folle de certains intellectuels juifs me paraît contre-productive. Mais cela méritait-il d'alerter le CSA ? Cela méritait-il de polluer d'insultes ma page Facebook – d'habitude réservée aux compliments de jeunes pucelles aux seins siliconés ? Cela méritait-il de déranger la messagerie de mes parents – qui n'ont rien demandé et sont déjà bien emmerdés d'avoir un fils pareil ?

Du coup, Lundi, afin de prouver ma bonne foi, je décide de me circoncire moi-même, à l'aide d'un cutter gracieusement prêté par le docteur Delajoux (celui qui fit de la hanche de Johnny Hallyday une assiette de charcuterie corse). Lundi, je roule des pelles à mon amie Élisabeth Lévy, je mélange nos salives et nos convictions, convoquant moi-même quelques paparazzi et poussant le sacrifice jusqu'à partouzer avec le top model Arno Klarsfeld (en tenue de Tsahal). Voilà, Lundi, je baisse mon froc, je m'excuse à genoux et je fais la promesse solennelle de rejoindre le troupeau des lâches qui n'ouvrent leur bouche qu'en petit comité, ayant bien compris que le tabou est absolu et qu'un goy dans mon genre n'a guère le droit de penser, de la même manière que Michel Onfray – ici présent – aurait sans doute mieux fait d'aller promener son chien plutôt que d'oser

---

* D'après ses propos rapportés, à tort ou à raison, par le magazine *Les Années laser*.

s'exprimer sur la psychanalyse, devenant le Juda de la racaille freudienne.

Mardi, mon cher Michel, je me rappelle mes jeunes années, celles où – haut comme trois pommes – je t'imitais devant la glace en tenant dans ma main une vulgaire brosse à cheveux en guise de micro, plaquant ma tignasse crépitante vers l'arrière et simulant une voix rocailleuse sur le cultissime générique de « Champs-Élysées ». Devenir Michel Drucker, voilà ce que fut ma première ambition. Quel chemin parcouru quand on sait qu'aujourd'hui il m'arrive – même à jeun – de me prendre pour l'Alfred de Musset des années Sarko, que ma voix rauque découle des deux paquets de gitanes que je m'envoie chaque jour, et qu'en matière de brushing, on compte désormais plus de cheveux sur la brosse que sur mon crâne de futur maire de Bordeaux.

Antisémite ET chauve, me voilà mal barré !

Mardi, mon cher Michel, je me plonge dans la lecture de tes mémoires, la littérature t'ayant permis de convoquer sur le papier un ultime déjeuner de famille, le fantôme réjouissant de ta mère d'un côté, jamais avare d'une vanne, la vieille, celui de ton frère tant aimé de l'autre, et enfin LA révélation posée en bout de table, celle d'un frère inédit, Patrick, sorte de bonus à la fin du DVD.

Sauf que Mardi j'ai envie de révéler une vérité que tu t'obstines à taire : Michel, tu es mon père. Mon père ET ma mère. Et ma tante. Tout.

Oui, Michel, malgré ma relative ressemblance avec un comique d'extrême gauche, il est temps qu'on leur dise : C'est bien toi qui m'as élevé. Mes parents biologiques étaient trop occupés à sauver la planète et à manifester contre les injustices sociales, négligeant la misère affective de leur propre rejeton. C'est dans ces moments-là que le petit gosse de riches se surprend à envier le sort du sans-papiers, et qu'il pourrait s'étaler du cirage sur la fontanelle rien que pour émouvoir le tiers-mondisme de ses géniteurs. Heureusement, tu étais là, toi, et je dois bien avouer que le modèle que tu me renvoyas fut très éloigné de l'image immaculée que tu prétends faire avaler aux téléspectateurs naïfs. Oui ! Je pense notamment à l'éducation sexuelle furieusement rock'n'roll que je reçus comme un cadeau, lorsque tu obligeas la toute jeune Vanessa Paradis à me dépuceler juste après qu'elle eut chanté « Joe le Taxi » sur le plateau de « Stars 90 », je pense aussitôt à cette nuit où je te vis soulever – tel un blasphème – la frange légendaire de Mireille Mathieu : des années plus tard, comment oublierais-je les gueulantes marseillaises qu'elle poussa dans les loges, sous le regard déjà stoïque de Michel Sardou ?

Faut-il que je rappelle la véritable histoire de Whitney Houston et Serge Gainsbourg ? Je doute que ça t'arrange, car si l'ivrogne génial lui a dit : « *I want to fuck you* » à l'antenne, sachez qu'en coulisses, quelques minutes plus tard, Michel, malgré ses airs faussement gênés, ne se contenta pas de le lui dire !

Michel, toi qui fus Pierre Perret à l'antenne et Jim Morrison à la maison, j'ai longtemps eu du mal à saisir comment tu pouvais vanter les vertus du cyclisme à midi et gober de l'engrais extatique à partir de minuit !

Alors, si aujourd'hui je dérape régulièrement, me sentant juif en Palestine et pro-arabe en Israël, tu n'y es pas pour rien.

Voilà, pour moi ce fut une semaine de merde, alors imaginez ce que je pense de la vôtre.

11 novembre 2010

11

Le model Villepin

En présence de Dominique de Villepin

Lundi, léger complexe d'infériorité en apprenant par la bouche de mon ami Giesbert que nous recevrons ce soir le Casanova platonique de la politique française, le Lamartine de droite des années Internet, j'ai nommé... Dominique de Villepin.

Dominique de Villepin, le seul ancien Premier ministre qui même dans un costume trois pièces a l'air en maillot de bain. Dominique de Villepin qui, à coups d'éloquence et de sourires gourmands, aurait pu – dans une boum – convaincre la jeune Arlette Laguiller de s'inscrire au Medef, puisque même ma mère – quand je lui ai dit ce matin que je serais face à Villepin – n'a pu dissimuler des tics de midinette, réaction fort déroutante de la part d'une catholique psycho-rigide ayant, voilà trente ans, juré fidélité à un clown léniniste.

Rappelez-vous Villepin, la crinière argentée, entrant dans l'arène de l'Onu comme Pascal Obispo sur la scène du Zénith de Toulon, et lançant son tube « non non non » à la guerre en Irak, rappelez-vous Villepin obligé de se mettre à genoux pour gifler Sarkozy dans les coulisses de Matignon, citant Rimbaud et Bonaparte entre deux séances de body-building. Eh oui, Villepin ne manque pas de classe ! Et c'est sans doute pour cette raison, mon cher Dominique, que – contrairement à ce que vous croyez – vous ne serez peut-être jamais président de la République, car si vous vous plaisez à comparer la France à une femme – et j'ajouterais : « Quelle belle salope, celle-ci » –, n'allez pas imaginer que tous les cocus de province vous la céderont si facilement ! En effet, la France n'aime pas les beaux, pratiquant la discrimination positive à tout va, y compris à l'égard des vilains, têtes de nœud, courts sur pattes et triple goitre. Y a qu'à voir au cinéma, où l'on voudrait nous faire gober que Clovis Cornillac est parfaitement crédible dans les rôles de tombeur, à l'heure où les Américains – moins faux-culs en la matière – nous proposent du Clooney et du Depp en farandole. Y a qu'à voir dans la chanson, où le brillant Philippe Katerine s'enlaidit lui-même, avec rage, ligotant sa peau suante dans des slips rose fuchsia, surfant allégrement sur la mode du cracra en devenant aussi baisable qu'une couille eczémateuse. Et je ne vous parle pas de la Houellebecq attitude, qui consiste à conter ses misères sexuelles en se peignant tel un crapaud pour amadouer quelques jurés et une pute thaïlandaise.

Tandis que vous, cher Dominique, même à terre et mordant la poussière, vous êtes toujours plus grand que tout le monde. Trop cultivé, bien trop joli, vous intimidez plus que vous n'attendrissez.

Or, demandez à Sarkozy : Il est certaines médiocrités qui – pour les électeurs – sont de véritables mains tendues !

Du coup, Mardi, cher Dominique, je décide de vous reprendre en main, en vous rendant moins présentable, c'est-à-dire plus sympathique. Fini le régime bio, ventre plat et peau de bébé, direction l'hôtel Costes, temple de la branchitude parisienne et TRÈS mauvaise cuisine, terrasse rococo où l'on a plus envie de croquer dans la cuisse des serveuses que dans celle du poulet qui blêmit dans l'assiette. Je vous y traîne de force et vous gave de sucre hétéroclite, vous présentant au passage quelques dealers du show-biz, devenus orphelins et frisant la faillite depuis que Delarue se prend pour Nicolas Hulot.

Mercredi soir, grâce à moi vous avez pris 8 kilos, vous voilà aussi pâle qu'Éric Woerth à la sortie de son ministère. Vous avez beau me supplier de vous laisser courir, je vous ceinture au canapé, devant la rediffusion de « Secret Story », vous permettant de découvrir enfin le vrai visage de la France, celle qui vote pour Sarkozy et fantasme bêtement sur Benjamin Castaldi.

Jeudi, tel Séguéla en son temps – avant qu'il subisse une ablation de l'orgueil – je vous fais jouer *Pretty Woman*, non pas chez Old England ou Nino Cerruti : non non moi je vous enferme une plombe dans le dressing de Franz-Olivier Giesbert, véritable Eldorado de la chemise mal coupée et de la veste ringarde. Vous voilà flottant dans un costard verdâtre, de larges épaulettes chatouillant vos oreilles et servant de réceptacle à vos cheveux qui tombent enfin. Ah, on fait moins le malin ! Si on ajoute à ça l'alcool, que je vous injecte par intraveineuse pendant que vous dormez, on imagine mieux votre tronche de Vendredi matin : car, Vendredi matin, errant ivre mort sur le périphérique, vous hurlez : « Finalement, je veux la refaire, cette foutue guerre d'Irak, et j'veux la faire tout seul ! Je n'ai besoin d'aucun parti, d'aucun pays, je sais me battre, moi, je vous emmerde tous ! »

Une heure plus tard, la police vous ramasse à la sortie du bois de Boulogne, cerné par une cohue de travelos brésiliens. Et moi je jubile : fini le bellâtre joggant sur la plage, fini le hussard diplomate aux œillades donjuanesques, bienvenue à l'énarque grassouillet, celui dont l'œil torve et le dos raffarineux sont bel et bien la preuve qu'il croule sous les dossiers : vous voilà présidentiable, plus franchouillard que français, enfin réconcilié avec le mari jaloux de cette connasse de ménagère de plus de cinquante ans.

Et pourtant tout à l'heure, coup de théâtre tragique, je débarque au maquillage et vous retrouve ragaillardi, à nouveau fantasmatique, le front buriné par un auto-bronzant Guerlain et le torse moulé dans une chemise Gucci. L'orgueil en bandoulière, vous n'aurez pas tenu longtemps ! Tant pis pour vous, cher Dominique, si vous préférez séduire ma mère que des millions d'électeurs amers, vous êtes vraiment foutu.

Ceci dit, je vous comprends, car quand on voit la vie que vous-même faites mener à notre président, je me dis qu'une seule nuit dans les bras de ma maman, c'est tout de même plus apaisant que cinq années pourries dans ceux de Carla Bruni.

Voilà, pour moi ce fut une semaine de merde, alors imaginez ce que je pense de la vôtre.

18 novembre 2010

12

Tapie, multitâche

En présence de Bernard Tapie et Fadela Amara

Une semaine totalement mythomane devant le prodigieux NANARD, dont la carrière hétéroclite semble elle-même délirée par un bébé sous acide (oui, ça existe, les bébés eux aussi ont le droit de se détendre).

Lundi, sur le modèle de Nanard, je décide de diversifier mes activités pourtant déjà suffisamment protéiformes.

En effet, quoi de commun entre l'écriture de mes mélodrames théâtraux et les bouffonneries vaniteuses que j'exécute devant Giesbert chaque Vendredi soir... si ce n'est la virtuosité du stylo Bic qui les dégueule ?

Lundi, je décide – à défaut de racheter des entreprises en faillite – de racheter tous les anciens ministres moribonds du précédent gouvernement Fillon. Je procède d'abord au démantèlement d'Éric Woerth (en pleine faillite morale) et je fusionne ce qu'il en reste avec le charme suave de la belle Rama Yade, associant la compétence de l'un et la séduction de l'autre pour revendre une seule et même personne au Parti socialiste, lui-même au seuil de la banqueroute. Et je promets ce soir à tous les indécis, trisexuels et autres, que voir la tête de Rama Yade posée comme un trophée sur le buste d'Éric Woerth provoque imédiatement un braquemart inédit.

Quant à la bouillonnante Fadela Amara, ici présente,

je l'engage pour réécrire l'ensemble des refrains de Grand Corps Malade, enfileur de clichés que la gauche hypocrite compare à Paul Verlaine dès qu'il nous fait rimer « amour » avec « toujours », « canette de bière » et « lampadaire »...

Lundi, sur le même principe, je décide de louer le corps revigoré de Jean-Luc Delarue pour en faire un joueur de football, lui qui – sur le terrain – connaît déjà très bien le tracé des lignes blanches (et je revends cette vanne poussive à Laurent Gerra).

Mardi, après avoir fait fortune en transformant quelques églises romanes en boîtes à putes sénégalaises, le tout directement retransmis sous forme de série sur la chaîne Canal +, je décide – comme Bernard – de m'engager en politique ! Fonctionnant, comme Bernard, davantage à l'instinct qu'aux convictions idéologiques, je décide dans un premier temps d'essayer tous les partis. Et quand je dis « essayer tous les partis », je parle de passer une heure dans une chambre d'hôtel avec chaque dirigeant des principaux mouvements.

C'est ainsi que Mercredi, juste après m'être fait sodomiser par Dominique Strauss-Kahn – dont l'audace libertine n'est plus à prouver –, je retrouve Marine Le Pen dans un motel de Saint-Germain, Marine Le Pen qui – comme chacun sait – avait déjà frisé l'orgasme sur le plateau de cette émission.

Ah ! le plaisir anachronique de faire – par une chronique – l'amour avec des mots.

Mardi soir, c'est en subissant coup sur coup le striptease dépressif de Christine Lagarde – quelle horreur –, puis le déhanché asthmatique de Martine Aubry – aidez-moi ! –, que je décide d'abandonner la méthode du casting sexuel, au profit d'un simple appel au pot-de-vin.

En effet, dégoûté des femmes jusqu'en 2028, je soutiendrais le plus offrant.

Du coup, Mercredi soir, je me retrouve dans le comité de soutien de Jean-François Prognard, inconnu au bataillon, certes, aussi abrutissant qu'une émission de M6, mais gorgé d'oseille.

Me voilà donc n° 2 du parti des catholiques pro-israéliens, étonnant rassemblement de tous les culs serrés qui rêvent de lire la Bible sous le soleil de Tel-Aviv sans se prendre dans la gueule un lancer de pierres palestinien !

Jeudi matin, exclu du parti pour m'être accouplé la veille avec une protestante dans la bande de Gaza, je décide – comme Bernard – de me lancer dans le théâtre, et – comme Bernard – je m'attaque directement au très grand répertoire...

C'est ainsi que, sur les traces de Jean Vilar et Louis Jouvet, on a pu m'applaudir Jeudi soir dans *Ma cousine est une salope !,* variation sur la mort et le contrôle fiscal dont je partage l'affiche avec le mari géant de Mimi Mathy et la nièce par alliance du professeur de sport de Jean-Paul Belmondo.

Triomphe !

Chaque soir, nous remplissons allégrement les quarante-sept places du théâtre de la Buze, dans la région de Glozières, véritable cocon culturel, situé précisément entre Lille et Marseille.

Vendredi, c'est-à-dire ce matin, en attendant d'effectuer une OPA sur le Nano Club Med, premier centre de vacances pour golfeurs de petite taille, je commence le tournage de mon premier rôle récurrent : celui de Fernand Lescaut, beau-frère de Julie, à la fois ange gardien et commissaire Moulin. Tiré d'un scénario original de William Shakespeare – non pas le dramaturge anglais, mais le pseudo fort culotté d'un ancien boxeur français –, cette série de trente fois treize minutes relate les aventures cocasses d'un ancien commissaire Moulin engagé comme femme de ménage par Carla Berni, première dame de France qui sombre secrètement dans l'alcoolisme, la folk music et le trafic de poupées africaines, et qui, face à l'indifférence de son président de mari Nicolas Barkozy – interprété en alternance par Corinne Touzet et Gad Elmaleh – fait appel à mes services.

C'est grâce à ce rôle qu'en deuxième saison, je suis nommé Premier ministre, rêve de gamin que je réalise enfin !

Tout ça pour vous dire, ce soir, qu'il faut – tout comme Bernard – faire le plein de vies (avant que la mort vienne nous la mettre profond), il faut toucher à tout, absolument à tout, aux hommes, aux femmes, aux travestis et aux clébards, à Mitterrand et à Giscard, à Doc Gynéco comme à François Pinault,

pratiquer toutes les religions, devenir ce qu'on veut,

que ce soit dans le réel ou bien dans la fiction,

à l'extérieur ou en prison,

et à ceux qui prétendent qu'à un rythme pareil on ne fait jamais rien de bon,

je dirais simplement qu'avec une vie pareille,

je n'ai même pas eu le temps de me poser la question !

Voilà, pour moi ce fut une semaine de merde, alors imaginez ce que je pense de la vôtre.

25 novembre 2010

13

Buzz à tout prix

En présence de BHL et Thierry Ardisson

Oui, une semaine mythomane et forcément provocatrice en présence de l'ami Thierry Ardisson, l'homme qui longtemps cacha derrière ses lunettes noires son regard d'ancien tox à la perversité notoire.

Lundi, je sais qu'il me reste cinq jours pour trouver LA provoc ultime, celle à laquelle m'oblige ma répute de nouveau dérangeur d'un PAF druckérisé jusqu'à l'intestin grêle, moi qui suis contraint à la provocation comme la pute est contrainte à la fellation, le chanteur de rock à l'héroïne, le flic à l'insulte, le ministre au mensonge, le chien à l'aboiement et Giesbert à l'éloge de tous les bouquins que vous êtes venus nous vendre, fussent-ils à chier.

Lundi, entre l'écriture d'un film, deux manifestes et trois vaudevilles, je commence donc à me presser le citron en cherchant péniblement les thèmes qui font buzz, boom et oups ! Alors, pour me chauffer, j'ouvre ma boîte mail, saturée par les conseils de centaines d'internautes sans cervelle qui depuis quelques mois me prennent pour le Che Guevara du 3e arrondissement :

Premier mail que je lis : « Cher Nicolas Bedos, je m'appelle Mustapha, je suis fan de Dieudonné (ça commence bien), j'ai pas du tout kiffé ce que t'as dit sur les Arabes la semaine dernière, alors je compte sur toi pour carboniser tous ces youpins pleins de fric, trouve une vanne super marrante sur la nouvelle chemise de BHL, et puis t'as intérêt à dégueuler sur Israël, de toute façon je t'aime pas, mais si des fois t'aimes pas les juifs je suis prêt à te laisser la vie sauve.

Bonne journée, Mouss. »

Bien, là, j'éteins l'ordinateur, je prends un Lexomil et je me brosse les dents avant de lire le second mail : « Cher Nicolas Bedos, je m'appelle Jonathan Cohen, ma copine te trouve très drôle – ce qui m'énerve beaucoup –, alors pour me calmer, question : à quand une bonne chronique saignante sur ce sac à merde de Tariq Ramadan et tous les bougnoules du Jamel Comedy Club qui islamisent toutes nos banlieues en voilant puis en violant les plus bonnes meufs de la cité ? Franchement, mon petit Bedos, tu feras moins le malin quand ils t'enverront une demi-douzaine de Boeing dans ta sale gueule de gosse de riche, personnellement tu me fais pas rire, mais si tu craches sur les bicots je suis prêt à t'inviter chez mon grand-père à Tel-Aviv, t'aurais tort de t'en priver, il fait beau toute l'année.

Bonne journée. Jo. »

Bien, je reprends un Lexo et je doigte une portée de chiots car me voilà pris en sandwich kebab entre d'un côté ces paranos qui distribuent leurs bonnets d'ânes antisémites comme des fraises Tagada, et de l'autre ces psychotiques misogynes et acnéiques qui confondent le neuf-trois et la bande de Gaza.

Du coup, Mardi, je laisse tous ces connards s'entretuer sur le champ de bataille de ma page Facebook, et je cherche un tabou moins dangereux. Alors je lis le nom des invités, humant façon Dexter le CV de mes proies, et j'aiguise mon couteau... sauf que j'arrive à ce constat :

Comme il est difficile de dire du mal de qui que ce soit lorsqu'on connaît presque tout le monde ! Prenons BHL, ici présent, je soulignerais volontiers quelqu'une de ses contradictions flagrantes, ne serait-ce qu'en lui rappelant sa filmographie, car – comme dit l'autre : « C'est pas son meilleur film, dommage que ce soit le seul » mais vu que sa fille est une amie et que sa femme est folle de moi, la moindre réserve risquerait de gâcher mes vacances à Formentera, l'été prochain, dans cette réserve de bobos que nous avons jumelée avec la modeste commune de Saint-Germain-des-Prés – et moi l'été, c'est le seul moment où je me détends un peu, d'autant que Justine Lévy cuisine extrêmement bien le canard à l'orange –, alors je ferme ma gueule, et je passe à Ardisson qui a au moins la courtoisie de n'être ami avec personne. Mais voilà que ce taré se lance dans le cinéma, et moi j'écris des films qu'il serait susceptible de produire, alors je ferme ma gueule et je passe à Giesbert, mais là tout le monde s'en fout parce que provoquer Giesbert, c'est comme coucher avec Carla, ça n'étonne plus personne !

Du coup, Mardi soir, gros coup de mou, la plume en berne à la recherche d'un Prozac intellectuel : aucune provocation en vue, sur ma page aussi blanche qu'un rêve de Delarue, rien qui justifierait ne serait-ce qu'un blâme si j'étais pensionnaire à Notre-Dame de France Inter (c'est vous dire le degré de consensus moral que j'atteins Mardi soir quand on sait que l'abbé Philippe Val est à l'humour français ce que Catherine Breillat est à la partie de jambes en l'air : toujours en train de parler de ce qu'ils ne savent pas faire !)

Alors je traîne d'une pièce à l'autre dans mon appartement (ce qui n'est pas très excitant quand on habite dans un deux-pièces), et j'observe le labeur de ma femme de ménage, cette vieille Tunisienne sans papiers que je paie une misère tout en manifestant pour sa régularisation dès qu'une caméra de télé est là pour prendre en flag ma générosité. Je regarde Jamila en bâillant dans le canapé, je m'amuse à lui balancer quelques chemises propres afin d'augmenter sa besogne, ce qui augmente proportionnellement mon plaisir de glander sous ses yeux tristes et jaloux, bref, j'organise dans mon taudis une mini-lutte des classes, à peu près certain de gagner au final, ce qui n'est pas désagréable. Mardi je suis un super connard, oui, et Mardi, je vous emmerde.

Mercredi me voilà donc au bord du suicide médiatique, au chômage de la provoc, prêt à inventer n'importe quelle ineptie pour figurer dans le dico de Thierry Ardisson. Je pourrais, façon Benjamin Biolay, m'inventer une relation avec une première dame de France, et afin de flatter la ménagère de plus de 50 ans – celle qui va au théâtre –, je choisirais dès lors la moins glamour de toutes, Bernadette, qui ne dirait pas non, et qui serait même foutue de me payer en pièces jaunes afin d'échapper trois minutes à l'indifférence libidineuse du grand gâteux de Brégançon. Oui, je pourrais, je pourrais, je pourrais me foutre à poil ici même et vous montrer mon double sexe, conséquence miraculeuse d'une intoxication au maïs transgénique... Je pourrais, je pourrais...

Sauf que Jeudi je suis à sec, mes délires mythomanes ne me choquent plus moi-même, et de même qu'Ardisson ose nous dire qu'aujourd'hui la provocation suprême consiste à interviewer un simple paysan – quelle misère –, moi j'ai soudain envie de vous dire que la vraie provocation, pour un provocateur, c'est de sombrer quelques minutes dans le politiquement correct et la banalité. C'est ainsi, jeune internaute en manque de dérapages, que je t'avoue ce soir que je n'ai pas 120 000 maîtresses célèbres mais une seule fiancée – aussi inconnue qu'une journaliste d'iTélé –, c'est un bouquet de printemps et elle me manque éperdument, et non – jeune internaute –, je ne passe pas mes nuits en boîte, en tout cas jamais plus de quatre fois par semaine, non je n'ai pas pris de coke depuis la fin de l'adolescence – depuis que mon père ne m'en vend plus et que mes deux narines ont été cimentées par la jeune fiancée que j'ai citée plus haut. Non, je ne lis pas Marc-Édouard Nabe ni Virginie Despentes, je relis Flaubert et Nabokov chaque jour. D'autre part, j'adore les chiens, surtout les grands un peu bouclés. Et je vais même aller plus loin, même si je prends le risque de gâcher ma carrière : je ne déteste même pas Nicolas Sarkozy !

Et, pour aller encore plus loin, toujours un peu plus loin, la véritable transgression ne serait-elle pas de quitter ma place en plein milieu du buzz, tel Rocco Siffredi avant la sodomie : Attention, je me lance ! Voilà, mes chers amis, vous venez d'assister à la dernière chronique d'un jeune provocateur dont la source empoisonnée s'est prématurément tarie. Il me reste à vous dire « au revoir », comme Giscard, je retourne au théâtre et au cinéma où le talent seul est une provocation.

Mon cher Giesbert, merci pour tout, mon ptit chou, voici le chèque que tu m'as signé pour la saison à venir, tu vas enfin pouvoir t'offrir des vacances en Thaïlande avec Michel Houellebecq et notre ministre de la Culture... *(Il brûle le chèque.)*

Joyeux Noël à tous...

Voilà, pour moi ce fut une année de merde, alors imaginez ce que sera la prochaine.

9 décembre 2010

14

Physique politique

En présence de Arnaud Montebourg,
Philippe Sollers et Patrick Rambaud

Lundi, après trois semaines sans télé, à me faire désirer comme Dominique Strauss-Kahn – ira, ira pas, reviendra, reviendra pas* – et moi je dis à Dominique : « Reste où tu es, connard ! » On n'est pas un troupeau de Roms suppliant une piécette devant ta grosse berline, merde !

Je ne supporte déjà pas l'hésitation d'une femme à qui je propose poliment d'aller passer la nuit gratos et sans préservatif dans un motel minable, alors Strauss-Kahn et son silence dubitatif de geisha américaine reniflant avec dédain notre calendos gaulois, ça mérite bien une baffe !

Bref, trois semaines que je fais moi-même ma vilaine petite boudeuse, alimentant les pires rumeurs entre les chiottes du café de Flore et la terrasse des Deux-Magots (ne m'aurait-on pas vu échanger quelques textos avec Michel Denisot ou rouler une grosse pelle à Thierry Ardisson ?). Puis finalement me revoilà, je reviens comme une merde, non pas que mon narcissisme insatiable réclame sa dose d'applaudissements – surtout

_____

* C'était avant le Sofitel.

lorsqu'ils proviennent d'un public d'étudiants acnéiques dont les mains humidifiées par des heures de masturbation compulsive rappellent davantage le bruit d'un coït batracien que celui d'un triomphe au Zénith, un public si dépressif qu'il comprend la plupart de mes vannes le surlendemain de l'émission et dont les réactions ce soir sont totalement téléguidées par Lydie, notre charmante chauffeuse de salle (mon amie Lydie dont la rumeur dit qu'elle ne parvient même plus à chauffer son mari).

Non, ce n'est pas pour vous, bande d'imbéciles, que je suis là !

Ce n'est pas non plus que je sois particulièrement excité par la présence d'Arnaud Montebourg, fût-il candidat à l'élection présidentielle : je ne sais pas pour vous mais moi, Arnaud Montebourg dirigeant ce pays me paraîtrait aussi crédible que Patrick Bruel dirigeant l'Orchestre philharmonique de Berlin ou Mimi Mathy capitaine d'une équipe de basket-ball professionnel ! Non, ce ne sont ni les invités ni les supplications de mes camarades chroniqueurs ici présents, cette équipe de judas jaloux qui la semaine dernière avaient déjà récupéré ma loge, ma place de parking, mon perruquier perso et les deux travelos créoles qui me servent de stagiaires. Non, la vraie raison de mon retour s'explique très simplement par l'à-valoir MIROBOLANT que viennent de me verser les Éditions Robert Laffont pour un recueil de mes chroniques, le contrat m'obligeant à dépasser 46 pages !

Mardi, direction l'Égypte !

Fuyant la neige et ce gouvernement de baltringues dans un club de vacances « all inclusive » pour radins de droite et ploucs de gauche, avec réfectoire d'Italo-Allemands rotant leur bière à volonté, spaghettis en pagaille, tongs et gros culs à profusion, piscine cradingue et service léthargique à vous réconcilier avec l'ultralibéralisme et le voilier de Bolloré, Mardi, contemplant la seule jolie vue de ma chambre, celle qui donne sur ma meuf, une jeune Eurasienne à la fois top model et professeur de sémantique, prouvant une fois de plus qu'une femme peut être filmable ET audible, de même que Nadine Morano est tout aussi désobligeante à la vue qu'à l'oreille, bref, Mardi, alors que je ressemble à un aristocrate anglais égaré par hasard dans un film de Franck Dubosc, je m'interroge précisément sur l'image qu'on dégage et qui parfois nous coûte très cher. Prenez Franz-Olivier Giesbert, mon ami et mon idole, ce regard somnolant qu'il arbore parfois en présentant cette émission permet à une partie de la France de croire qu'il se défonce au crack, quand l'autre pense plutôt qu'il carbure à la Suze, alors que, pas du tout, pas du tout, pour le connaître un peu : cet homme exceptionnel est aussi rock'n'roll que la cousine germaine de François Fillon, à côté de qui Christine Boutin rendrait jalouse Anne Roumanoff !

Ah ! l'apparence...

Prenez Arnaud Montebourg : bien qu'il soit d'origine algérienne, on l'imagine plus volontiers giflant une serveuse marocaine qui viendrait de renverser sur son pantalon de flanelle un verre de saint-émilion que coincé dans le RER, rédigeant en sueur et en larmes l'*Internationale* de demain.

Montebourg, soyons honnête, a un physique de droite, une suffisance un peu de droite, une demi-patate chaude dans une bouche assez de droite, et une façon trop élégante de porter le costard : le Montebourg sent le pognon, comme le Borloo sent le pinard ! C'est totalement injuste et sans doute complètement faux, mais quand on sait l'importance de l'image en politique, on a soudain envie de lui faire jouer *My Fair Lady*, mais à l'envers, lui réapprenant cette franchise populacière qui fait tant de bien à Jean-Luc Mélenchon !

À l'inverse, Sarkozy, pourtant nettement plus riche,

qu'il s'agisse de sa Rolex, de sa femme ou de ses fonctions, a toujours l'air de les avoir chinées la veille sur un marché de Ménilmontant !

La vie est très injuste, Arnaud, mais les Français sont pires !

Seule Christine Boutin – ici présente – ressemble vraiment à ce qu'elle est... Ce qu'elle a le droit de prendre pour un compliment (même si elle se trompe)...

Jeudi, je m'aperçois qu'il ne me reste plus que quelques lignes avant de faire trop long et que je n'ai toujours pas parlé de notre ami Philippe Sollers – ce n'est tout de même pas rien, vous me direz : Philippe Sollers... De Jean-René Huguenin à Frédéric Beigbeder, de *Tel Quel* au « Monde des Livres », des femmes à d'autres femmes – des portraits de femmes jeunes et sublimes, et puis des portraits de femmes à la portée de Philippe Sollers –, de Mozart au marquis de Sade, de Flaubert à Stendhal, Sollers est notre philosophe des Lumières artificielles.

Sauf que je m'arrête là car je viens de décider de ne plus parler de Philippe Sollers, pour la simple et bonne raison que Philippe Sollers ADORE qu'on parle de Philippe Sollers, fût-ce pour dire qu'il adore qu'on parle de Sollers, et moi je suis sadique et, comme Sollers est masochiste, je suis à peu près sûr que lui infliger trois minutes de silence indifférent suscitera chez ce vieux libertin une érection tenace, d'autant qu'au passage, j'ai quand même cité son nom neuf fois !

Résumé de la semaine !

Primo : j'engage Arnaud Montebourg à se présenter contre Sarkozy, certes, mais aux primaires de l'UMP !

Deuxio : j'engage Dominique Strauss Kahn à me soumettre une lettre de motivation peaufinée comme une lettre d'excuses, et pour cela je lui accorde deux jours, pas plus !

Qu'il l'écrive dans son bureau, sur le dos d'une stagiaire, ou même chez lui, sur le dos de sa femme (ce qui sera plus confortable), ce sera Lundi dernier carat !

Enfin, j'engage Franz-Olivier Giesbert, s'il veut vraiment que je reste, à me prêter une partie de ses cheveux. C'est un salaire qui en vaut d'autres, et quand on est comme lui millionnaire de la tignasse, on pense un peu aux pauvres !

Voilà, pour moi ce fut une semaine de merde, alors imaginez ce que je pense... de la vôtre.

7 janvier 2011

15

Romantisme

En présence d'Alexandre Jardin et Xavier Darcos

Lundi, je me régale d'avance en apprenant que notre prochain invité sera le petit Alexandre Jardin. Pardonnez ce ton infantilisant, d'autant plus surprenant que je parle d'un écrivain de soixante-cinq ans, mais j'ai toujours envie de dire le « petit Alexandre », comme j'ai toujours envie de l'installer sur mes genoux, de plonger dans sa chevelure encore adolescente une main maternelle – et incestueuse – car notre camarade Jardin est un peu le Dorian Gray des lettres hexagonales, et m'est avis qu'il sera encore jeune en 2042, jeune et séduisant, poussant avant de crever ce petit rire exaspérant qui n'a jamais mué, et nous l'enfermerons dans un joli cercueil en plastique rose bonbon – hommage au style parfois cul-cul de ses premières publications. Ce soir, à nouveau, il nous parle en romancier mais surtout en « petit-fils », cherchant des poux à un grand-père déjà rongé par les vers*. Il est comme ça, Jardin, espiègle et buté comme ce gosse acnéique qui s'enferme dans sa chambre et qui hurle : « Dites-moi la vérité, bande d'enculés ! Sinon je descends pas, je fais pipi au lit, et je dénonce papy ! » Oui, Alexandre Jardin mourra sans doute en culotte courte après s'être étranglé avec une

------
* Il venait présenter un livre à charge sur son aïeul.

sucette Haribo, alors qu'à l'inverse, Xavier Darcos, ici présent, fumait déjà la pipe dans le ventre de sa maman. La nature a décidé que Darcos serait le prof et Jardin l'étudiant.

Mais Alexandre est un filou !

Car, pendant des années, il nous a endormis avec ses pavés romantiques alors que chacun sait qu'il dépensait au même moment ses droits d'auteur mirobolants dans d'obscures boîtes à partouze ! Oui, c'est au club 41 – célèbre repaire échangiste que Giesbert connaît bien – qu'Alexandre observa les mille et une manières de divertir une femme :

« Tu t'emmerdes, mon amour ? Couche donc avec Jean-Claude ! »

Alexandre Jardin fut le François Mitterrand de nos attentes sentimentales : alors qu'il cultivait en douce les amours tarifées, il nous promettait la passion à durée indéterminée – la fameuse PDI – et nous voilà pointant aujourd'hui à l'ANPE du cœur, amers et méfiants, préférant encore les chroniques vomitives de Michel Houellebecq au lyrisme sucré d'un dealer de « Je t'aime ». Non, l'amour ne dure pas TOUJOURS ! Et contrairement à ce qu'affirme Frédéric Beigbeder, il ne dure même pas trois ans !

Sinon, pourquoi m'a-t-elle quitté au bout d'un mois, cette pute ?

Ça s'est passé Mardi, vers 2 heures du matin. J'ai reçu le texto d'Isabelle dans le taxi qui me conduisait au bois de Boulogne. Je ne comprends toujours pas ce qui a pu nous arriver. Voilà plusieurs jours qu'elle n'était plus la même : je la sentais irascible, prenant extrêmement mal que je tripote ses copines en public, n'acceptant même plus de cirer mes chaussures ou de dormir au pied du lit, alors qu'elle sait très bien que mon chien ne supporte pas qu'elle dorme entre nous deux. C'est un chien de race très possessif, qui m'a coûté très cher, beaucoup plus qu'elle.

Et voilà qu'elle m'abandonne ! Pourtant j'ai tout fait pour lui plaire : j'ai potassé Shakespeare, Jardin, Musset et Marc Levy – imaginez le supplice ! –, j'ai adoré cette fille, je l'ai rassurée par-devant, je l'ai surprise par-derrière, je me suis déguisé la nuit, j'ai acheté l'appartement d'en face, afin de l'observer et de mieux la comprendre, comme Vincent Pérez dans *Fanfan* – Vincent Pérez qui nous donna beaucoup d'espoir en prouvant à toute la France que même un très mauvais acteur pouvait séduire Sophie Marceau.

Bref, je lui ai offert mon cœur, mon humour légendaire, poussant l'abnégation jusqu'à lui accorder plus d'une heure par semaine...

Sauf qu'à l'époque de Sarkozy et de Carla Bruni, que voulez-vous : l'imagination fébrile d'un jeune auteur ivre d'amour ne pèse plus bien lourd face à la fortune tranquille d'un trader vieillissant de la Banque populaire ! Et tous les mots d'esprit du monde ne peuvent rivaliser avec une villa Starck donnant prétentieusement sur un parking de Saint-Tropez.

Alexandre l'a bien compris, lui qui s'arrangeait toujours pour que ses mots d'amour ne descendent jamais sous la barre des cent mille exemplaires !

Oui, les femmes sont cruelles et, pour ne pas être insultant : je dirais simplement qu'elles recouvrent leurs passions d'un zeste de matérialisme !

Prenez celles qui composent le public de ce soir : certaines sont ravissantes et semblent aussi pures qu'une jeune pucelle afghane (du temps béni où leurs grands frères savaient encore les habiller), alors pourquoi certaines d'entre elles font le pied de grue devant ma loge, suppliant un baiser, une caresse ou même une baffe, alors que mon ami Jean-Louis – technicien sous-payé par le service public – a beau se mettre à genoux en leur chialant quelques poèmes, il termine toujours seul dans son F2 d'Argenteuil, à se mater en boucle les vidéos cochonnes de Paris Hilton ?

Surtout n'allez pas croire que j'estime que toutes les femmes sont plus ou moins intéressées ! Non, ce serait aussi bête que d'affirmer que TOUS les nazis étaient antisémites. Il y a des exceptions. Et quelques femmes sincères : même Carla Bruni n'a pas aimé que des millionnaires... elle a aussi donné sa chance à quelques milliardaires ! Et moi-même j'entretiens depuis peu des rapports sensuels avec une femme qui n'a JAMAIS péché par vénalité. Cette jeune héritière, enfin cette « héritière » – puisqu'on fêtera bientôt ses quatre-vingt-dix ans –, bref, cette personne délicieuse (que par discrétion je nommerai Liliane B.) – ne m'a JAMAIS rien demandé en échange de ses faveurs. Ce serait plutôt le contraire : il lui arrive régulièrement d'oublier dans mon lit une enveloppe de 30 000 balles, et je trouve ça formidable. Ça n'a rien de dégueulasse, c'est moderne, merde ! L'égalité homme-femme, oui, mais dans les deux sens !

Moi aussi, je veux pouvoir faire le ménage en chaussures Louboutin, je veux pouvoir glander, élever mes gosses – très mal – en lisant des magazines débiles sur le rebord de la baignoire ! Moi aussi, je veux pouvoir proférer une connerie dans un dîner sans que personne s'en étonne... et faire de mauvais films primés dans tous les festivals !

Merde, Vendredi je m'aperçois que l'amertume d'avoir été largué parfume un peu ma prose. Or, plutôt crever que de finir en duo avec Éric Zemmour chez Laurent Ruquier, je laisse cette corvée à Éric Naulleau, qui serait prêt à manger ses propres parties génitales pour passer à la télé et balancer des méchancetés.

Non, public adoré, j'aime les femmes éperdument, je

les aime au pluriel comme au singulier, et si j'en dis du mal... c'est pour mieux contempler leurs visages indignés.

Voilà, pour moi ce fut une semaine de merde, alors imaginez ce que je pense de la vôtre.

14 janvier 2011

16

Le président VRP

En présence d'Henri Guaino, Jean-Pierre Chevènement et Jean-Marie Rouart

Lundi, face au silence interminable de Dominique Strauss-Kahn, je décide de prendre moi-même les choses en main ! M'apercevant que ses lieutenants, Cambadélis et compagnie, peuvent vider leur vessie dans un orchestre de violons sans en sortir le moindre son, il est temps que j'agisse ! De même qu'en 1940, si je ne m'étais pas dévoué, jamais le général de Gaulle n'aurait eu l'idée de traverser la Manche, préférant balader sa silhouette de grand dadais dans les ruelles de Colombey, de même qu'il m'a fallu une nuit – et quatre cents canettes de bière – pour convaincre Chirac de ne pas suivre l'Amérique dans cette foutue guerre en Irak, de même que j'ai personnellement procédé à l'anesthésie de Jean-Pierre Chevènement – du temps où ce ministre en agaçait plus d'un.

Bref, Lundi – une fois de plus –, la France a besoin de moi !

Du coup, Lundi après-midi, je débarque à Washington à la conquête de DSK, cachant dans mes valises tous les charmes gaulois : les poches pleines de saint-nectaire, du livarot entre les dents, du bordeaux en seringue, du dentifrice Dom Pérignon, des capotes Yves Saint Laurent, une larme de Michel Houellebecq, le dentier de Joey Starr, un DVD des *Petits Mouchoirs* et une échographie exclusive du futur bébé de Marion Cotillard – cet embryon placé sous une si bonne étoile qu'il recevra dès la naissance le césar du meilleur espoir !

Mardi, vers 18 heures, à l'heure où les Ricains s'apprêtent à roupiller – sachant qu'en France, à cette heure-là, Franz-Olivier Giesbert boit son premier café, et son troisième calva –, DSK me reçoit dans un appartement secret, à savoir la cave des cuisines du FMI, refusant d'être aperçu en compagnie d'un minable Frenchy, lui qui – de là-bas – porte sur Sarkozy le même regard paternaliste que celui que poserait Sharon Stone sur Mimi Mathy. On est quand même à Washington, le centre du monde libre, à côté de quoi la France est une principauté risible, une bourgade moyenâgeuse qu'un VRP cocaïné s'est payé à coups de pub pour en foutre plein la vue à une chanteuse de variétés. Anne Sinclair me prend à part, elle est de tout cœur avec moi : « Nicolas, me dit-elle, par pitié persuade-le, qu'il gagne, qu'il perde, qu'il soit président ou même pompiste, pourvu qu'on s'barre d'ici, je ne les supporte plus, on bouffe n'importe quoi, on fréquente n'importe qui : Nicolas, sors-moi de là ! », je m'aperçois très rapidement que l'ancienne journaliste se bat depuis quatre ans contre la dépression nerveuse, aussi épanouie dans une soirée américaine que Brice Hortefeux dans une cité HLM. Elle a les larmes aux yeux, la pauvre : le Bon Marché lui manque, les soldes de chez Prada, la terrasse des Deux-Magots, les discours de Finkielkraut sur « l'antisémitisme inconscient chez les crevettes japonaises », le JT de Claire Chazal... Des sanglots dans la gorge, elle me demande si Philippe Gildas présente toujours « Nulle part ailleurs » ? Je n'ose la décevoir, et la voilà qui me questionne sur le prochain concert d'Henri Salvador ! Comment lui dire la vérité sans risquer de la tuer ?! Pour me prouver sa bonne mémoire et son côté branché, elle me récite par cœur un sketch d'Élie et Dieudonné, ne sachant sans doute pas que l'un des deux rêve désormais de l'envoyer à Buchenwald ! Bref, il faut que j'aide cette femme ! Sauf que son mari continue à faire la moue : forcément, quand on joue au tennis avec Barack Obama, pas facile de se projeter sur un terrain de pétanque entre Patrick Bruel et Jean-Marie Bigard !

Du coup, dans la nuit de Mercredi, alors qu'il dort comme un bébé dans la chambre d'à côté, je lui souffle à l'oreille tous les sondages flatteurs qui l'annoncent déjà vainqueur, je le compare à Mitterrand... à Jean Jaurès... à Napoléon... à Brad Pitt... je le masse, je le caresse, je l'embrasse jusqu'au nombril... Oui, j'ai couché avec Strauss-Kahn, et SI, j'suis hétéro : mais faut savoir ce qu'on veut ! Si Martine Aubry avait été la mieux placée, je me serais sacrifié avec le même patriotisme, même si pour la convaincre il eût fallu que je frise l'overdose de Viagra !

Jeudi, de retour à Paris, sachant que notre prochain invité sera le délicieux Jean-Marie Rouart, je décide de prendre d'assaut l'Académie française. Et pour cela je monte un véritable raid avec mes complices Frédéric Beigbeder, Virginie Despentes, Nicolas Rey, Régis Jauffret et David Foenkinos – romanciers kamikazes avec qui je fomente une grande révolution qui installera sous la coupole les vrais écrivains d'hier ET de demain, ceux qui modernisent la langue, tout en pouvant plonger la leur dans la bouche d'une jeune lectrice sans qu'elle crie : « Au secours, Papy est devenu dingue !! »

Jeudi, donc, vers 15 heures, au moment précis où nos grabataires déguisés en vert commencent leur séance de bridge, traînant depuis quatre ans sur la lettre « P », Beigbeder et moi-même – cagoulés à la mode corse –, nous plaçons une grenade dégoupillée SOUS les fesses

d'Hélène Carrère d'Encausse, et procédons au kid-
napping des pensionnaires de la plus prestigieuse
maison de retraite de France ! Angelo Rinaldi a beau
protester, nous l'assommons avec un dictionnaire
Larousse avant de précipiter Giscard dans un volcan
d'Auvergne ! Simone Veil parvient à se cacher sous la
table, mais elle est très vite dénoncée par Félicien
Marceau. Quant à Jean Dutourd ? Il est mort (hier, donc
c'est fait). Fabrice d'Almeida est installé d'office à la
place d'Alain Decaux – qui perd complètement la boule
et croit à une mutinerie napoléonienne. Max Gallo,
abrité sous une chaise, tente de joindre Sarkozy, mais
un de nos chiens de combat est en train de mâchouiller
son téléphone portable !

Après une heure de négociation, nous décidons de
garder à leur siège nos amis Jean-Loup Dabadie, véritable génie, l'exquise Florence Delay et le plus jeune de
tous, j'ai nommé Jean d'Ormesson ! Quant à Jean-Marie
Rouart, il est convenu qu'il sera préposé aux cocktails
dans la boîte de nuit que nous construirons bientôt à
l'étage. De même que François Weyergans, vieux copain
de Delarue, s'occupera de nous fournir une coke suffisamment pure pour qu'on finisse le dictionnaire avant
21 heures !

Ensuite, nous procéderons à la nomination d'une centaine d'académiciennes, sélectionnées autant sur la
qualité de leurs livres que sur celles de leurs photos, c'est
pourquoi Penélope Cruz, bien qu'espagnole jusqu'au
bout des nibards, portera l'habit vert légèrement
décolleté par Jean-Paul Gaultier. D'autre part, Diane
Ducret*, ici présente (Diane que j'ai envie de relire à
chaque fois que je la regarde), fera beaucoup plus de
bien au moral des Français que n'importe quel

---

* Ravissante romancière avec qui cette chronique ne m'a
pas permis de coucher.

Fumaroli, je la nomme donc personnellement « Entraî-
neuse perpétuelle de l'Académie ».

Nous voilà immortels, ce qui devenait urgent, car vu
mon hygiène de vie, et contrairement à la plupart de
mes prédécesseurs, j'aurai au moins la politesse de ne
pas faire de vieux os ! C'est d'ailleurs Jean d'Ormesson
qui prononcera bientôt mon éloge funèbre ! Vous
verrez, ce sera très drôle, puisque c'est moi qui l'ai écrit.

Voilà, pour moi ce fut une semaine de merde, alors
imaginez ce que je pense... de la vôtre.

21 janvier 2011

17

Ni humoriste ni de gauche

En présence de PPDA, Alain Juppé et Philippe Bouvard

Lundi, après les trois buzz provoqués par mes derniers passages télé, qui m'ont valu de me faire coup sur coup traiter d'humoriste de gauche, puis d'écrivain de droite, de pistonné antisémite, d'homosexuel crypto-communiste pour finir bobo anti-sarko de la branche souverainiste du Parti radical, je suis pris d'un tel vertige que je dégueule tout mon caviar sur mes sandales Gucci. Alors, pour ceux que ça intéresse, à savoir les cinq cent mille blogueurs, cyber-branleurs professionnels et autre sous-Morandini – qui est lui-même le sous-traitant des bruits de chiotte en tout genre –, Je ne suis NI humoriste, NI gauchiste, ni même chroniqueur : je suis un auteur dramatique séquestré par Giesbert pour éviter à son public le suicide collectif !

Pauvre public !

Mettez-vous à leur place, les pauvres... Pas facile pour ces adolescents ignares de supporter plus de dix minutes un débat politique de fond, quand les premières images qu'on a glissées dans leur biberon sont celles de Loana se faisant butiner entre les jets d'un Jacuzzi. Du coup, moi, quand je débarque, je rame à coups de sarcasme ! Obligé par contrat de les sortir de leur stupeur : vous croyez que ça m'amuse, de balancer sur Sarkozy ? Non ! C'est aussi original que d'adorer Woody Allen ou de cracher sur Claude Lelouch ! Bien sûr que c'est facile, d'autant qu'à vaincre sans péril, on triomphe sans gloire : or – n'en déplaise à certains humoristes de gauche – dont je ne suis pas –, Sarko est trop opportuniste pour jouer les dictateurs ! Il va peut-être couler le pays, mais jamais ma carrière ! Je ne risque pas grand-chose... Pourtant, la nuit, je rêve qu'une première dame de France me convoque à l'Élysée, qu'elle me lacère le dos à coups de talons aiguilles, puis qu'elle me roue dans sa piscine et que j'expie jusqu'au matin, le coup de coude d'une jolie femme de droite m'excitant davantage qu'un coup de langue de Jean-Luc Mélenchon !

Que la droite se rassure, nom d'un cul de chameau belge, Martine Aubry ou Ségolène Royal me semblent aussi crédibles en leaders socialistes qu'un jogger à Ray-Ban en président de la République !

En outre, que la gauche soit tranquille, nom d'une bite allemande : je militerai pour DSK ! Comment résisterais-je face à son enthousiasme et son envie pressante de nous sortir de là ? Je vais donc militer pour le patron du FMI... tout en croisant les doigts pour qu'il suive des cours de gauche dans le jet qui le mènera de Washington à Neuilly !

Lundi, je surfe allégrement sur le fameux « tous pourris » – tout comme Nolwenn Leroy sur la rengaine bretonne – et, n'en déplaise à mes parents : j'ai à peu près autant de courage politique qu'un garde-frontière suisse durant la Seconde Guerre mondiale.

La vérité, c'est que notre jeunesse s'emmerde :
en mal de transgressions,
aveuglée par l'ennui,
on brûle dans la provoc toutes nos désillusions.

On cherche l'interdit comme d'autres la fortune : y a qu'à voir la jalousie que nous inspire la Tunisie ! Tous ces jeunes gens hilares, portant dans leur regard l'espoir des jours meilleurs...

Et nous, médiocre Occidentaux – Français moyens (et

moyennement français) –, on se surprend à espérer que Ben Ali reprenne la France !

Qu'elle serait douce, l'insurrection... Tellement plus rock'n'roll que n'importe quelle Facebook party !

Mardi... N'étant ni humoriste, ni de gauche, je me réveille avec la veuve de Louis-Ferdinand Céline ! Ensuite je déjeune au Fouquet's avec Françoise Sagan, qui a la courtoisie de n'être jamais morte. Elle a plus de quatre-vingts ans, et parle toujours aussi vite, son dentier défectueux n'arrangeant rien à sa diction.

Pour flatter son ego de vieille littératrice, j'ai relu *Des bleus à l'âme* dans la matinée. J'adore Françoise Sagan parce qu'elle est très moderne et qu'elle écrit sans modernisme, parce qu'elle se goure en politique mais jamais sur les gens, parce qu'elle décrit finement les hommes, presque aussi bien que Maupassant décrit les femmes, j'adore Françoise Sagan parce qu'elle assume d'être frivole, gouine et droguée, et qu'elle donnerait de la noblesse aux pissotières d'une boîte de nuit. J'adore Françoise Sagan, parce que, si j'étais un homme, je serais Françoise Sagan.

Mardi après-midi, n'étant ni humoriste, ni de gauche, je ne me moquerai pas de PPDA !

D'abord, regardez-le, il a du charme, n'est-ce pas ? Vous en connaissez beaucoup, vous, des journalistes au chômage qui, à plus de soixante-dix ans, attirent encore les femmes ? Quant à cette histoire calomnieuse de biographie documentée, ce clin d'œil posthume qu'il fit élégamment à l'un de ses confrères décédés, je ne rirai pas avec les loups !

Lui reprochant plus volontiers d'avoir écrit certains romans tout seul : oui, j'aurais pu l'aider, en arrangeant quelques chapitres. Mais c'est un écrivain, un vrai, un passionné, il serait dégueulasse de brûler ses soixante livres – soixante ? – sur l'autel d'UN scandale.

D'abord, je défends PPDA par solidarité capillaire, et

ensuite parce qu'il m'émeut : il a raté ses quarante vies avec plus de panache que François Fillon en a réussi une seule.

Mercredi, n'étant ni humoriste ni de gauche, je serai très aimable avec Alain Juppé.

Comment ne pas admirer l'ancien père Fouettard de l'hôtel Matignon reconverti en père Noël de la ville de Bordeaux ?

Je n'en garde pas moins un très mauvais souvenir des manifestations qu'il avait déclenchées en 1995, bloquant tout le pays, souvenez-vous : je me revois encore – pauvre petit garçon – bloqué dans ma limousine entre la porte Maillot et le Trocadéro, n'ayant plus assez de champagne pour tempérer mes impatiences !

Quelle journée de merde ! Sauf que Juppé a fait du chemin ! Regardez-le sourire, vanter le bonheur conjugal, fleurir son cœur autant que sa ville, inaugurer un tram entre deux verres de vin...

On ne reconnaît même plus l'ancien psycho-rigide capable en une semaine de se foutre à dos cinquante millions de Français !

Juppé s'est adouci... Mais restons vigilant, car, si on suit le raisonnement de notre auguste président : un ancien délinquant est un futur récidiviste ! Personne ne change du tout au tout : moi-même qui suis aujourd'hui obsédé par les femmes, le bébé que j'étais ne mâchouillait-il pas le sein gauche de sa mère avec des yeux de malade ?

Vendredi, pour finir, n'étant ni humoriste ni de gauche... qu'est-ce que je fais l'après-midi ? ... J'écoute Philippe Bouvard ! En boucle ! Et je me pisse dessus en notant les saillies misogynes de la bande à Mabille ! Jean Amadou est un génie ! Regis Mailhot, une sorte de Jacques Prévert qui aurait bu un coup avec Frédéric Dard ! Et Bouvard n'est-il pas le Gaston Gallimard du

22 rue Bayard ? Et si ces rimes en « ar » commencent à vous saouler : zappez sur Canal + !

Car Vendredi, moi, j'aime tout le monde, les flics de jour, de nuit, avec cerveau, sans cerveau, de France, de Tunisie.

Vendredi je vous aime TOUS, je voudrais disparaître dans ma gentillesse autant que j'ai voulu briller par ma méchanceté ! Vendredi, c'est fini : je vais reprendre le chemin des cahiers, parler de choses graves et sérieuses, et plus jamais de Sarkozy, car quand on parle de Sarkozy, on devient « humoriste de gauche », et j'ai comme l'impression que ces dernières années, rien ne donne moins envie d'aller voter à gauche qu'un humoriste de gauche, ce qui est très très emmerdant pour l'homme de gauche que je suis.

Voilà, pour moi ce fut VRAIMENT, VRAIMENT, une semaine de merde, alors imaginez ce que je pense... de la vôtre.

28 janvier 2011

18

Mme Dugenoux et France Culture

En présence de Laure Adler et Jean-François Copé

Lundi, alors que les pays arabes exhibent leurs querelles anecdotiques, Lundi, moi, je trépigne à l'idée de rencontrer enfin Mlle Laure Adler, célèbre voix radiophonique sur laquelle je fantasme depuis l'âge de cinq ans, et que j'écoute le soir, en feuilletant des photos d'Angelina Jolie, m'autopersuadant que la femme de Brad Pitt me parle pendant des heures de Marguerite Duras, au lieu de confondre le tiers monde avec un supermarché bio de bébés chocolat.

Oui, Laure Adler, dont j'ignorais le physique jusqu'à maintenant, enflamme littéralement mes soirées solitaires : Lundi, je m'allonge sur mon lit, nu comme une plage de Tchernobyl, je pose le poste sur l'oreiller et là, la voix rauque de Laure Adler rivalise immédiatement avec la plus subtile production pornographique tournée avec un téléphone portable dans une cave de Budapest. Oui, moi, c'est avec la radio que je soulage ma libido ! Dans mes rêves d'auditeur, il y a longtemps que Pascale Clark est devenue Michelle Pfeiffer, Rebecca Manzoni a les nibards de Bellucci, et comme mon imagination déborde : même le pauvre Jacques Pradel est aussi bien gaulé que Marion Cotillard ! J'aime la radio car la plupart des animatrices télé – fussent-elles correctement refaites – possèdent le bagage culturel d'une ouvrière de chez Peugeot. Je m'excuse par avance auprès des ouvrières mais, quitte à briser l'illusion qu'entretiennent hypocritement les intellos mélenchonistes du 7ᵉ arrondissement : on ne dira jamais assez à quel point les gens de condition modeste ont, sur le plan culturel, toutes les raisons du monde de rester TRÈS modestes !

Et, oui, ce soir je vire à droite, pour un public de droite ! (Copé est venu en famille.)

En effet, comment peut-on chaque jour s'indigner devant la morale douteuse de nos grands patrons, sans jamais déplorer la scandaleuse paresse intellectuelle de leurs employés !

Oui, toi la caissière qui m'écoutes, ou plutôt qui ne m'écoutes pas, puisqu'à l'heure où je parle tu brûles tes derniers neurones devant « Koh-Lanta », toi l'esclave avinée dont la vie somnolente démarre dans le RER pour finir devant une barquette de nouilles Leader Price réchauffée au micro-ondes, toi, Sylviane, la RMiste ravagée par une journée de corvées ingrates et les insultes répétées de tes trois gosses débiles, toi, Sylviane Dugenoux : ton désespoir légitime n'est-il pas aggravé par la honte d'être à ce point inculte en matière d'art contemporain et de littérature allemande ?... Je te le demande !

Toi qui es persuadée que Michel Butor est un héros de bande dessinée – le fameux « super-butor » – et que Jacques Derrida présente « Le Juste Prix », comment ne trouves-tu pas le temps, feignasse, après avoir récuré les chiottes de ton HLM, signé l'avis d'expulsion de ton fils aîné et cassé ta tirelire pour un paquet de Gitanes, comment ne trouves-tu pas le temps, raclure, d'écouter France Culture ? France Culture qui te propose pourtant un débat passionnant entre Alain Finkielkraut et Pierre Assouline sur le thème « L'antisémitisme inconscient chez les contrôleurs de la RATP », puis un portrait inédit de François Mauriac, brillamment sous-titré « Une fiotte chez les curés » !

Sylviane Dugenoux – regarde-moi ! –, ton existence

facultative ne serait-elle pas plus digne si tu avais au moins la décence de t'abonner au *Magazine littéraire* – 150 euros par mois – ou à la Comédie-Française – 65 heures d'ennui par semaine ? Non ?

Non, car le Pauvre est un con, et heureusement pour lui, car la connerie est à coup sûr l'antidépresseur du pauvre !

Alors, arrêtez, bandes de menteurs gauchistes, de réveiller sans cesse le fantôme de Jean Vilar et de son théâtre populaire, non : tout le monde sait que le théâtre populaire a été inventé pour distraire la pétasse UMP qui habite à 2 mètres du palais de Chaillot ! Bertolt Brecht, par exemple, est tout de même le dramaturge préféré de ma maman : et quand on sait que cette dernière vient de faire construire une piscine à remous sur la plage privée de son palais de Tanger, on est quand même très loin de la « culture pour tous » !

De même qu'Éric Zemmour, notre maître à penser, a bien raison de nous rappeler à quel point la plupart des Arabes et des Noirs passent quand même plus de temps dans un commissariat que devant la caisse du théâtre de la Colline, la France d'en bas – soyons honnêtes – foutra les pieds chez son libraire le jour où il vendra de la viande... des canettes de Kro ou des produits laitiers !

Jeudi, ayant viré à droite, j'apprends avec plaisir que Jean-François Copé sera notre invité.

Le mec le plus à l'aise de toute la droite française !

Copé drague la présidentielle de 2017 comme je n'oserais même plus aborder une groupie à 5 heures du matin, et pourtant y a moyen... Si la confiance en soi était un critère d'élection, Copé serait sacré empereur d'ici la fin de la semaine !

De mon côté, il me faut d'urgence me débarrasser de cette étiquette d'« anti-sarkozyste primaire » qu'une formule maladroite m'a collée sur le front. Jeudi, je décide donc de me rendre personnellement à l'anniversaire surprise de notre président. Un président que j'adore et qui, je le répète, n'a jamais pris de stupéfiants ! C'était une image ! Un clin d'œil facétieux à sa vivacité, une sorte d'hommage rendu à l'homme capable en un quart d'heure de faire du cheval, du bateau, changer de femme, vexer les Africains, libérer trois otages, enfermer un Corse, enflammer douze conflits et expulser cinq jeunes Roumains ! Bravo ! Et tout ça sans substance, voilà qui force mon respect ! Pour faire le quart de ça, il me faudrait le traitement d'un cycliste italien, ainsi que quelques champignons sauvages.

Sarkozy, sois mon ami ! Je veux être avec toi pour souffler tes bougies ! J'ai besoin des gens de droite pour monter mes projets et remplir mes théâtres, d'autant que mon banquier est assez tolérant pour accepter les chèques de tous bords confondus. Moi aussi, je veux chanter « Happy Birthday » avec Carla Bruni, je veux draguer les filles dans les rues de Neuilly avec Jean Sarkozy, comparer nos shampoings, nos crèmes de soins, nos crèmes de nuit... et créer le parti des rejetons célèbres de célébrités ! Je veux fêter l'anniversaire de notre président ! Sauf que j'ai pas de carton, et que pour un artiste : rien n'est plus difficile que de rentrer à l'Élysée quand on a du talent et un peu de culture !

Du coup, Jeudi, je refais mon CV :

À 14 heures, j'ai chanté en duo avec Mireille Mathieu à la foire aux Laitues de Levallois-Perret.

À 16 h 40 j'ai écrit le prochain spectacle de Jean-Marie Bigard, qui commence en fanfare par un sketch inédit – « La salade de couilles » – où l'on voit Jean-Marie simuler brillamment l'éjaculation d'une loutre, sur une mélodie subtile de Didier Barbelivien.

À 19 h 30 : j'enfile un smoking rose... et pour être certain d'entrer à l'Élysée, j'entame une aventure torride avec Steevy Boulay, qui est beaucoup moins con qu'on le dit – mais bien plus qu'il le pense.

À 20 h 45 : Me voilà parmi eux, sorte d'espion du KGB planqué sous la table de la Maison blanche.

Sauf que je m'y sens bien : ces gens sont sympathiques. Au fond n'est-ce pas le monde dans lequel je suis né ?

Je reconnais les lieux : je me rappelle le temps où Mitterrand changeait mes couches, qu'il m'appelait Mazarin, d'ailleurs soudain je me rappelle cette petite fille discrète découverte par hasard dans une geôle du palais, son beau visage dissimulé sous un masque de fer – on a joué au docteur, elle et moi, sous le regard libidineux de François de Grossouvre.

C'était le bon vieux temps, celui de la gauche élitiste, celle qui citait Zola en relisant Drieu !

Vendredi, pour conclure, j'ai gagné mon pari : paraître sulfureux sans me fâcher avec personne ! Un coup à gauche, un coup à droite. Car l'époque est aux lâches, aux traîtres, à l'ouverture, seuls les miroirs nous font la gueule. Et on peut se coucher, la conscience presque tranquille, tout en se répétant : « Non, je n'suis pas un enculé : je vis avec mon temps. »

Voilà, pour moi ce fut une semaine de merde, alors imaginez ce que je pense... de la vôtre.

4 février 2011

19

Voiles et vapeur

En présence de Tariq Ramadan et Patrick Sébastien

Lundi, littéralement ensorcelé par le charme diabolique de l'intellectuel-prédicateur Tariq Ramadan, étonnant mélange entre une star bollywoodienne et un mollah d'Iran, selon qu'on s'adresse au professeur suisse qui parle bien à la télé ou au religieux énervé qui parle trop dans le micro, bref, Lundi, je m'insurge à mon tour contre ce monde dévergondé où quelques maris laxistes autorisent encore leurs femmes à traîner dans la rue les chevilles apparentes ! Lundi, chez moi, c'est terminé : fini les jupes au-dessus du genou et les tétons qui pointent à tort et à travers !

Qu'est-ce que c'est que ce bordel ?!

Lundi, moi, je balance un voile sur TOUT mon entourage : mes petites sœurs, à la burqa ! Ce sera tchador à volonté pour mes treize fiancées ! Décision urgente vu que la plupart d'entre elles se sont surtout fait connaître en posant à moitié nues dans des revues littéraires aussi prestigieuses que *Glamour, FHM, Entrevue* et autre calendrier annuel de la salope niçoise ! Pour ne citer que mes deux favorites, Sandy Caramel et Claudina Shiffer, je les enferme dans ma cuisine, bâchées des pieds jusqu'au pois chiche. N'étant pas intégriste mais plutôt modéré, comme Tariq – à la télé – je leur accorde gracieusement le droit de découper elles-mêmes leurs voiles dans un carré Hermès, parce que moi, mes femmes, je les veux pudiques mais chics !

Du coup, Lundi après-midi, je m'attelle à la rédaction de mon futur best-seller, modestement intitulé *Le Prophète s'habille en Prada*, dans lequel j'expose mon rêve d'un monde meilleur, un monde dans lequel les femelles ne jouiraient plus de tous ces droits cyniques : ces droits qui leur permettent de nous larguer quand on les aime encore, de porter plainte abusivement sous prétexte qu'on les éduque à coups de batte de baseball, et de nous tromper avec des types plus jeunes, plus beaux, plus drôles – oui, ça existe.

Mardi, par la même occasion, je retire à toutes ces connes leur carte d'électrice, vu qu'elles n'y connaissent rien et qu'il a été prouvé qu'elles cogitent avec leur corps davantage qu'avec leur tête, et à ce train-là le bellâtre de Villepin ou le dandy Montebourg seront élus dès le premier tour ! Et moi, je ne veux pas d'un président playboy, parce que la seule beauté que je tolère chez moi, elle se reflète dans mon miroir !

Mardi soir, afin d'être certain d'épouser une jeune vierge, je n'attends pas qu'elle ait dix ans, ni douze, ni treize : je procède moi-même à sa fabrication génétique dans un tube à essai de l'Institut Pasteur, mélangeant l'ADN d'Angelina Jolie avec un poil de la moustache de Sœur Emmanuelle.

Je la veux bonne ET pieuse ! Je la regarde ensuite grandir dans une couveuse stérilisée, bercée par des chants grégoriens et autres prières coraniques. En outre, grâce à un procédé révolutionnaire, j'installe un système digicode sur ses futures parties génitales, certain d'être le seul à posséder le code de ses entrailles célestes puisqu'on me l'a greffé sur le bout de la tige.

J'en profite pour remarquer ce soir que certaines filles, dans le public, mériteraient elles aussi de porter quelque voilette, non pour des raisons religieuses, mais plutôt esthétiques : car – comme dit l'autre –, quand on a une gueule pareille, on a la politesse de la garder pour soi !

Mercredi, coup de fil paniqué de Franz-Olivier Giesbert : « Nicolas, me dit-il, c'est la catastrophe ! La nouvelle direction de France 2 m'oblige à recevoir Patrick Sébastien ! » Non !

« Mais pourquoi donc ? lui dis-je. Qu'est-ce qu'il viendrait foutre dans une émission culturelle ?

— Justement, me dit-il, c'est la nouvelle formule : chaque semaine, on placera un footballeur, une chanteuse de variétés, une actrice porno ou un type rigolo entre deux intellos, ils ont fait le calcul : suivant le principe antagoniste des comédies de Dany Boon, y a moyen de battre la une !

— Et pourquoi pas, lui dis-je, c'est plutôt une bonne nouvelle : d'autant que Patrick Sébastien m'est très sympathique, j'applaudis à trois mains l'esprit rebelle de l'une des seules vedettes prétendument vulgaires à n'avoir pas chanté victoire place de la République. Voilà un homme qui a du cœur, il aime sa mère, sa femme, son chien, ses téléspectateurs... même s'il a tendance à les confondre un peu, écrivant avec son chien en caressant le public ! »

Franz éclate en sanglots :

« Non, non, je ne sais pas quoi lui dire ! » m'avoue-t-il en se mouchant dans la bio d'Alain Minc. « Faut que tu m'aides : je ne connais pas la France d'en bas, les guinguettes de province, la télé qui fait de l'audience... Tout ça me fout les jetons ; moi je ne connais que des ministres et des chroniqueurs pédants, ça va faire vingt-cinq ans que je ne suis pas sorti du 7e arrondissement...

Du coup, Jeudi, nous voilà partis, Franz et moi, comme deux tapettes, vers des contrées lointaines, au volant d'un camping-car.

À nous deux, les Franck Dubosc, nous allons à la rencontre du petit bonhomme en mousse ! À quoi ressemble-t-il, ce fameux petit bonhomme ? Quelles sont ses opinions ?

Jeudi soir, on débarque chez Monsieur et Madame Tout-le-monde – nous qui ne sommes pas n'importe qui.

Comme je n'ai que des préjugés, j'ai troqué mon costard de dandy ridicule contre un survêtement Sergio Tacchini, laissant respirer mes larges roubignolles pour la première fois de leur vie.

On s'assoit à leur table, on bouffe de la blanquette, on boit du beaujolais, nouveau, ancien, peu importe, on rigole, puis on dégueule, on se raconte des blagues sur des blondes dégénérées et des Arabes qui sentent mauvais : Bref, c'est la fête ! La vraie, pas celle d'Édouard Baer ou de Frédéric Beigbeder, non : là, on se lâche vraiment ! Franz est tellement bourré qu'il monte sur la table et le voilà qui pisse sur le baba au rhum ! Alors pour l'excuser, j'ai dû danser la chenille avec toute la famille, on a fait les canards, et les serviettes qui tournent. Et on est vachement bien, d'autant que ces gens ne sont pas idiots... ils sont juste alcooliques. Soudain, la sonnerie retentit : une silhouette fait son entrée, sous nos regards émus : qui est donc cette personne qui force mon respect ?

Mais c'est le seul, le vrai :

C'est le petit bonhomme en mousse.

L'allure majestueuse, il se dirige vers moi et m'emmène dans un coin (je m'interroge soudain sur les penchants sexuels de cet étrange petit bonhomme en mousse !)

« Nicolas, me dit-il, arrête de nous prendre pour des cons. Voilà plusieurs semaines que tu te moques des gens modestes, je n'aime pas cet humour, ce 14e degré qui masque ton mépris d'éternel gosse de riche... Tu la connais ma vie, à moi ? Toi, le bobo de gauche né à Neuilly-sur-Seine ? »

Et paf ! Il m'envoie une mandale en pleine gueule. Je me dis : heureusement qu'il est en mousse, cette espèce d'enculé. Mais je sens la colère qui rugit dans ses yeux, alors je m'excuse à genoux, je lui dis que je le comprends, qu'on partage pas le même humour, mais qu'on peut bien vider ensemble trois ou quatre bouteilles de rouge. Il me dit : « C'est d'accord. Pour picoler, j'suis toujours là ! »

Du coup, on s'est pété la gueule jusqu'au petit matin, j'ai appris toute sa vie, sa grande histoire d'amour avec Bob l'éponge. Franz ronflait juste à côté, ses quelques cheveux argentés gracieusement étalés entre les deux obus de Mme Duchemolle. Quand le soleil s'est levé, je n'arrivais même plus à articuler un mot – moi qui suis si bavard. Le petit bonhomme en mousse a lancé le CD de Patrick Sébastien, et je peux vous jurer qu'avalant tous mes sarcasmes, j'ai trouvé ça sublime.

Voilà, pour moi ce fut une semaine de merde, alors imaginez ce que je pense... de la vôtre !

11 février 2011

20

La bête et la belle

*En présence de Jacques Weber, Jérôme Garcin
et Tasha de Vasconcelos*

Lundi, je suis un homme heureux ! Giesbert vient de m'annoncer le casting de ce soir : un grand acteur et une splendeur – le théâtre et la beauté –, voilà enfin mes deux passions réunies en club sandwich sur un plateau de télé qui ressemble soudain à un plateau de fromages, enfin je parle pour ceux qui adorent le fromage (moi j'adore ça).

Lundi, je dis à Franz : Merci !

Ton casting me plaît tellement que j'ai soudain envie de t'enfoncer ma langue jusqu'au fond du gosier, ce qui te surprendrait, toi qui passes tes romans à essayer de nous prouver ton hétérosexualité, alors qu'il suffit de lire les biographies passionnelles que tu consacres régulièrement à nos hommes de pouvoir pour constater ton sérieux problème d'attirance-répulsion à l'égard des grands de ce monde : Giesbert – qu'on se le dise – est le Éric Besson de la plume ! Passant de Mitterrand à Sarkozy avec la même jubilation qu'une stagiaire de France Télé en période d'alternance !

Sans parler, mon cher Franz, de la façon plus que courtoise dont tu as reçu Tariq Ramadan la semaine dernière, posant sur ce dernier le même regard énamouré qu'un Afghan affamé devant un plat de couscous royal ! Mais oublions, oublions : Lundi, je suis heureux, Jacques

Weber et Tasha* convoqués par miracle dans ce studio jusque-là ensommeillé par des mois d'occupation politi-carde durant laquelle je fus contraint de stéphane-guillo-niser ma verve sous le regard haineux de types aussi sexy que Copé, Minc ou Fabius – quel enfer j'ai vécu, croyez-moi !

Mais vous voilà, Jacques et Tasha, et avec vous cette émission culturelle – dixit *Télé Loisirs* – parle enfin de culture !

D'abord avec Weber, mon ami et mon idole, dont j'adore les spectacles « Seul en scène », ceux qu'il s'au-torise à jouer quand Luchini est en congé – Fabrice Luchini ayant la courtoisie de lui laisser interpréter quelques grands écrivains, c'est-à-dire tous ceux qui ne rêvent pas la nuit de trucider un enfant juif ou de tremper un communiste dans un bol de cyanure ! D'ail-leurs Weber le fait si bien qu'il reprendra bientôt un spectacle « Seul en scène » au théâtre du Rond-Point, avec le chanteur Bénabar en guise d'accessoire. Je serai au premier rang, pour l'applaudir et consoler son parte-naire !

Lundi après-midi, quand on sait que mon amour du théâtre n'a d'égal que la théâtralité de mes amours, on imagine le plaisir érectile que j'ai à saluer Tasha... Tasha !

Véritable personnification d'un délire céleste, j'ai envie de dire : « Tasha est le plus beau roman que Dieu nous ait écrit, bien avant la Bible » – ce best-seller pour pédophiles ! Moi qui perds à la télé un temps considé-rable, celui que j'employais jadis à écrire des pièces refusées par Weber et des lettres friponnes déchirées par Tasha, me voilà « comme chez moi », il ne manque plus qu'un rideau rouge, et un paquet de préservatifs, et je suis prêt à vous faire une chronique de 235 heures, sans

---

* Top model qui, ce soir-là, avait écrit un livre sur sa géné-rosité.

entracte – excepté ceux qu'on concéderait aux orgasmes féminins...

Mardi, réprimant mes pires instincts, je ne serai pas désobligeant avec Jérôme Garcin. D'abord, parce qu'il vient parler d'un livre qui force le respect – je ne me vois pas ironiser sur la mort de son jumeau (je ne suis pas une salope du « Masque et la Plume ») *.

Deuxio, parce que Garcin est un intime de notre productrice, Mlle Rachel Kahn, une femme extraordinaire, encore plus extraordinaire depuis qu'elle m'a promis une modeste rallonge de 25 000 euros si je ne dis pas trop de mal de son ami Jérôme Garcin. C'est une jolie somme, non ?

Je pourrais investir dans une révolution arabe... quoi de plus florissant en ce moment ? Tous ces gavroches basanés, ces millions de Charlotte Corday gaulées comme Shéhérazade... Dans un genre moins philanthrope, je pourrais louer avec Tasha un petit pied-à-terre, sur les hauteurs de Monaco, où elle viendrait tromper ses amants milliardaires et forcément rébarbatifs, je lui ferais des p'tits dîners, des p'tites côtelettes d'agneau, dans des petites assiettes, avec des p'tits sourires, des p'tits mots d'amour, je lui écrirais des p'tits rôles dans des pièces en un acte jouées au Théâtre de poche : qu'elle soit mauvaise ou bonne actrice, étant entendu qu'une femme aussi belle, même à chier, elle joue juste. Quel bonheur on vivrait, elle et moi : Du coup, c'est entendu, je ne dirai pas un mot contre Jérôme Garcin ! C'est pourtant pas l'envie qui manque... En effet, difficile de ne pas jouer du sarcasme avec un homme qui m'a couvert des siens plusieurs fois d'affilée, dans son jeu de massacre radiophonique – repaire de hyènes aux bons mots savoureux, réunion de peaux de

---

* Pardon Nelly, pardon Danièle, pardon Arnaud, pardon Armelle.

vache qui me font autant rire quand elles parlent des autres que chialer quand elles parlent de moi ! Je pourrais me venger rien qu'en lisant sa bio : « Jérôme Garcin, animateur impartial du fameux "Masque et la Plume" », ce à quoi je rajouterai : « aussi impartial que l'était Himmler aux réunions du IIIᵉ Reich ». Mais ce n'est pas le critique que l'on reçoit ici – me souffle Rachel Kahn –, non, c'est l'estimable romancier : l'écrivain du Dimanche (ce qui lui laisse tout de même le Lundi, le Mardi, le Jeudi et le Vendredi pour dégueuler avec brio sur tous les romanciers qui – eux – bossent toute la semaine, feignasse !)

Mais le Dimanche, il écrit, ce qui explique sans doute son style endimanché, car il faut bien avouer qu'entre deux balades à cheval et trois papiers dans *Le Nouvel Obs*, Garcin – dont les jugements lapidaires surgissant tels des haïkus d'origine belge font se pisser dessus la prof d'histoire ménopausée branchée sur France Inter –, Jérôme Garcin, dès qu'il s'agit d'un livre, écrit tout aussi sobrement que Mme de Fontenay s'habille !

Mais passons, passons... Je suis en train de m'asseoir sur mon augmentation, et je préférerais m'asseoir sur les genoux de Tasha ! Bien qu'elle n'ait pas de genoux. Non, Tasha n'a pas de genoux. Nadine Morano a des « genoux », rien que le mot nous rappelle son visage. Tasha, elle, dispose d'un pli gracieux permettant à ses chevilles de complimenter ses cuisses.

Une femme sublime n'a rien de réel, voilà une évidence que l'on trouve aussi bien dans une larme de Rimbaud que dans une bouse de Marc Levy.

Et la femme de mes rêves restera dans mes rêves ! Car Vendredi, ma chère Tasha, ne voulant pas être déçu par la réalité (celle des boules Quiès que vous glissez sans doute la nuit dans vos oreilles crottées, sans parler de la gastro-entérite qui vous met de mauvais poil un Mardi matin pluvieux), Vendredi, je décide de mettre un terme à notre histoire dès la fin de ce papier ! Préférant la vigueur onaniste de mon propre verbiage à la mollesse inévitable d'une relation toujours trop longue : Adieu, ma belle ! Non, non, non, n'insiste pas : Non, je ne te suivrai pas dans les contrées d'Afrique, ayant déjà du mal avec le sans-abri posté devant le Crillon. Non, nous ne réglerons pas ensemble toute la misère du monde, j'ai suffisamment de soucis avec mes trois crédits. Tasha, mon ange, vas-y, dégage, c'est terminé !

Mais avant de partir, je le dis publiquement devant des millions de gens, rassure-toi, mon amour : c'est bien parce que je ne te connaîtrai pas que je ne t'oublierai jamais.

Voilà, pour moi ce fut une semaine de merde, alors imaginez ce que je pense... de la vôtre.

18 février 2011

21

Révolutions arabes

En présence de Tahar Ben Jelloun

Lundi, je suis jaloux. Les Tunisiens s'éclatent, les Égyptiens se pètent la gueule, les Algériens commencent à installer les bouteilles de whisky, les canettes de coca et la boule à facettes, les Libyens partent en couilles pendant que les Marocains nettoient la piste de danse, et nous et nous et nous ? Où est la teuf, je vous le demande ! Regardez-moi cette bande de veaux assistant dans le public à un concours de tchatche entre un animateur normand, deux intellos timides et un académicien – fût-il arabe : où sont les ecstazy révolutionnaires, les Gogodanseuses libertaires et autres DJ insurrectionnels ?! Pendant que les Arabes font exploser le Top 50 de la liberté, nous on subit en boucle la dernière soupe capitaliste de Johnny Hallyday ! Mais qu'est-ce que c'est que cette purge ? Où est le matos, où est la teuf ? Mon taux d'adrénaline est en train de faire des mots croisés au rez-de-chaussée de mon âme ! Mais qu'est-ce qui nous arrive : Nous voilà dénonçant mollement les maladresses d'une ministre des Affaires étrangères auxquelles elle-même se sent depuis toujours totalement étrangère, cette espèce de truffe qui trimballe de ministère en ministère son cerveau ankylosé par la psychorigidité et l'ambition putride ! Pendant que les Libyens dansent le pogo au péril de leur life, partouzant dans le sang de leurs espoirs suprêmes, nous on commente les bourdes d'un jeune ambassadeur au corps aussi huilé qu'une strip-teaseuse frigide dans un club de Roubaix ! À côté de la drogue dure qu'est en train de s'injecter la moitié du monde arabe, les problèmes de Boillon*, c'est un bout de shit avarié, un vieux pétard mouillé... Et voilà qu'on s'insurge devant son torse dénudé ? Franchement, où est le problème ? Il aurait pu montrer sa bite que ça me laisserait de marbre, enfin de marbre : de mousse ! Alors c'est ça, la France ? Le pays de Robespierre, de la prise de la Bastille, la fuite à Varennes, les brioches de la reine, le pays des têtes qui tombent : quelle misère quand on voit qu'aujourd'hui les seules têtes qui sont tombées sont celles de deux comiques à l'antenne de France Inter ! Que se passe-t-il ?

Dimanche, j'ai attendu deux plombes le 20 heures de DSK pour l'entendre me dire pour la 14e fois que la France lui « manquait » ! Mais moi si je disais à ma femme ce qu'il dit à la France : « Ma chérie je t'aime très fort, mais je sais pas si je vais rentrer », ça fait belle lurette qu'elle se serait consolée dans les bras d'un tocard prétentieux de l'UMP, imprésentable mais présent, genre Jean-François Copé. Ce pauvre Jean-François Copé qui ose trouver Strauss-Kahn « hautain », c'est comme si Alain Delon me reprochait d'être mégalo !

Bref, Lundi soir, pas de candidat, un Kadhafi qui tire dans le tas, Sarkozy qui relance le débat sur l'islam – sans pour autant niquer les fachos d'origine –, Marine le Pen à 16 % : et pas une seule manif à me foutre sous la dent ! Bougez-vous le cul, bande de feignants, on est quand même les rois de la manifestation, on va pas se faire détrôner par une bande de bougnoules ?! Allez, debout les jeunes ! Notamment les plus pauvres ! Levez-vous,

---

* Alors ambassadeur de France en Tunisie, dont la photo, sur le Net, le montrant torse nu, avait fait scandale.

résistez, montez des barricades, faites exploser une bombe à l'intérieur de ce studio – et quand je dis une « bombe », n'allez pas croire que je parle de moi !

Du coup, Mardi, sur le mode « indignez-vous », « casse-toi pauv'con », « dégage toi-même » et autres slogans bien de chez nous, je décide d'aller motiver nos banlieues parisiennes, là où ça peut vraiment swinguer. Mardi, je commande un taxi, et je débarque à Nanterre : je connais bien le quartier, étant né juste en face, à Neuilly... D'ailleurs franchement, si on y pense, entre eux et moi, quelle différence ? À quelques millions près, nous sommes tous nés égaux. Voilà pourquoi Mardi, tel Danton en son temps, je suis monté sur un banc, au milieu de la cité et j'ai hurlé : « Debout, les damnés de Nanterre, les enfumés du CAC 40, les sous-diplômés de naissance, suivez-moi jusqu'à la Bastille, renversons le pouvoir, comme en Tunisie ! » – d'autant que, très rapidement, les faciès qui m'entourent me rappellent plus la Tunisie que la cour de Versailles. Je vois les jeunes s'agglutiner : Ne suis-je pas sur le point d'écrire une nouvelle page de notre Histoire – avec comme seul outil mon charisme proverbial ? Mais oui, tout le monde m'écoute, tout le monde s'approche, sauf que tout le monde me regarde d'un air un peu bizarre. Malgré mon poing levé et mes doigts de pied tendus, il émane de leurs personnes un parfum d'hostilité. Je leur dis : « Attention, les enfants, c'est pas moi votre ennemi, oh, moi je suis venu en ami ! » Mais je les sens sourds à mon discours : alors que je me battais pour leur filer la niaque, je me suis pris une première baffe ! Leur porte-parole s'avance, avec des yeux de tueur, il me dit : « Va-z'y t'es qui, toi, c'pèce de pute ! I coûte combien, là, ton costard ? » Je lui dis : « Mais peu importe, c'est un cadeau de Noël, faut bien que je m'habille, tout de même, c'est pas en portant tes baskets dégueulasses et ton T-shirt immonde que j'aurai l'air plus subversif ?! »

Là, je me suis pris une deuxième baffe, puis un gosse de huit ans a commencé à me cracher dessus, sa petite sœur sort un couteau, la grand-mère qui débarque et qui me choure mon portable, toute cette famille de chapardeurs, misérables scélérats, moi qui suis venu comme le prophète, on me colle un pétard dans la bouche, « vas-y, tu fermes ta gueule, retire tes pompes »... N'ayant pas envie d'infliger une raclée à des jeunes gens désespérés, je me suis exécuté : d'un geste très gracieux je lui tends mes Weston, en gage de sympathie, une sorte d'offrande à mes camarades de lutte, sauf qu'on m'a jeté dans une poubelle !

Mercredi matin, je me réveille dans une cave, totalement dénudé, moi qui n'ai guère pour habitude de dévoiler mon sexe pour moins de 3 000 euros. Bon, comme je suis de bonne nature, je décide de patienter, mais vers midi j'ai faim, j'exige un club sandwich, ou même un plat très simple, une fricassette de veau – halal, s'il le faut. Là, une porte s'entrouvre, et vas-y qu'ils me balancent une barquette de Whiskas dans la gueule, les chiens ! Mais que s'est-il passé ? Je suis la rançon de ma propre révolution ? Alors là, j'ai crié : « Stop ! Je vous ai demandé de vous révolter, mais pas QUE contre moi ! »

En goûtant ma pâtée, je me suis soudain senti cent fois plus solidaire des félins domestiqués que de ces fauves en liberté, du coup j'ai forcé la porte, j'ai couru telle une gazelle et je me suis engouffré dans un commissariat : « Au secours ! » ai-je dit aux fonctionnaires...

Sauf qu'après ce que j'ai dit sur les flics à la télé le mois dernier, je me suis retrouvé en cage ! Encore ?!

De Mercredi à Jeudi, rien ne me fut épargné : triple toucher rectal (le commissaire – pour faire du zèle – y a même foutu le poignet !) Par bonheur, au bout d'une heure, on me remet en cellule, mais paf ! je tombe sur des Arabes, retrouvant mes Weston aux pieds d'un petit voyou (qui avait gravé Nike sur du cuir à 2 000 balles) !

À *la télévision*

Me sentant au fond du trou – et ne sentant plus le mien –, j'ai dû faire réveiller Giesbert, qui a fait réveiller Juppé, qui a pu alerter le ministère de l'Intérieur.

Vendredi, épuisé, je me retrouve dans un salon privé, avec Brice Hortefeux : enfin des gens civilisés ! Enfin à la maison. On a mangé des huîtres et des coquilles saint-jacques, il m'a raconté des blagues pour dédramatiser, puis j'ai fondu en larmes. Alors, en me serrant dans ses bras paternels – et français –, il m'a promis d'expulser cette bande de sauvageons qui m'avaient fait tant de peine. Je me suis dit : « Quel bonheur, la démocratie » ! La justice est avec nous ! Et quelques heures plus tard, alors que je me lavais dans la piscine de l'hôtel Costes, je me suis dit : « Nom d'une langouste, la révolution arabe, c'est quand même mieux à la télé. »

Voilà, pour moi ce fut une semaine de merde, alors imaginez ce que je pense de la vôtre.

25 février 2011

22

Mes sports d'hiver

Lundi, je suis très loin...
La semaine dernière, j'ai abandonné mon Franz
– mon ami, mon amour – au milieu de son cheptel d'intellos domestiques : j'ai laissé Minc et Finkielkraut se
chamailler sur l'antisémitisme inconscient des sans-papiers bulgares... Quand je pense qu'Alain Minc publie
trois essais par mois et qu'on fait chier PPDA ! Mais peu
importe, j'étais pas là, constatant avec joie que mon
absence sur ce plateau vous a fait perdre 10 points d'audience, ce qui laissait 20 spectateurs, dont les parents
des chroniqueurs et les 14 enfants de Giesbert – ceux
qu'en bon père Fouettard il oblige à nous regarder
TOUS les Vendredis soir (espèce de sadique) !

Bref, Lundi : comme je suis bien à l'étranger !
Loin du 20 heures de Pujadas, loin de ce public aussi
joyeux qu'une réunion de famille chez Michèle Alliot-Marie, loin des sondages de film d'horreur avec Marine
Le Pen dans le rôle de Freddy, loin des déclarations
racistes d'une droite qui s'extrémise et d'une gauche si
peu audible qu'à côté d'elle, même Benjamin Biolay
nous rappelle Pavarotti, très loin de cette télé Twilight
qui suce le sang des pires nouvelles en se passant en
boucle le cauchemar d'une grosse blondasse sur le

perron de l'Élysée : moi, Lundi, je sèche l'école ! Abandonnant les faits divers au profit des sports d'hiver (bof), je traîne mes Timberland dans une station de ski en sifflotant du Serge Gainsbourg – sous le soleil précisément –, les montagnes enneigées représentant les grandes pages blanches du scénario que je coécris, non sans quelques vertiges, avec l'ami Jean Dujardin – le seul type capable de me faire douter de mon hétérosexualité, et il en faut du charme, vu qu'après deux verres de vin, je serais foutu de frotter mon jean's contre une commode Louis XV, pourvu qu'elle mette du rouge à lèvres et des talons de 15 centimètres. Jean Dujardin est délicieux, à tel point qu'il modifie mon ADN de couard queutard libidineux, devant lui je me tiens droit, je ris comme une pucelle... Ce type est tellement beau : quand il prend son petit déj, j'ai l'impression qu'on est filmés. En plus il est blindé, assez pour être généreux, alternant blague de cul et mélancolie douce comme ces surfeurs qui passent de la poudreuse au verglas : c'est un Belmondo sans son p'tit chien, c'est un Delon modeste, c'est ma meuf sans jalousie, sans texto intempestif du genre :

« Vous travaillez vraiment là-bas, au ski ?

— Mais non ma cocotte, on se tape tout ce qui bouge ! Qu'est-ce tu crois, connasse ? Je m'suis pas emmerdé à devenir vaguement célèbre pour relire Chateaubriand sur un télésiège ! »

Oui, il m'arrive parfois, après six heures de luge, de traverser une boîte de nuit comme les rayons d'un Monoprix, exhibant ma vedette telle une carte de crédit : « T'as vu la blonde, Jeannot, tiens si on essayait une naine, ce soir, pour voir, en guise d'apéro, une demi-meuf et un pastis, ou une rouquine de 100 kilos, avec des rognons de veau ? Ça nous changerait des top models, dont les saveurs nordiques et les mensurations sont quelque peu répétitives... »

« Mais non mon cœur ! ai-je dit à ma copine qui se taillait les veines à l'autre bout du fil. Je m'amuse, je déconne, c'est le principe de cette chronique, tu sais très bien que les rousses me donnent de l'urticaire, à l'exception de ta sœur Julie... mais il était très tard. Et je l'ai fait par pitié, sachant que rien ne la rendrait plus heureuse que ta déconfiture, vu qu'elle a beau être née avant, on la regarde toujours après. »

Bref, Lundi, je suis bien ! Jean et moi, on est au top !

Étant donné le prix de l'essence, on voyage en tire-fesses, on chevauche le Mont-Blanc et on rejoint la Suisse, on y place notre pognon, rachetant au passage le chalet de Polanski, avec tous ses meubles, dont Emmanuelle Seigner – Emmanuelle Seigner et son regard chienneux qui vaut à lui tout seul une fondue savoyarde...

Mardi après-midi, masturbant notre ego en titane, on est tellement contents de nous-mêmes qu'on se tape de la France et encore davantage des Français qui l'habitent : il peut neiger du facho, pleuvoir de l'hypocrite : ma combinaison de ski est suffisamment épaisse pour me protéger des tempêtes politiques !

Sauf que, Jeudi, je suis rentré. Et j'ouvre les journaux. Qu'est-ce que j'apprends, nom d'une pipe molle ?

John Galliano est mort ? Il s'est tiré une balle avec un téléphone portable ? Dans le genre veille alcoolo, cette grande tapette néonazie a volé son dernier rôle à Annie Girardot ? Ça se fait pas... Galliano chez Pôle emploi ?

Qu'est-ce que c'est que cette histoire : dans le pays des droits de l'homme, on n'a plus le droit d'aimer Hitler à 5 heures du matin ? Quand on voit les horreurs qu'Éric Zemmour balance à jeun – cumulant les mandats, à RTL, à France Télé, à l'UMP –, on se dit que le couturier

SS aurait mieux fait de vomir sa haine sur un plateau télé ! Car, dans la France de 2011, stigmatiser les immigrés aux heures de grande écoute, ce n'est plus du racisme : c'est un « courant de pensée ».

Du coup, moi, Vendredi, en m'installant à une terrasse devant une foule de mojitos, je paranoïe un max ! Les chocottes de la provoc ! Je ne commande plus une bière sans la présence d'un avocat ! On n'est jamais assez prudent ! Même ma chambre à coucher est gardée jour et nuit par une attachée de presse de France Télévisions, pour peu qu'un badaud scrupuleux enregistre les délires pédophiles que je murmure dans mon sommeil ! Alors quoi ? On n'a plus le droit de désirer sa petite nièce dans une cave de ses songes sans se retrouver en cage avec un curé belge ? Mais c'est à vous dégoûter de devenir célèbre ! Ça tombe bien, personnellement, j'ai l'inconscient TRÈS sain, validé par la Licra, et même bourré je danse le djerk avec des Arabes et des Juifs !
Mais tout de même, quel monde étrange : pas une heure sans scandale, ça buzz dans tous les coins, on sait tout sur tout le monde : Adriana Wonderbra qui balance ses textos de rupture en couverture de *Paris Match*, la salope ! Le pauvre Karembeu comprend même plus ce qui lui arrive – lui qu'est déjà pas foutu de compter sur ses pouces, le seul neurone qui lui restait vient d'être bouffé par le chagrin. Merde ! Un monde où Jacques Chirac n'a même plus le droit de sucrer les fraises sans qu'on vienne vérifier leur date de péremption, un monde de collabos où bientôt même les pires provocateurs devront participer à la tournée des enfoirés, le cul coincé entre Maurane et Pascal Obispo !
Alors moi, Vendredi, je le crie haut et fort : un monde où plus personne ne peut dire une connerie, c'est un monde d'abrutis ! Et j'applaudis la Girardot qui depuis belle lurette avait trouvé le moyen de sourire, en

oubliant TOUT et tout le monde, y compris nos sales gueules.

Ma chère Annie, où que tu sois, tu ne seras plus jamais toute seule !

Voilà, pour moi ce fut une semaine de merde, alors imaginez ce que je pense... de la vôtre.

11 mars 2011

23

Mon enfant japonais

En présence de Patrick de Carolis et Claude Allègre

Lundi, je sais déjà que Vendredi prochain, y a cette putain de chronique qui m'attend de pied ferme, elle me nargue de loin, cette pétasse, comme une enfant à charge qui attend sa becquée.

Et elle est TRÈS gourmande !

Il faut la pondre, chaque semaine, j'ai presque envie d'appeler PPDA pour qu'il me prête un ou deux nègres ! Car je commence à fatiguer ! J'ai beau être payé trois fois plus que tous les autres chroniqueurs – ce qui est légitime –, l'inspiration ne s'achète pas ! Et il faut le faire rire, ce public de camés littéralement accro à mes diatribes sous-desprogiennes diffusées aussi tard que le porno de Canal+ ! Qu'est-ce qu'on attend, exactement ?

Va falloir alterner nombrilisme et politique ? Vulgaire et poétique ? Décrisper un Claude Allègre qui n'a d'allègre que le nom ?

Patrick de Carolis qui revient sur France 2 avec l'œil humide que possède l'infortuné lorsqu'il recroise par hasard l'ex-amour de sa vie et qu'elle n'est MÊME pas malheureuse, qu'il baisse les yeux et qu'il découvre qu'elle attend un bébé, donc qu'un autre la butine – sous des draps encore souillés par leurs amours passées ? La vie est vraiment une salope et vous trouvez que c'est drôle ce qui se passe dans le monde ?

Moi Lundi, je suis en deuil !

Je n'ai même plus envie de sourire : Déjà, les Libyens qui se flinguent, Kadhafi qui panique, Sarkozy qui réplique, ce progrès qui avance à pas lents, enjambant les morts, vous trouvez ça marrant ?

Mais bon, à la limite, c'est vrai qu'il faut bien vivre à la place de ceux qui crèvent – d'autant que l'avantage, avec les Arabes, c'est que depuis des années, ils ont la courtoisie de nous avoir habitués à leurs querelles sanglantes : on s'est presque attaché au fameux kamikaze découpé en rondelles sur une terrasse de Tel-Aviv, il fait partie de notre culture, tout comme Julie Lescaut et Johnny Hallyday...

Ensuite – en bon Occidental rotant son oisiveté devant le JT de Claire Chazal – on les a observés quand ils jouaient au bowling avec des buildings new-yorkais, puis on a écrasé une larme sur la femme lapidée, voire immolée vivante, ce que certains appellent le « méchoui misogyne », le « barbecue sexiste », bref, on a beau s'émouvoir devant la charcuterie libyenne, les esprits cyniques peuvent toujours se rassurer en se disant que les Arabes, décidément... ils ont la mort dans le sang.

Mais alors le Japon...

Moi, j'me le suis pris dans l'fion !

D'autant que pour ceux qui lisent *Voici*, ce n'est plus un secret : oui, ma petite amie est à moitié asiate. Voilà plus de deux ans que j'en ai fait l'acquisition dans un resto branché du 13e arrondissement. Moi qui ne supportais pas le jaune, me voilà en plein dedans ! Elle est belle comme la lune, timide en public, et survoltée au pieu. C'est à cette geisha – domestiquée à coups de cravache – que je dois la température idéale des bains moussants que je l'oblige à faire couler à 19 heures pétantes, aussi gracieuse que ponctuelle. Elle pousse le zèle sentimental jusqu'à parler français – mieux que certains Français – et dire des choses intelligentes, du moins quand je l'autorise à ouvrir sa fine bouche (une fois par semaine), pour frimer devant les copains.

« Regarde un peu ma meuf, Jeannot, et surtout écoute-la : la tête et les jambes, l'esprit et la poitrine (qu'elle a très généreuse pour une Asiatique, ce qui est aussi rare qu'une Portugaise imberbe !) »

Bref, comment le dire avec pudeur : « Mon petit rouleau de printemps, moi je l'aime à toutes les sauces. » À tel point que je ne peux plus croiser les nattes d'une gamine aux yeux bridés sans me sentir submergé par des réflexes paternels ! Le moindre p'tit Chinois semble me murmurer « Papa ». *(Prenant l'accent asiatique :)* « Papa, tu es mon papa, tu me fais beaucoup rire, papa, même si ça ne se voit pas, parce qu'à cause de maman je suis d'une nature réservée, voire sinistre, mais au fond d'moi je t'aime follement et je me bidonne, papa. Papa, pourquoi tu me fais parler comme ça, comme dans un sketch de Michel Leeb ? Papa, est-ce que tu es raciste ? Pourquoi tu bois des mojitos avec John Galliano quand maman n'est pas là, est-ce que tu fais l'amour avec lui, la nuit ? »

Mais non, mon p'tit bonhomme, je ne suis pas raciste, et tu as bien raison, il n'y a aucune raison pour qu'un jour tu parles comme ça, vu que – moi vivant – tu passeras Sciences-Po, Normale Sup et l'ENA. Il est hors de question qu'un Bedos de plus dise des conneries à la télé : tu seras Alain Juppé ! Avec des cheveux ! Tu seras aussi beau qu'un Jean Dujardin croisé avec Bruce Lee, et aussi cultivé que Patrick de Carolis (pourquoi je flatte de Carolis qui n'est même plus le patron de France Télévisions ? On sait jamais, tout va si vite).

Bref, Mardi, face au malheur de tout un peuple – lâchement brutalisé par un Dieu psychopathe qui fait des boulettes de papier avec des immeubles nippons –, je me sens comme le père de cette maudite nation !

(Reprenant l'accent :) « Papa ?
— Oui ? »

124

Mais Mercredi, ras-le-bol !

Je ne supporte plus ce transfert étrange qui assombrit ma prose, cette empathie soudaine pour ce peuple bizarre, les Japonais et les Chinois – pour qui les chats sont tout de même l'équivalent d'une barre de chocolat (je rigole pas : si vous entendez miauler, c'est qu'il est l'heure de passer à table !), Bref, j'en ai déjà marre de voir tous mes futurs gamins crouler sous le chagrin, je suis bien trop fragile pour supporter tout ça. Du coup, Mercredi soir... j'ai largué ma copine. Elle n'avait qu'à être blanche.

Car je choisis mes femmes en fonction de l'actualité.

Demandez à mon ex, Rachel Ben David, que j'ai foutue dehors le soir de l'élection de Benyamin Netanyahu, Tout comme cette sublime Rachida Larbhi qui a payé très cher les attentats du 11 Septembre...

C'est peut-être injuste, mais l'excroissance de chair que j'ai entre les jambes – en plus d'être insoutenable – est extrêmement politisée. Bien plus que par désir, je bande par conviction.

Et quand on dit que je porte à gauche : tout dépend du candidat.

C'est pourquoi, Vendredi, je suis à la recherche de la femme idéale, celle dont les origines n'obligeront pas mon cœur sensible à chialer toute la journée.

Oh surtout pas une Africaine, mon Dieu, quelle horreur ! C'est trop triste, là-bas, car comme le dit Michel Rocard : si la France ne peut pas accueillir toute la misère du monde, imaginez un peu le bordel dans ma chambre à coucher !

Sauf que j'ai beau chercher, toute la planète est dans la mouise : dans ce monde ébranlé, à quelle paire de seins se vouer ?

En bon économiste, j'avais tout misé sur les Asiatiques ! « Papa ? » Quoi ? Mais voilà qu'on peut même

plus compter sur eux ! Alors quoi ? Faut-il rester céliba-
taire ?

Pour ce qui est de la bagatelle, ne plus compter que
sur ma main droite ? En même temps, pourquoi pas,
étant entendu que la seule personne à qui j'ai toujours
été vraiment fidèle, c'est moi !

Voilà pourquoi Vendredi soir – c'est-à-dire là, tout de
suite –, je me regarde dans le miroir de ce prompteur
facétieux, et je me dis : « Ne pleure pas, mon amour, les
Japonais vont s'en sortir – enfin les douze qui survivront.
Non, t'inquiète pas, chouchou, même si la terre tremble
– comme les mains de Jacques Chirac – même si les tsu-
namis te donnent des vagues-à-l'âme, n'oublie jamais
que je t'aime. C'est vrai ? Oui ! Tu me le jures ? Promis !
Merci, mon Nicolas... T'as de beaux yeux, tu sais ?
Embrasse-moi. »

(Avec l'accent :) « Papa ?

— Ta gueule ! »

Voilà, pour moi ce fut une semaine de merde, alors
imaginez ce que je pense... de la vôtre.

18 mars 2011

24

Le fantôme de mon père

En présence de Guy Bedos, Edwy Plenel et Umberto Eco

Lundi, tout commence bien : dehors il fait très beau, le nuage nippon n'ayant pas encore obscurci ce soleil si radieux qu'il permet à toutes les truies de mon quartier d'exposer leurs jambonneaux aux terrasses des cafés... Comme je redoute l'été ! Cette partouze de sueur – mini-jupes et maxi-cuisses – toutes ces Paris Hilton de 125 kilos – j'en vois quelques-unes dans le public –, ces mythomanes du « beau » qui n'ont aucune pitié pour nos regards esthètes !

Mais Lundi tout va bien, vers 14 heures je me rends à mon club des antisémites inconscients anonymes et célèbres, je tombe sur Umberto Eco qui pleurniche dans un coin, il me dit : « Qu'est-ce que j'fous là ? J'ai rien contre les juifs ! », je lui réponds : « Moi non plus, on est tous innocents, mais qu'est-ce tu veux, mon vieux, t'avais qu'à tester ton livre sur des trisomiques maniaco-dépressifs à tendance xénophobe ! »

Mais à part ça, Lundi, ça roule, j'attends la mort de Kadhafi en zappant sur LCI... jusqu'à ce que, Mardi soir, un cauchemar monstrueux me réveille en pleine nuit ! Un cauchemar si réaliste que des perles de sueur dansent encore la java sur mon front dégarni ! Dans ce rêve diabolique, je suis là, devant vous, en train de bafouiller cette putain de chronique, j'ai niqué trois crayons pour pondre un texte facécieux – à la fois profond et débile profond – dont je rattrape les faiblesses à coups de gauchisme grand public...

Au début tout va bien, je taquine Edwy Plenel – notre Julian Assange du boulevard Saint-Germain –, je tire comme un enfant sur les poils de sa moustache tout en applaudissant sa démarche vitale. Le commissaire Plenel grâce à qui Éric Woerth est aujourd'hui DJ dans un club gay de Maubeuge !

Bref, mon rêve commence bien, à peu près comme ma vie, le public de l'émission ponctuant toutes mes phrases d'un rire poussif et ridicule, quand soudain – catastrophe – je me tourne vers la gauche : qui vois-je ?

Le fantôme de mon père !

Guy Bedos, en personne !

Mais si, rappelez-vous.

Le père de Nicolas Bedos !

Il est là, sous mes yeux, jugeant la moindre de mes phrases, scrutant ma gestuelle, l'œil sévère et malicieux, la figure tutélaire me fait de l'ombre en pleine chronique, comme une version d'*Hamlet* adaptée par Marc Levy. Je l'entends qui murmure :

« Sale petit merdeux, tu as beau la ramener, espèce de p'tite pédale, t'es au courant que tu m'dois tout ?

— Qu'est-ce que tu dis, papa ?

— Oh ! Fais pas l'innocent, va, sans moi tu serais que dalle ! D'abord, ton nom, c'est le mien ! J'te le donne pas, j'te le prête : t'as intérêt à pas le salir, sinon moi j'te le reprends, et j'le file à Guillon, rien que pour te faire chier !

— Mais, papa, tu ferais pas ça ?!

— J'fais ce que j'veux, t'as compris ? Ça fait plus de quarante ans que je fais c'que j'veux, j't'emmerde.

— Mais, papa, calme-toi, et puis d'abord, qu'est-ce tu fous là ? C'est tout de même mon émission, merde ! Ça doit être un cauchemar, tu n'as pas pu être invité : tu es fâché avec Giesbert !

— On s'est réconciliés.

— Ah ça, ça m'étonnerait... vu c'qui s'dit dans ton dos en salle de maquillage... !

— J'm'en fous, je vous emmerde, toi et Giesbert, pareil... On sait jamais c'que vous pensez : un coup à gauche, un coup à droite, même pas au centre. À la télé on voit que vous, alors qu'au fond vous n'êtes nulle part !

— Papa, sois pas désagréable ! Et puis laisse-moi, maintenant ! Tu vois bien que je travaille, je m'suis battu pour exister !

— Tu t'es battu, mon cul ! Je t'ai tout mis dans ton biberon... ! Je t'ai offert un peu d'humour à la place d'une console Nintendo ! Ton p'tit esprit caustique de libertin foireux, là, ta p'tite culture "que sais-je", c'est pas tombé du ciel ?! Tu te prends pour Pierre Desproges, mais qui te l'a présenté ?

— Papa, j'avais quatre ans, je m'en souviens à peine...

— Et ton physique, branleur, à qui tu le dois, connard ? Pour les gens qui te regardent, c'est pas une gueule que t'as : c'est juste un vieux souvenir...

— Oh oh, papa, tout doux ! J'voudrais pas être méchant, mais ne serait-ce qu'au niveau de la taille et du poids : heureusement que maman m'a offert quelques gènes... Je suis tout de même obligé de m'accroupir pour te serrer la main !

— C'est pas la taille qui compte, je t'ai vu chez Denisot t'excuser auprès des flics : au niveau de la provoc, t'es un nain !

— Bon, papa, maintenant, tu m'lâches. Qu'est-ce que c'est que cette dispute devant des millions de gens ? Tu veux que je change de nom ? Moi, ça m'arrange, tu sais : Tu crois que c'est facile d'être le fils d'un comique après Jean Sarkozy ?

— Alors, rembourse-moi.

— Qu'est-ce tu dis ?

— Rends-moi mon fric, j'te dis ! Celui que tu m'as coûté jusqu'à vingt et un ans : les vacances à l'île

Maurice, le bavoir Gucci, les couches Jean-Paul Gaultier, la cure de désintox à quatorze ans et demi... Tu m'as coûté bonbon, alors maintenant j'veux mon pognon ! REMBOURSE-MOI !!! »

C'est à ce moment-là que je me suis réveillé... Mon père venait encore de squatter dans mon rêve, SDF permanent de mes troubles inconscients ! J'ai allumé la lampe et je me suis blotti – en position fœtale – contre les seins refaits de ma petite amie (celle du mois de février que je prolonge jusqu'en avril), elle m'a serré dans ses bras frêles de top model anorexique.

Par pur égoïsme, je lui ai demandé de rester vivante jusqu'à la fin de la semaine. Je claquais des dents comme un petit Japonais, ce maudit rêve m'ayant rappelé l'époque où mon père s'installait pendant des heures à la sortie de l'école, passant plus de temps à signer des autographes que mon carnet de liaison. Afin de m'écraser, l'enfoiré, il testait tous ses sketches dans la cour de récré. J'avais l'air con, moi, avec mes billes... Et je ne vous parle pas de mon premier amour, cette gamine de quinze ans que j'ai aimée follement et à qui – dans mon dos – il a promis un rôle pour me la confisquer. Il paraît qu'aujourd'hui, lavant son traumatisme dans la religion, elle présente la météo sur Radio-courtoisie. Je nous revois, maman et moi, cocus l'un et l'autre par l'homme de notre vie, comparant nos cornes pendant qu'il jouait les moralistes sur toutes les scènes de France. Cet homme qu'on prend pour l'abbé Pierre nous a laissés crever ! Et ça défend les immigrés ?! Combien de fois ai-je rêvé de devenir togolais pour émouvoir ce type qui poussait la conscience sociale jusqu'au point d'engager comme domestiques une cinquantaine de sans-papiers !

Oh oui, j'en ai bavé, fils d'une vedette de gauche cruellement scolarisé à Neuilly-sur-Seine ! (C'est aussi

cruel que jeter un pro-palestinien dans un concert de
Patrick Bruel !)

Du coup, moi, Vendredi, je rêve qu'il disparaisse : il
ne peut pas y avoir deux Bedos sur la même chaîne !
Alors je glisse des somnifères dans son caviar avant
chacune de ses télés.

Je mélange les fiches de sa fameuse revue de presse.

Je dévisse les roues de son fauteuil roulant ! Mais rien
n'y fait, le type s'accroche !

Il paraît qu'il a déjà réservé le théâtre du Rond-Point
en 2048 ! Jamel Debbouze sera grand-père !

Du coup, Papa, ce soir, je te le demande solennellement, comme un dernier service : aurais-tu la gentillesse de mettre fin à ta carrière avant que je sois
totalement chauve ? Pour une fois dans ta vie, essaie un
peu de penser aux autres !

Voilà, pour moi ce fut une semaine de merde, alors
imaginez ce que je pense... de la vôtre !

25 mars 2011

25

Déménagement

En présence de Jean-Luc Mélenchon et Patrice Duhamel

Lundi, je déménage !

Étant littéralement surpayé par certains de mes employeurs (je ne parle pas de toi, Franz, vu que tu appliques déjà les doctrines de Mélenchon, avec limitation de salaires – excepté le tien –, maquillage sommaire – y a qu'à voir la tête de David Abiker –, et tous ces arguments de radin qui me font passer pour un Guignol aux soirées Canal +, étant entendu que le petit Yann Barthès, en commentant mollement trois vidéos volées, gagne quatre fois ce qu'on me paie pour torcher – sans nègre – un papier de 10 minutes !)

Mais bref, Lundi, grâce à d'autres revenus – et quelques conseils de Jean-Noël Guérini – je passe du 3e au 4e étage, d'une vue sur ma mère à une vue plongeante sur l'arc de Triomphe – ce modeste monument qui semble avoir été construit pour moi !

Je passe d'un lit une place – où je dormais bêtement à deux – à une farandole de tapis persans sur lesquels s'entremêlent chaque nuit une douzaine de midinettes ramassées dans le public après chaque émission sous le regard jaloux d'une paire de bimbos italiennes fabriquées sur mesure dans les ateliers privés de Silvio Berlusconi ! Et moi je mate, affalé sur mon trône – tel un Kadhafi laïc –, bien trop mégalo pour m'accoupler avec quiconque, je réserve ma semence divine pour la

mère de mes enfants, elle-même en cours de cons-
truction sur les hauteurs de Monaco : une princesse,
sinon rien ! Les actrices ? Plutôt crever... Pourquoi pas
une pute ?! Non, dans ma vie, TOUT a changé : hier,
j'aurais payé moi-même pour monter une bonne pièce
de théâtre, aujourd'hui je réclame une Porsche pour
écrire un mauvais film !

Hier, je fumais des pétards avec des chômeurs pleins
de talent, aujourd'hui je prends de la coke avec des stars
sans intérêt... On se balade dans la rue en jouant à « Qui
est le plus connu ? »

D'ailleurs, hier soir j'ai perdu, j'ai chialé toute la nuit,
du coup ce matin j'enrage, je convoque l'attachée de
presse :

Je lui dis : « Trouve-moi une couverture ! Qu'est-ce
que tu fous, feignasse ?! Ça fait au moins deux heures
qu'on n'a pas parlé de moi ! Propose-moi à toute la
presse : *Nice-Matin*, *Têtu*, *Paris Match*, *Paris Boum Boum*,
L'Amateur de cigares, *Basketball Magazine*, *L'Antisémite
niçois*, ce que tu veux, n'importe quoi... je suis prêt à
m'installer avec un sans-papiers si je décroche la une de
L'Humanité ! Mais trouve-moi quelque chose : de la
radio, de la télé, tu vois pas que je suis en manque ? Au
fait, dis-moi, pourquoi j'ai jamais fait *30 Millions d'amis*,
moi ?

— Parce que t'as pas de chien, Nicolas.

— T'as qu'à m'en acheter un... ! je m'amuserai à
l'écraser juste après l'interview... L'important c'est
qu'on me voie : faut que je baise, faut que je buzz...
Trouve-moi un truc original, une vraie provocation.

— Dis du bien de Sarkozy... ?

— Non, ça, c'est du suicide... ! Autant me trancher
l'aorte avec un couteau suisse ! Demande à Jean-Marie
Bigard et à Doc Gynéco : mieux vaut encore rouler une
pelle à Marine Le Pen ! »

Mardi ! Mardi, j'emménage !

Pour ce qui est de la déco, comme tous les puceaux dans mon style, je fais appel à ma môman. La « femme de », la « mère de »... la seule vraie star de la famille.

Celle qui la nuit rêve en secret d'un mari banquier et d'un fils orthodontiste. Elle m'arrange mon salon avec des doigts de fée, équilibrant l'espace entre deux canapés avec autant de diplomatie que Sarkozy entre François Fillon et Jean-François Copé... (Moi, si Copé était un meuble, je le rangerais à la cave : où qu'on le pose, il fait tache.)

Bref, je regarde ma mère qui s'affaire, ma sorcière tant aimée, le bon tissu au bon endroit, les cendriers dans tous les coins, mes seringues parfaitement alignées dans la salle de bains, une boîte de somnifères sous chaque oreiller, six caisses de vin dans la baignoire : bref, la mère idéale ! Physique de bourge réactionnaire avec mentalité mélencho-libertaire ! Je me dis que mon père a bon goût : décidément, ce con, il passe toujours avant ! C'est la femme de ma vie, la seule à Paris qui ne puisse pas se vanter de m'avoir vu tout nu après mes dix-huit ans. Alors, soudain je m'interroge, pourquoi ne pas emménager ensemble ? Maman et moi, réunis comme au début, aux tout premiers instants, lorsque je n'étais qu'un pré-génie. Elle et moi dans la même chambre, je ne vois pas ce qui vous choque : j'ai tout de même été le premier locataire de son ventre ! D'ailleurs, à l'époque, séquestré à l'intérieur, je regrettais déjà de ne pouvoir contempler la grâce juvénile de cette superbe femme enceinte ! Maintenant que je suis grand, vivons ensemble, nom d'un cul !

« Oui, maman, s'il te plaît, sois la première et la dernière partenaire de ma vie, cette vie menacée par les autres, les "pas comme nous", les "pas gentils", les "Kadhafi" : je veux boire de la bière par ton cordon ombilical, manger ce que tu as déjà digéré, prendre des bains moussants de liquide amniotique et m'habiller de placenta ! »

Sauf que soudain le doute m'étreint : Comment allons-nous faire pour fonder une famille ? Mon futur frangin m'appellera-il « Papa » ? Mon père sera-t-il grand-père et beau-père à la fois ?

Du coup, Mercredi soir, c'est la mort dans l'âme que nous nous séparons, je lui dis : « Maman, restons bons parents. Contentons-nous de ce lien limitatif et hypocrite ! »

Et je la vis repartir vers l'éternel rival.

Jeudi ! Jeudi je me fais beaucoup de souci pour mon ami Giesbert ! Après Patrick de Carolis y a quinze jours, le voilà qui déroule le tapis rouge à Patrice Duhamel ! Mon cher Franz, je ne voudrais pas te décevoir, mais Carolis et Duhamel ne dirigent plus DU TOUT France Télévisions ! Je sais bien que tu flippes pour ta rentrée prochaine, mais faut te concentrer sur le pouvoir en place ! De Carolis et Duhamel, à part te dédicacer un bouquin et t'offrir un plat de lentilles au Café des Sports du coin, ils peuvent rien pour ta pomme ! Ça n'a pas plus de sens que si j'écrivais ma prochaine pièce pour Elizabeth Taylor (qui vient de nous quitter) ! Tous ces gens-là sont morts ! Concentre-toi plutôt sur le neveu de Rémy Pflimlin, la cousine de Sarkozy, la pédicure du père de Carla Bruni... Ceux qui décident, quoi !

Vendredi, pour finir, c'est avec émotion que nous apprenons la candidature officielle de François Hollande. Véritable coup de tonnerre dans la vie politique du salon de François Hollande !

Parce que, partout ailleurs, franchement, on continue pépère à nettoyer sa salle de bains en sifflotant la *Marseillaise* : Hollande ne fait peur qu'à la fourmi sur laquelle il serait susceptible de s'asseoir. Les autres s'en balancent !

On attend plutôt le moindre grognement du taureau washingtonien. Le mystérieux du FMI ! DSK qui prend son temps, respectant les échéances avec la rigueur cruelle d'un officier SS. Quand je pense que son principal conseiller, Gilles Finchelstein (ici présent), vient de pondre un essai sur l'urgence et l'hystérie du « tout tout de suite », on se dit que son mentor est à l'abri d'un claquage musculaire ! Dans son rapport à la fonction suprême, DSK, ce serait plutôt « ambiance créole » :

(Prenant l'accent antillais :) « Ça va, ça va, j'arrive, j'arrive, c'est cool... Remets-moi un Ti-Punch, Gillou... »

Sauf que moi j'en ai ras la portière de le voir tripoter la balance : « J'y vais, j'y vais pas... Oh j'sais pas... Gilles, viens voir, y disent quoi, les sondages ? Tu crois qu'on va m'faire chier avec ma vie privée ? Anne, viens voir ! T'aurais pas une idée du temps qu'il fera sur Paris les cinq prochaines années ? Je m'suis pas pelé le jonc à l'autre bout du monde pour finir bonhomme de neige dans les jardins de l'Élysée ! Dis-moi Gilles, reviens, toi qui sais tout, y aurait pas moyen d'être élu AVANT de me présenter ?! »

Et le voilà qui se tâte sous nos regards anxieux : c'est le super héros le moins rapide du monde ! On n'a jamais vu Superman traverser la planète en déambulateur avant de sauver l'immeuble en flammes ! Car ces temps-ci tout brûle, les émissions sont menacées, les apparts sont vidés, les mères abandonnées, les régimes renversés...

Heureusement, nous, ici, on sait se défendre : la semaine prochaine, Franz-Olivier Giesbert recevra Hervé Bourges et Jean Drucker ! Ça risque d'être chaud !

Voilà, pour moi ce fut une semaine de merde, alors imaginez ce que je pense de la vôtre.

1ᵉʳ avril 2011

26

La langue de Martine

En présence de Martine Aubry et Stéphane Hessel

Lundi, alors que je cherche en vain le sommeil, décidant pour m'aider de mater une rediff de l'émission de la semaine dernière, celle dans laquelle Mélenchon a dialogué avec lui-même pendant une heure quarante, laissant à Giesbert l'honneur de lancer le générique, soudain quelqu'un sonne à ma porte ! Mais qui ça peut bien être ? Franz-Olivier Giesbert en manque de cocaïne ? Stéphane Guillon en manque d'inspiration (oh, ça suffit, maintenant : voilà quand même deux ans que je lui refile tous mes brouillons... !)

Non, Lundi, c'est Martine !

Ma Martine, mon Aubry, la fille de Jacques Delors que je côtoie tous les Jeudis aux soupers des « filles et fils de » – avec la p'tite Charlotte Gainsbourg et la vilaine Marine Le Pen. Je lui dis : « Martine, qu'est-ce tu fous là ?

— Oh ! Nicolas, laisse-moi rentrer... Je viens de terminer enfin le projet du PS..., me dit-elle en chancelant sur mon tapis Conforama, J'ai besoin d'un peu de tendresse, Nico, roule-moi un p'tit pétard, et fais-moi rire, je t'en supplie ! »

À peine ai-je le temps de chercher une boutade que ma pauvre Martine s'effondre comme une larme dans mon canapé Ikea. Il est 3 heures du mat' et je peux vous jurer que la gauche est épuisée ! Je pose alors une main sur son front aussi brûlant qu'une nuit berlusconienne, je lui murmure des compliments, je lui rappelle les scores qu'elle fait dans sa région – les gens du Nord l'adorent – alors je joue quelques répliques de *Bienvenue chez les Ch'tis*. Elle me dit : « Ta gueule, je l'ai vu trois cents fois, si je croise Dany Boon, je lui fais avaler son Maroilles par le cul ! »

Je lui dis : « Martine, je t'en prie, surveille ton langage ! »

Elle me dit : « Justement, j'y arrive plus ! Je ne sais pas ce qui m'arrive en ce moment : ma langue est devenue totalement autonome ! C'est la grève générale de mon propre inconscient... Avant tout allait bien, je disais ce qu'il fallait dire, maintenant c'est un cauchemar : je dis ce que je pense ! »...

Je lui dis : « C'est-à-dire ? »

Elle me dit : « Oh tu peux pas savoir... Je fais lapsus sur lapsus, avant je butais sur un mot, je trébuchais sur une fin de phrase, maintenant je dégringole carrément dans l'escalier de la bourde ! Du coup t'imagines pas : entre deux compliments stratégiques – un sourire à Montebourg, une caresse à Fabius, un clin d'œil à Hollande, une main aux fesses de DSK –, bref toute cette comédie de boulevard que je joue avec autant de naturel que Jean-Marie Bigard dans le rôle de Louis XVI, entre deux politesses, y a ma langue qui part en vrille... ça a commencé tout doux, au lieu d'un projet "extrêmement vaste", j'ai parlé d'un projet "extrêmement vague", bon pourquoi pas, puis ensuite j'ai quand même balancé malgré moi le fameux "quand je serais candidate" (ce qui a encore foutu le bordel !) et voilà que ce matin, alors que je récitais mon texte en disant tout le bien que je suis censée penser de Ségolène Royal, au lieu de terminer par "cette députée exemplaire qui a fait de sa région un modèle de dynamisme", voilà que ma langue (fourcheuse et farceuse) a ajouté "cette pute" !... me laissant dubitative face au fossé phonétique qui sépare très clairement ces deux assertions !

Je lui dis : « Mais Martine, est-ce que tu le penses vraiment ? »

Elle me dit : « Apparemment. C'est quand même ma propre langue ! Sauf que j'ose plus ouvrir la bouche, c'est quand même emmerdant pour une chef de parti ! »

Je lui dis : « Ma chérie, t'inquiète pas, c'est normal, mon p'tit chou. Tes journées sont trop longues, c'est pas humain ce qu'on te demande ! Faire plaisir à tout le monde en mélangeant des sauces aussi hétéroclites à l'intérieur d'une même salade ! C'est à peu près comme si on obligeait Patrick Besson – mon idole en sarcasme – à écrire un roman avec Bernard Werber, Anna Gavalda, Umberto Eco, Marc Levy, Michel Onfray et le cadavre de Céline... ! Pourquoi pas m'imposer d'animer cette chronique avec Éric Zemmour et feue Danièle Gilbert... ? C'est l'genre d'acrobaties à finir le cul coincé dans un fauteuil roulant ! »

Elle me dit : « T'as raison, d'ailleurs passe-moi une canne ! »

J'ai regardé Martine se déplacer comme une vieille dame vers ma table Habitat... Soudain moins proche de la victoire que du cimetière des éléphants... Je me suis dit : « Quel courage, quand je pense que cette femme, avec tout son talent, ses diplômes en pagaille, elle pourrait faire du blé dans une société privée, superviser quelques suicides chez France Telecom, gérer les magouilles de Liliane Bettencourt... » À la place de quoi la voilà qui se nique la santé pour des gens TROP modestes, une sous-catégorie sociale qui – pour la remercier – va voter Front national !

Je lui dis : « Martine, c'est pas une vie ! Regarde ton père, un peu, tu crois que c'est un hasard s'il a préféré Bruxelles au palais de l'Élysée. Tu t'es trompé de parti, mon ange ! Le PS, c'est trop dur, c'est un truc à finir interné avec John Galliano dans une clinique en Suisse :

dans ce parti, y a que des gens très intelligents qui peuvent pas s'encadrer, au moins à l'UMP y a que des cons qui s'adorent ! »

Elle me dit : « T'as raison, mais j'dois aller au bout... Je l'ai promis à Jean Jaurès... Après ça, Nicolas : promets-moi que tu m'emmèneras faire le tour du monde en luge ! Qu'on passera nos vacances à boire des vodkas-pêche avec tes copains du show-bizz... hein ? Hein ? Promis ? Oh, ce sera bon, mon p'tit chéri... En attendant, moi faut qu'j'y retourne, demain j'me lève à l'aube pour aller sur RTL supporter les questions de Jean-Michel Aphatie, cette espèce de Tartuffe qui trempe son regard de hyène dans un accent à la Pagnol, la soupe de poisson la plus amère du PAF ! D'ailleurs j'ai peur, mon Nicolas, je sens que ma langue rebelle va encore exécuter quelques loopings locutoires... »

Alors, moi, Mardi matin, je traîne Martine de force chez un orthophoniste... le fameux professeur Séguéla : expert en langue de bois, diplômé en consensus, le manitou du rien du tout... Il l'allonge sur son divan et lui fait répéter dix fois :

« Je suis la patronne / d'un parti où tout le monde s'aime... »

« Je suis la patronne d'un parti où tout le monde s'aime. »

« Nous allons à la victoire en chantant main dans la main... »

« J'irai m'les geler à Lille si DSK se présente demain... »

Là, j'ai dit au docteur,

« Vous arrêtez tout de suite... Laissez Martine tran-quille, vous allez me la bousiller... Viens ma chérie, on s'casse ! »

On avait oublié à quel point Séguéla était proche de Sarkozy... ! Prêt à faire dire n'importe quoi à ses anciens patrons ! Celui qui – à l'époque – lima les dents de Mitterrand aiguise aujourd'hui les canines du président ! La politique est un bordel : avec cette mode de l'ouverture – ma petite Martine en sucre – voilà qu'elle sait même plus à qui confier sa bouche ! Du coup elle part dans tous les sens : vu la difficulté de son job et l'ingratitude des électeurs, c'est déjà un miracle qu'elle parle encore français !

C'est pourquoi, Mercredi, elle me dit : « Nicolas, j'en peux plus, viens, on se barre à Washington, y a pas de raison pour que certains se la coulent douce au FMI, pendant que je me casse la voix à rassembler l'parti ! Quand je pense que j'ai gratté trois cents propositions dont presque personne parle, alors qu'au même moment le vieux Stéphane Hessel, en torchant vingt-cinq pages, va recevoir le prix Nobel ! Celui-ci, j'en ai ma claque : tout le monde crie au génie à chaque fois qu'il ânonne trois syllabes... Moi aussi j'aimerais être juive à quatre-vingt-quinze ans, critiquer Israël sans me faire fusiller par quarante BHL ! Moi aussi, j'ai envie de hurler : "Indignez-vous !", "Engagez-vous" sans qu'on me prête aussitôt des ambitions perso ! Stéphane Hessel est tellement jeune dans sa façon d'être vieux que bientôt, en boîte de nuit, la mode sera aux dentiers ! Et moi, j'ai toutes mes dents ! Il a quatre-vingt-quinze ans et il a l'air d'en avoir douze, moi j'en ai pas soixante, et j'ai déjà peur de l'Alzheimer ! Nicolas, sors-moi d'là, endors-moi jusqu'en septembre, repasse-moi ton émission de la semaine dernière, celle avec Mélenchon qui se croyait dans un meeting, pourquoi j'aurais pas le droit de pioncer jusqu'aux primaires, moi : Je HAIS les socialistes ! »

J'ai dit : « Martine, ma chérie, calme-toi, ne dis pas n'importe quoi... » Je l'ai serrée dans mes bras et je lui ai dit : « Regarde-moi : les gens ont beau se moquer de tes lapsus révélateurs, si ça peut te rassurer, moi, Nicolas

Bedos, je préférerais toujours tes aveux inconscients aux mensonges consciencieux de Jean-François Copé. »

Elle m'a dit : « Jean-François qui ? »

J'lui ai dit : « Viens, on va s'coucher. »

Voilà, pour nous ce fut une semaine de merde, alors imaginez ce qu'on pense... de la vôtre !

8 avril 2011

27

Mercato

En présence de Michel Onfray et Jacques Attali

Lundi, alors que le Japon continue à faire du surf sur des centrales nucléaires, les couloirs de la télé sont en plein Mercato !

Le Mercato, le Mercato !

Avec Nagui – Ali Baddou – et autre Laurent Delahousse dans le rôle de Ribéry, Benzema et Ronaldo : véritable partouze télévisuelle, la rentrée de septembre se prépare avec autant de délicatesse qu'une partie de jambes en l'air entre Onfray et Attali* ! Oui, c'est que de la télé, mais va y avoir des morts ! Des estropiés de l'audimat, des amputés de la ménagère... La fameuse ménagère ! Cette espèce d'abrutie qui ne regarde que des conneries et à qui je ferais bien passer le concours de Sciences Po ! Bref, aujourd'hui le chômage menace même les vedettes !

Les chouchous d'avant-hier trempent déjà leur ego dans des bains de lotion antimites pour affronter le placard qui grince dans la nuit noire... Demandez à Galliano : tout comme la mode, la télé est aussi fiable qu'une figure socialiste en période d'ouverture ! À côté de ça, les inconnus d'hier se font traiter comme le Messie...

Un exemple au hasard : Moi ! Avec mes buzz en bandoulière et ma petite répute sulfuro-drolatique, les

---

* Ils venaient de se fâcher.

producteurs me tournent autour comme Jean-François Copé autour d'un électeur du Front national ! On me caresse, on me gratte le dos, on me souffle sur la nuque, certains – plus téméraires – tentent le roulage de pelle, à tel point qu'avant chaque déjeuner j'enfile trois capotes sur mon âme convoitée ! Sauf que j'ai beau juré sur la tête de ma mère que j'arrête la télé à la fin de la saison, les putes de l'avenue Foch n'ont plus rien à m'apprendre : car je ne refuse jamais un déjeuner faux-cul dans un resto branché (tant que c'est pas moi qui paie).

Ça pue le pognon, tout ça, et moi j'ADOOORE l'argent (surtout celui des gens que j'estime pas vraiment).

Du coup, moi, cette semaine,

J'ai rencontré TOUT LE MONDE...

Y a eu Jean-Pierre Moncul, PDG d'Euro sport, qui m'a prouvé par A + B que je serais idéal pour commenter les championnats de natation synchronisée : j'ai repris trois fois des huîtres et six coupes de champagne... avant de retrouver le patron d'Endemol au bar du Raphaël, le patron d'Endemol qui m'imagine très volontiers Miss Météo sur France 28 : il a raqué 600 euros, j'ai goûté quatre bordeaux... Puis j'ai couru vers l'hôtel Costes, où le patron de LCI m'a proposé un max pour animer un programme politique : « chasse, pêche et people » ! Pourquoi pas...

J'étais tellement bourré que j'ai dit « oui » à tout le monde !

À la fin de la journée, j'ai dégueulé sur mon miroir !

Pour toutes ces Madame Claude, l'important, c'est de pouvoir dire au téléspectateur : « Si vous voulez bien monter à l'étage, monsieur, vous allez voir : on a recruté une petite nouvelle, Mlle Bedos, vous verrez elle fait ça proprement... Bon, avec elle c'est un peu long, faut l'écouter jacter pendant plus de dix minutes, mais à la fin, rassurez-vous, une fois sur deux : tu jouis. »

Du coup Mardi, dans la nuit, je me suis senti tout sale, je me suis dit : « Nicolas, tu peux pas t'offrir à tout ce qui bouge, alors que tu couches encore avec Franz-Olivier, c'est un amant fidèle et plutôt régulier (un peu lent, certes)... OK, lui-même te trompe avec *Le Point* et la littérature, mais bon, sois pas ingrat : en matière de télé, c'est quand même avec lui que tu as fait ça pour la toute toute première fois... C'était bon, rappelle-toi, y avait Jean d'Ormesson et Jean-Luc Mélenchon (qui nous regardaient comme deux pervers, littéralement surexcités par ce coït télégénique !)

Bref, Mardi je me dis : Reste fidèle à Franz Télé !!! (nul)

C'est pourquoi Mercredi, comme tout animateur sur le service public, je me rends où ?

À l'Élysée ! Chez notre président-directeur des programmes ! Toute la cour de France Télé parade dans les jardins du monarque téléphage ! Chacun vient vendre sa sauce pour la rentrée de septembre. je croise Delarue – qui vient se faire dépister, comme tous les matins... J'aperçois le petit Pujadas qui tremble dans un coin en fredonnant le dernier album de la première dame de France – enfin, la « première », la dernière en date –, c'est à ce moment-là que Claude Guéant, qui continue à faire le portier entre deux clins d'œil racistes, vient me dire à l'oreille :

« Désolé, monsieur Bedos, le président veut pas vous voir ! »

Alors là je m'énerve, je bouscule Arlette Chabot qui sort à peine de son cachot, j'enjambe PPDA qui joue aux cartes avec ses dix petits nègres, je salue Sabatier qui habite carrément sous une tente dans les cuisines de l'Élysée... Et paf, je défonce la porte du bureau présidentiel ! J'aurais sans doute mieux fait de frapper, car je découvre Nagui à quatre pattes sur le tapis, une boule de métal dans la bouche, les cuisses compressées par un porte-jarretelles : Sarkozy, perché sur une table, le menace avec un fouet... Est-ce le prix à payer pour présenter trois émissions sur France 2 à la rentrée ?

Je dis : « Monsieur le président... Désolé de vous déranger en pleine réunion... Mais je viens vous parler de l'émission de Giesbert... »

Là, Sarkozy devient tout rouge : « Giesbert qui ?! Giesbert quoi ?! T'as l'culot de venir ici pour m'parler de cet enfoiré... T'as pas lu son bouquin ?!! »

Je lui demande : « Quel bouquin ? »

J'ai pas eu le temps de dire ouf que les agents de sécurité m'avaient déjà balancé dans les poubelles de l'Élysée... Je me suis retrouvé nez à nez avec Michèle Alliot-Marie et Jean-Louis Borloo – qui semblait enfin dans son élément. Ils étaient justement en train de relire le livre de Franz... Là, j'ai compris que c'était vrai ! Alors quoi ? Au moment même où toute la chaîne taille des pipes au patron, mon Franz adoré – mon ami, mon amour –, c'est le moment qu'il choisit pour se faire hara-kiri ! Nom d'un cul, j'étais fier... Cet homme avec qui je bosse tous les Vendredis soir, et qui en apparence semble aussi subversif qu'une chanson de Julien Clerc, au final quand on y pense, c'est le Che Guevara du paf ! Reléguant *Charlie Hebdo* au niveau de *Elle Déco* !

Le cul dans les ordures, je me sentais rock'n'roll comme Kate Moss au bras de Pete Doherty. Au moins maintenant, c'est clair : nos jours sont bel et bien comptés, mais avec quel panache !

C'est pourquoi, ce soir, je m'adresse solennellement aux vingt-trois spectateurs qui nous regardent encore :

Mes chères ménagères de plus de soixante-cinq ans, vous êtes en train de mater un programme collector ! On va se lâcher jusqu'en juin, sachez que chaque semaine, TOUT va y passer... La gauche, la droite, les fachos, les écolos, les prix Nobel ET Marc Levy, le physique, la vie privée, les parties génitales de Dominique Strauss-Kahn, les amants kurdes de Nadine Morano, les problèmes de cocaïne de Valéry Giscard d'Estaing (oui oui), les six enfants cachés de Ségolène Royal... Apportez-moi des cendriers, qu'on fume à la télé ! Faites péter la vodka... On est des oufs, vous comprenez ?! Franz et moi, Bonnie and Clyde en pleine cavale médiatisée, on n'a plus rien à perdre... Du coup, profitons-en ! Même si les invités n'osent même plus s'afficher avec nous... La preuve, ce soir, personne n'a voulu venir, on reçoit Michel Onfray et Jacques Attali pour la quatorzième fois ! Faut dire qu'Onfray et Attali publient douze bouquins par semaine ! À ce rythme-là, PPDA ferait vivre cinquante personnes !

Lorsque j'ai demandé à une assistante de me faire parvenir leurs précédents ouvrages, j'ai vu débarquer un camion devant mon immeuble... Ça en fait, du papier, et des arbres abattus ! Au moment même où Nicolas Hulot se propose de sauver la planète, Attali et Onfray sont en train de décimer la forêt amazonienne !

D'ailleurs, après avoir lancé sa propre université, on me dit que Michel Onfray envisage d'ouvrir ses propres librairies... Avec des films sur lui, des livres de lui, des réponses à ses livres, des t-shirts « I love Caen », un café nietzschéen, et puis des cours de boxe dispensés par Aya Cissoko* pour pouvoir se défendre contre les kamikazes freudiens...

Bon allez, j'arrête là, j'ai rendez-vous dans dix minutes avec le boss de M6, il me propose une blinde pour animer TOP-chef et le Télé-achat... S'il m'invite au George-V, je sens que je vais dire « oui ».

Voilà, pour moi ce fut une semaine de merde, alors imaginez ce que je pense... de la vôtre !

15 avril 2011

---

* Ancienne boxeuse venue présenter son livre.

28

Retour à l'école

En présence de Jack Lang et Bernard Pivot

Lundi, sachant qu'il ne me reste plus que quatre émissions avant de mettre un terme à ma carrière télé – et au bonheur de toute la France –, je décide d'emménager dans le camping-car de Jean-Luc Delarue, afin de suivre une cure : parce que, nom d'un cul de chameau, arrêter la télé en pleine montée d'acide, c'est un coup à finir taré comme Kadhafi !

Du coup, mon pote Jean-Luc, qui digère à peine ses six mois d'abstinence, m'oblige à boire du jus de goyave, il me nourrit avec des plantes, des poèmes japonais... et quelques entraîneuses.

Mais il a beau me détendre, rien n'y fait : encore quatre émissions et je tremble déjà... M'éloigner d'une caméra, c'est aussi traumatisant qu'envoyer Claude Guéant à un concert de Diam's !

Mettez-vous à ma place : Bientôt ce sera fini ! Les gloussements juvéniles de ce public débile, les fous rires de Giesbert qui semble s'étrangler à chacune de mes sottises – éructant comme une Slovaque dont Rocco Siffredi chatouillerait les cordes vocales à coups de membre turgescent ! –, bientôt tout sera fini : les mamours de Rachel Kahn, productrice adorée, qui à plus de cinquante ans trouve quand même le moyen de me donner le sein... que va-t-elle faire de tout ce lait ?

Bref, Lundi j'en suis à mon sixième exercice de yoga

– et mon troisième Valium – lorsque mon portable sonne (dans le silence assourdissant de mon futur anonymat) : Mais qui ça peut bien être ? Merde, c'est Jack Lang ! Encore !

Jack Lang qui – contrairement à moi – n'arrêtera JAMAIS sa carrière de chroniqueur télé ! N'est-il pas là chaque Vendredi ? Même pas la peine de le démaquiller : c'est la même couche de peinture qui sèche depuis trente ans !

(En larmes :) « Nicolas, me dit-il, si je me permets de t'appeler, c'est que la dernière fois que je suis venu, t'as été MONSTRUEUX, d'une telle cruauté que le calvaire de Betancourt dans la forêt colombienne, à côté, c'est le Club Méd ! Ma femme et moi, j'te jure : on s'en remet à peine, pourquoi tant de méchanceté... ?

Je lui dis : « Mais tu délires, Jack ! J'ai rien dit la dernière fois : j'ai même pas parlé de toi... »

Il me dit : « Justement ! C'est pire ! Pour un ancien "acteur" comme moi, un chouchou des médias... Pas un seul mot en dix minutes, c'est de la torture chinoise ! Y en avait que pour Villepin... Ah ouais, Villepin, Villepin... Qu'est-ce qu'il a de mieux, Villepin ? Moi aussi, je peux courir sur une plage torse nu si c'est ça qui t'excite... »

Je lui dis : « Mais Jack, j'ai pas été très tendre avec Villepin la dernière fois... »

Il me dit : « Mais sois pas tendre avec moi ! Défonce-moi la gueule, moleste-moi, brûle-moi donc les tétons avec tes vannes acidulées, balance-moi les pires horreurs... Mais dis quelque chose, merde ! À l'époque du "Bébête Show", on me voyait tous les soirs déguisé en chèvre, c'était dégueulasse, mais c'était délicieux ! Aujourd'hui faut que je me trémousse à la Gay Pride sur un char rose fluo pour qu'on écrive deux lignes dans la gazette pourrie des tarlouzes de Toulouse ! »

Je lui dis : « Jack, j'te comprends : tous les saltimbanques ont besoin d'exister. Quand on voit que Richard

Berry file un rein à sa sœur pour faire la une de *Paris Match*... D'ailleurs je critique pas, moi je serais prêt à vendre les seins de la mienne pour une brève de trois lignes dans *Les Inrockuptibles* ! »

Il me dit : « Alors lâche-toi, je t'en supplie : si tu veux, je t'écris moi-même quelques vannes sur moi-même ! »

Je lui dis : « OK, moi ça m'arrange, j'ai pas une minute en ce moment, alors si t'es prêt à cuisiner les tartes que je vais te mettre dans la tronche... »

Il me dit : « T'as qu'à commencer sur cette putain de Fête de la musique, là, qui fait chier tout l'monde ! Tous ces jeunes acnéiques qui se prennent pour les Beatles devant le café des Sports, et vas-y que ça postillonne de la bière Prisunic place de la République, entre deux fausses notes... et dix vraies connes ! »

Je lui dis : « Pas mal... je note... C'est pas TRÈS raffiné, mais je prends. »

Il me dit : « Puis t'enchaînes sur Mitterrand, mon côté chien fidèle : les vacances à Latche, la roche de Solutré que j'ai grimpée QUINZE fois, sous le soleil, sous la pluie, sous la neige... avec le bâton, sans le bâton... Avec Pascal Sevran, avec Pascal Sevran... »

Je lui dis : « Là, t'es trop dur... Tu peux pas te faire ça ! Pas à toi ! Votre amitié, c'était sacré, Mitterrand et toi, c'est comme Le Pen et Claude Guéant, y a un lien indéfectible... Et puis, dans ce monde de putes, avec toutes ces girouettes qui vomissent dans la soupe, tu es fidèle et ça t'honore... »

Il me dit : « Mais non, j'suis bien trop con... J'ai refusé deux ministères pour pas faire comme Kouchner, depuis j'm'emmerde comme un rat mort... J'passe mon temps chez Giesbert... En plus, parfois, franchement, je suis fidèle à des gens qu'j'aurais mieux fait de trahir... Quand tu penses qu'y a trois ans je dansais encore le twist avec Laurent Gbagbo, aujourd'hui j'ai l'air fin... J'ai déconné sur toute la ligne... »

Je lui dis : « Tu vas trop loin, les gens t'adorent, tu

sais, les sondages te plébiscitent depuis 1912, les jeunes te kiffent à mort... Si tu veux un coup de fouet, appelle plutôt Stéphane Guillon, lui il fait dans le sadique, moi je préfère l'amour vache. »

Là-dessus, j'ai raccroché en jurant devant Dieu de ne jamais raconter cet échange téléphonique, en tout cas pas en public !

Mercredi ! Mercredi, après Lang, qui était ministre de l'École au moment même où je séchais la mienne, voilà que Franz m'annonce la présence ce soir de notre prof de grammaire national, le roi de la dictée casse-couilles, poseur de pièges homonymiques et d'adverbes tordus, j'ai nommé Bernard Pivot !

Pivot est là depuis si longtemps qu'il a connu l'époque où Marguerite Duras faisait de l'audimat ! C'était le temps béni où des gens très intelligents (comme nous) intéressaient des abrutis (comme vous) !

Le rêve de Franz, le pauvre (qu'on remplacera bientôt par « Question pour une conne ») !

Pivot a quand même fait les scores des *Experts : Miami* en papotant avec Beckett, Nabokov et Yourcenar... Aujourd'hui, pour faire trois points d'audience en invitant un prix Nobel, faut le foutre sur les genoux d'une chanteuse québécoise, ou le jeter sur un ring face à Marine Le Pen !

Oh, Jack Lang, oh, Pivot ! Les Highlanders de la Culture, ces deux Madeleines proustiennes qui ravivent aussitôt mes souvenirs de cancre, à l'époque où les profs pissaient en chœur sur mon destin ! Quelle revanche fut la mienne quand on sait qu'aujourd'hui la plupart de mes textos sont étudiés à Normal Sup ! Mais à l'époque, si vous saviez combien de saloperies n'ai-je pas lues sur mes bulletins scolaires ? De « Peut mieux faire » à « Ne fout rien » en passant par « T'iras jamais nulle part, connard ! ».

Du coup, moi, Mercredi, je décide de me venger en allant zigouiller tous mes anciens profs !

On va voir ce qu'on va voir ! Alors je demande à mon chauffeur de garer ma limousine devant les grilles du lycée Émile-Zola (rebaptisé depuis lycée Florent-Pagny), j'attends sagement Mme Pocral, cette truie malodorante qui m'appelait « Guy Bedos » pour amuser mes camarades ! Ah, ça les faisait marrer !

Au bout d'une heure, paf, la voilà... Alors je m'avance vers elle, un couteau dans la main. Je lui dis : « Bonjour, madame Pocral. »

Elle me dit : « Oh Nicolas, quel bonheur de te revoir ! Tu sais, j'ai toujours su que tu irais très loin ! »

Je lui dis : « Salope, tu te fous de ma gueule ? »

Elle me dit : « Oh ! c'que t'es drôle... Tu sais, j'te taquinais, mais c'était pour t'motiver ! C'est la méthode Michael Jackson : plus son père lui chiait dessus, plus il chantait juste ! »

Puis elle me demande un autographe... Je lui dis : « Bien sûr, madame Pocral. »

Là-dessus, débarque Léonello, mon ancien prof d'histoire-géo, avec son regard de vache crevée, qui nous rendait Napoléon aussi intéressant qu'un discours de Luc Chatel lu par Albert de Monaco !

Je lui dis : « Monsieur Léonello, vous savez que c'est criminel d'être aussi ennuyeux ?! Avec des mecs comme vous, c'est le chômage assuré, curiosité zéro, roulage de pet' et crack en pipe ! »

Il me dit : « Qu'est-ce que j'en ai à foutre, j'aime pas les enfants. À partir de treize ans, faudrait les avorter ! Prof, je fais ça pour les vacances... À la base, moi, mon rêve, c'était de jouer de la batterie dans un groupe de country, d'ailleurs si tu veux venir : je joue tous les deux ans à la Fête de la musique... »

Je lui dis : « Oh non, ça va... »

Il m'a foutu un tel cafard que, Vendredi matin, je pars à la recherche de mon fantasme adolescent, Mlle Grubick, délicieuse prof d'anglais dont la poitrine tendue m'avait rendu presque bilingue. Elle était passionnée, passionnante, et toujours à l'affût du moindre gosse un peu paumé, ou noir, ou les deux mélangés... Mais là, je tombe sur une vieille dame ! Les seins balladuriens, les cernes giscardiennes et le cul strauss-kahnien. »

Je lui dis : « Madame Grubick, c'est vous... ?! Qu'est-ce qui a bien pu vous arriver ?! »

Elle me dit : « J'ai enseigné pendant trois ans dans un lycée de banlieue... »

Je lui dis : « Et alors ? »

Elle me dit : « Ben, à la fin, ils parlaient pas un mot d'anglais, mais moi j'parlais arabe ! »

Je lui dis : « Madame Grubick, vous pouvez pas dire ça ? »

Elle me dit : « Oh, j'dis c'que j'veux... Avant, j'votais à gauche, aujourd'hui j'suis prête à prendre les armes pour dégommer toutes ces racailles, c'est pas le Kärcher qu'ils méritent, c'est la Kalachnikov ! »

Je me suis éloigné en laissant cette vieille dame mâchouiller sa rancune dans la cour de récré.

Et me voilà pensif à l'arrière de ma caisse, je repense à tout : la culture de Jack Lang à l'époque de Sarko, les dictées de Pivot à l'époque du texto, mon ancienne prof gaucho virant sorcière facho, Giesbert, Durand...

Et je me dis : « Nico, ce pays part en couilles, y a plein de choses à dénoncer et t'arrêtes la télé ?

— Ouais ! J'irai glander à Ibiza... avec Franz et quelques meufs... Car, comme dirait Alain Delon : la France nous mérite pas ! »

Voilà, pour moi ce fut une des dernières semaines de merde, alors imaginez ce que je pense... de la vôtre !

22 avril 2011

29

Les artistes engagés

En présence de Pierre Arditi et Marc Lavoine

Dimanche – comme c'est l'avant-dernière chronique, je rajoute le Dimanche : soyez prévenus, je vais parler pendant 2 heures ! –, Dimanche, alors que je profite du beau temps pour rendre visite à Jean-Pierre Chevènement (à la maison de retraite des Bougainvillées), il remet son dentier et il me dit *(ânonnant comme un vieillard)* :

« Yayayayayyya...

— Quoi ? »

Il me dit : « Je vais me présenter. J'ai envie de faire perdre la gauche, dès le premier tour ! Comme la dernière fois ! »

Je lui dis : « C'est une très bonne idée, Jean-Pierre, très bonne, dommage que ce soit impossible. »

Il me dit : « Pourquoi ? »

Je lui dis : « Parce que t'es mort ! »

Il me dit : « Quoi ? »

Je lui dis : « Bien sûr que tu es mort : souviens-toi, Jean-Pierre, ton long séjour dans le coma en 98... »

Il me dit : « Oui, et alors ? »

Je lui dis : « Eh ben, t'y es encore ! Tout ça n'est qu'un cauchemar... Tu vois bien qu'autour de toi, tout est devenu bizarre ?! Rien n'est réel, mon vieux, c'est juste un mauvais rêve : le triomphe de la droite, Sarkozy président, les élections que tu foires les unes après les autres, y compris celle de Belfort, c'est pas une vie que tu as, forcément t'es un légume ! À l'heure où je te parle, t'es en mode Ariel Sharon, y a une grosse infirmière qui t'arrose deux fois par jour... Jean-Pierre, pourquoi tu fais cette tête ? Tu veux que je te débranche ? »

Il me dit : « Oui, là, j'veux bien... »

Alors je l'ai allongé... Il a fermé les yeux...

C'est à ce moment-là que j'ai fait entrer Martine, Ségolène, Dominique et François, ils ont pu lui injecter la dose maximale, celle qu'on utilise pour se débarrasser des éléphants d'Afrique et des ours polaires ! Rassurez-vous, Jean-Pierre est parti très serein.

Pour le Parti socialiste, voilà au moins une chose de faite.

Lundi, encore un mort, et pas n'importe lequel. Lundi, ils ont flingué l'Arabe ! Cette espèce d'allumé qui jouait au bowling avec les tours du 11 Septembre ! Ça y est, on l'a buté !

Le premier vrai méchant de ma génération perdue, celle qui n'a rien connu, même pas une petite guerre – fût-elle civile –, même pas un dictateur, enfin, je veux dire, un vrai, quoi : qui fait peur !

Au niveau du western historique, faut dire la vérité : on nous a sacrifiés sur l'autel de la paix ! On passe notre temps à s'excuser...

« T'as connu les nazis ? – Non.

— La déportation ? – Non, désolé.

— Et l'occupation ? – Non, mais ça m'empêche pas d'être préoccupé »...

Franchement c'est la honte ! Chez moi, c'est pas marrant : j'ai personne à cacher... Ma cave est désespérément vide : j'organise des boums à trente et un ans. Du coup, parfois, quand je suis bourré, avec quelques copains d'extrême droite, on s'invente des problèmes, en dénonçant des gens, quelques Roms par-ci par-là (mais avec eux c'est chiant : sont même pas émouvants, on dirait des faux !).

Sauf que Lundi – ENFIN ! –, on a flingué notre monstre, celui dont le nom fera peur à mes petits-enfants, quand j'irai les réveiller la nuit, déguisé en Ben Laden...

« Termine tes devoirs, Kevin, sinon y a Bin Laden qué va t'balancer dans la tour Montparnasse. »

Oui, le voilà, notre salaud ! L'ordure incontestée, n° 1 au hit-parade de la déjection humaine !

La semaine commence fort, et ça pose plein de questions ! Fallait-il le noyer ? L'enterrer ? Le juger ? L'embrasser sur le front ? Pour ma part, j'ai quand même moins de compassion pour ce criminel barbu qui se fait becqueter par les poissons que pour le mérou innocent qu'on oblige à mâcher un bout de chair avariée !

Bref, ça pose plein de questions !

BHL se déchaîne, l'Occident se met à flipper : « Est-ce qu'Al-Qaïda n'en sort pas renforcée ? Allons-nous tous crever ? »...

Non, car, pour répondre à toutes nos craintes, Franz-Olivier Giesbert a décidé ce soir d'inviter deux experts : le professeur Pierre Arditi... et Marc Lavoine.

Pourquoi Marc Lavoine ? Parce que Pierre Arditi ! Pour des raisons évidentes de complexe intellectuel, Pierre Arditi ayant exigé la présence sur ce plateau d'un artiste encore moins diplômé que lui-même ! Dans un premier temps, il nous a d'abord soumis les noms de Pascal Obispo et Jean Reno, mais par égard pour notre public de retraités fort cultivés, on s'est dit : C'est pas cool !

Attention : loin de moi l'idée selon laquelle les artistes n'ont rien à dire. Ils n'ont pas rien à dire, la preuve : ils parlent tout le temps ! Et d'ailleurs, quand bien même n'auraient-ils rien à dire : n'a-t-on pas plus de plaisir à écouter Pierre Arditi dire une énorme connerie que Jacques Attali bafouiller une phrase brillante ?

Oui, je défends Pierre Arditi, non pas pour des raisons morales, mais strictement professionnelles : je suis un auteur de théâtre et Arditi est le meilleur ! Franchement, n'est-ce pas un phénomène ? Allez le voir chez Zeller, on dirait du Sarraute.

Arditi est un génie : Même s'il votait Front national, je lui proposerais une trilogie...

Voilà un type si populaire qu'il remplirait le Stade de France en lisant la version hébraïque d'un discours de Fillon !

Le mec fait ce qu'il veut : une intonation par-ci, un froncement de sourcils par-là, et bing ! les bonnes pièces deviennent géniales, les mauvaises deviennent bonnes... Seules celles d'Éric-Emmanuel Schmitt résistent à tout traitement (oui, ça, c'est comme le sida, on progresse, mais on n'y est pas).

Bien sûr, j'entends déjà le concert des sceptiques, ceux qui passent leur temps à ironiser sur la sincérité de nos stars engagées, les Arditi... Bedos... Balasko... Mireille Mathieu... toute cette gauche bien lotie, qu'on prétend « hypocrite » sous prétexte qu'elle défend les Arabes tout en éloignant ses propres gosses de la moindre racaille... Mais n'ont-ils pas raison de protéger leurs filles ?

« Papa, je te présente Mouloud.

— Qu'est-ce que c'est que ce bougnoule ?

— Mais, papa, tu as dit à la télé...

— Oui, ben, c'est de la télé... ! Qu'est-ce qu'elle est conne, celle-ci : tu sais très bien que je suis comédien !... Mais dans la vie, j'suis comme tout le monde : raciste ! »

Oui, je défends Pierre Arditi, d'autant qu'entre deux beaux discours, il fait des choses concrètes : sur scène, par exemple, voilà tout de même un homme qui, par charité, s'entoure toujours de très mauvais acteurs ! Grâce à lui, le pire cabot peut manger à sa faim !

Eh oui, bande de cyniques, il y a encore des célébrités de gauche sincères : prenez Emmanuelle Béart, par exemple, voilà une femme charmante qui pourrait se contenter de surfer sur son talent d'actrice, eh ben non, elle pousse la conscience sociale jusqu'à loger un sans-papiers dans chacune de ses lèvres ! (Si ça, c'est pas du sacrifice...)

Jeudi ! Jeudi, coup de fil de Gilles Jacob qui m'invite pendant quinze jours au festival de Cannes !

Je lui dis : « Oh tu sais, mon Gilou, je sais pas, faut que j'demande à ma femme, déjà que je la vois presque jamais... Ah ! Quelle idée d'avoir une femme, n'est-ce pas ? »

Là-dessus, je raccroche et je rêve déjà :

« Cannes... Cannes... Petite ville balnéaire occupée toute l'année par un dispensaire de xénophobes méno-pausées qui, pendant quelques jours, vont devoir céder la place à une joyeuse cohue de nymphomanes surex-citées, une armée de starlettes dont le sexe opportuniste et la bouche mercenaire tolèrent généreusement TOUTES les nationalités : Black... Gold... Visa premier... "T'as du pognon, t'as un nom ? Rentre !" OK... »

Cannes, c'est l'espace Schengen de la star sans-papiers ! Tout le monde a sa chance, même le petit Bosniaque au physique dégueulasse (pourvu qu'il ait produit le dernier Tarantino). À Cannes, tout le monde est beau, les frontières sont poreuses, et les douanières TRÈS aguicheuses !

Sauf qu'il n'y a pas que des bons côtés.

Imaginez le désarroi de ce jeune chroniqueur à la mode, incapable de choisir entre 320 marques de femmes différentes, alignées sur la croisette telles des candidates aux primaires socialistes...

Du coup, Jeudi, moi, j'ai dit à ma femme : « Tiens, tu sais quoi, Marie-Christine, je crois que je vais descendre dans le Sud... »

Elle me dit : « Ah oui, Pourquoi ? »

Je lui dis : « J'sais pas, comme ça, pour voir... »

Elle me dit : « Nicolas, si tu vas à Cannes, je te préviens : je viens aussi... »

Je lui dis : « Ah bon, pourquoi ? T'as pas confiance ou je rêve ? Je vais mater des films slovaques du matin jusqu'au soir, tu crois qu'j'y vais pour m'amuser ? »

Elle me dit : « Pas de problème, on les matera ensemble. »

C'est pourquoi Vendredi, c'est-à-dire tout de suite, je m'adresse à toi, Marie-Christine... Ma chérie, mon amour, si tu me regardes : sache qu'entre nous, c'est terminé !

Après Domenech et sa demande en mariage, voici la toute première demande en divorce en direct à la télé ! Marie-Christine, comme dit si bien Verlaine : « Dégage ! »

Et, contrairement à ce que tu crois, ma décision n'a rien à voir avec le festival de Cannes.

Marie-Christine, regarde-moi : voilà combien d'années que je te supplie à genoux de te faire refaire les seins ? D'ailleurs, dans ton cas, on ne se fait pas « refaire » les seins, on se les fait « faire » ! Franchement, ce torse aussi désert qu'une île japonaise, j'ai parfois l'impression de violer mon petit frère... Tu crois que c'est pas humiliant, pour moi, de voir tous mes amis ne PLUS te désirer ? Même Giesbert se refuse à coucher avec toi ! C'est le monde à l'envers !

Chaque fois que je t'emmène dans un club échangiste, j'ai un mal fou à te refourguer ! De toute façon, y a pas à chier : tu étais beaucoup plus belle quand j'étais dans la merde. Cette classe que tu avais quand tu me prêtais de l'argent ! Sauf que maintenant que j'ai du succès, tu ressembles plus à rien ! Par exemple, je trouve ça insensé que tu continues à me demander d'être gentil avec toi alors que je passe à la télé !

Et puis cette propension que tu as à ressembler comme deux gouttes d'eau à celle que tu étais la veille :

quand on vit avec un homme d'origine infidèle, on a au moins la politesse de se transformer chaque jour...

À travers toi, je veux me réveiller avec ma mère et me recoucher avec une pute... (D'ailleurs, les deux m'excitent.)

Marie-Christine, t'as un défaut : tu es trop peu nombreuse !

C'est pourquoi, ce soir, je te le dis droit dans les yeux : « Adieu, minable souvenir de mes années de galère... Mais, rassure-toi, je ne suis pas un enfoiré : tu pourras toujours me voir autant de fois que tu veux... sur Youtube. »

Quant à toutes les autres... J'arrive !

Voilà, pour moi ce fut une semaine de merde, alors imaginez ce que je pense... de la vôtre.

6 mai 2011

30

Mariage princier

En présence de Roland Dumas et Joseph Macé-Scaron

Lundi, étant d'humeur gourmande, j'ai mangé des pâtes. Avec beaucoup de crème fraîche. Du coup, Mardi, j'ai dîné très léger, une petite salade de chèvre et la moitié d'une pêche. Mercredi, vers 15 heures, il a fait plutôt beau, du coup j'ai mis un slip, sauf que Jeudi ça s'est couvert, c'est pourquoi Vendredi, avant de venir ici, j'ai enfilé un pull.

Voilà, pour moi ce fut une semaine de merde, alors imaginez ce que je pense... de la vôtre !!!!
(Long silence.)

Oui, cette semaine j'ai rien foutu ! Lundi, énorme envie de glander... C'est festif, c'est férié : partout ça pue l'été, les discussions débiles aux terrasses des cafés, les cartons qui se remplissent dans les couloirs de France Télé, « Bonnes vacances » pour certains – *(à Franz :)* « Bon courage » pour tous les autres.

Lundi, j'ai plus envie d'écrire, mon stylo fait la gueule et mes doigts pèsent deux tonnes : pas un dialogue, pas une saynète, même pas une lettre d'insulte à Jean-François Copé. Lundi, moi, j'ai même plus la force d'envoyer un texto à mon trader particulier pour lui demander combien j'ai gagné ce matin sans rien foutre ! Parce que Lundi, vous savez quoi ? Moi j'ai envie d'AIMER ! Et d'aimer tout ce qui bouge ! Les vieilles salopes de droite, les hypocrites de gauche, les bobos à vélo, les prolos en Fuego, les beautés qui soudain deviennent moches dès qu'elles ont trop bu, les cageots qui soudain deviennent sublimes parce que J'AI trop bu... Toute cette chaleur qui lubrifie nos membres sclérosés, ces oiseaux qui chantent mieux que Johnny Hallyday, ces arbres qui se la pètent en arborant fièrement leurs fleurs – « Oh, regarde mon bouquet » –, ces œufs de Pâques gros comme les couilles d'un taureau sous Prozac... Lundi, franchement, toute cette gaieté : ça vous donne pas envie de baiser ?

Non... ?

(Aux invités :) Bonjour...

Ben tiens... Vous n'avez qu'à demander au sémillant Roland Dumas qui a passé sa vie à voyager dans le monde entier pour tirer tout ce qui bouge... L'érotisme du pouvoir, il en a fait de l'Art ! Y a qu'à lire son bouquin : ce sont tout de même les premiers mémoires politiques publiés chez Harlequin. Roland Dumas ! La canne affûtée et le cheveu vif argenté, l'homme qui, le 10 mai 81, portait un sublime costard beige... On se demandait pourquoi, vu qu'il pleuvait des cordes et que tous ses copains portaient déjà le deuil du mitterrandisme... Et voilà que Roland nous explique page 112 qu'il n'avait tout simplement pas pu se changer, n'étant pas rentré chez lui de la nuit, car savourant plutôt le corps d'une énième courtisane ! J'en profite pour préciser que si Franz-Olivier Giesbert porte la même chemise depuis quatorze semaines, non ce n'est pas par donjuanisme... C'est juste qu'il est radin.

Bref ! Cette semaine, nom d'un cul, elle est sous le signe de l'AMOUR. Avec ou sans préservatif, avec ou sang royal ! Alors pourquoi me fatiguer à commenter l'actualité : quoi qu'il arrive Mardi, Mercredi et Jeudi, TOUT sera éclipsé par le mariage princier de deux rosbifs grillés... Le reste, tout le monde s'en tape ! La si talentueuse Marie-France Pisier qui vient de couler la nouvelle vague en se prenant pour Jean-Marc Barr dans une piscine privée, cet employé de France Télécom qui s'allume comme un pétard sur le parking du désespoir, la Syrie qui plagie la Libye qui a copié sur l'Égypte qui parodie la Tunisie – qui s'inspire de Dijon... Bref, Lundi, je sais que, Vendredi, les gens peuvent se flinguer comme à un congrès du PS, on sera TOUS hypnotisés par la robe d'une pouffiasse ! (Même pas « noble », d'ailleurs... Une merde...) *

Voilà pourquoi, Mardi, moi j'ai tellement la flemme qu'au lieu d'écrire moi-même, je fouille dans les archives des semaines mythomanes de mon prédécesseur, le désopilant Jean-René Bedos, qui nous disait déjà ceci :

(*Prenant une voix d'actualités Pathé :*) « Mercredi 29 juillet 1981, Lady Diana Spencer rougit comme de la viande en épousant le non moins turgescent Prince Charles à la cathédrale Saint-Paul de Londres où ils échangent un coup de langue devant la déjà vieille Élisabeth II... III... IV (elle crève jamais !), devant le déjà Elton John – véritable Michou de la cour d'Angleterre... Trente-cinq mille invités se dandinent devant le buffet et UN milliard de cons – il s'agissait de vos parents – sont affalés devant leur poste, fascinés par la robe meringuée de la nouvelle dinde royale ! »

Fondu-enchaîné : jeudi 9 décembre 1992 – c'est-à-dire dix ans plus tard. Après que les joyeux époux se sont balancé 326 cendriers à la gueule, envoyé 122 lettres d'insultes et broyé les parties génitales sous le regard traumatisé de leurs deux jeunes trisomiques, on apprend que le prince Charles butinait déjà Camilla Parker Bowles au moment même où Léon Zitrone, le Stéphane Bern des années Claude François-Mitterrand,

---

* C'était le soir même du mariage de Kate avec le prince William.

essayait de nous faire gober un grand mariage d'amour ! Ah il s'est bien foutu de notre gueule, le gros !

Et aujourd'hui ça recommence ?

C'est pourquoi Vendredi 2028, à l'heure où Kevin Sarkozy, le fils cadet de Carlita et Nicolas – qui aujourd'hui n'est qu'une rumeur dans les couilles de *Paris Match*... À l'heure où Kevin Sarkozy – dis-je – s'apprête à reprendre les rênes de la principauté royale de Neuilly-sur-Seine, le prince William – quarante-cinq ans – apprend avec plaisir la mort accidentelle de son ex-femme, l'encombrante Kate Middleton, quarante-huit ans, ancienne fille d'hôtesse de l'air devenue brièvement princesse pour finir pute de luxe, le crâne défoncé dans la taule d'une Jaguar dans le tunnel de l'Opéra alors qu'elle sortait du Crillon au bras du play-boy milliardaire français Nicolas Bedos – ancienne vedette de la télé reconvertie depuis dix ans dans la « restauration lente » – à base de frites : c'est tout moi.

Conclusion : cette semaine, cher public, n'oubliez jamais que 50 % des mariages se transforment en divorces,

que 50 % des divorces se transforment en carnage,

que 25 % des carnages se transforment en suicides,

que 12,5 % des princesses britanniques se transforment en steak tartare !

Et pour finir en chiffres : de même que 10 % de ce public hagard comprend la moitié de ce que je dis, 70 % des dictateurs arabes se transforment en taulards dépressifs,

20 % des animateurs de France Télévision se transforment en chômeurs sur M6,

40 % de Claude Guéant est en train de se transformer en Jean-Marie Le Pen.

Et enfin rappelez-vous – en souriant, car c'est un jour de fête – que 100 % des gens à qui je parle maintenant... vont mourir. *(Face à la caméra :)* Oui, toi aussi ! Et oui, toi aussi... Toi aussi, oui... Et la vieille, là, derrière, beaucoup plus rapidement !

C'est pourquoi moi je dis : À chaque fois qu'un bébé vient au monde, ou que deux trous-du-cul se disent « oui » à église, la formule qui s'impose, c'est « Toutes mes condoléances, connasse ». Amen !

Voilà, pour moi ce fut une des dernières, dernières, dernières semaines de merde, alors imaginez ce que je pense encore... de la vôtre !

13 mai 2011

31

La femme de chambre

En présence de Joann Sfar, Hervé Morin
et Emmanuel Todd

Oui une semaine TRÈS mythomane pour une actualité TRÈS lourde !

Dimanche, c'est le scandale : voilà qu'en pleine nuit, un coup de tonnerre vient littéralement assourdir cette avant-dernière chronique, et je sais déjà que Lundi, Mardi, Mercredi : tous les guignols de la blagouille vont me pomper la muse jusqu'à l'écœurement satirique, ça va y'aller à coups de blasphèmes, du grivois, du graveleux, du dégueu, du sans peur et sans cœur, les bons mots à la Canteloup, les vieilles vannes de Roumanoff, tous ces suceurs d'actualité qui vont vider les poches de mon Vendredi soir ! Connards ! Que va-t-il me rester, à moi, futur premier chômeur volontaire de la télévision publique ? Bon, pour les trois abrutis qui ne sont pas au courant, je rappelle les faits : dans la nuit de Dimanche, à l'heure où ces attardés de Ricains croient encore qu'on est Samedi, Dimanche dans la nuit, dis-je : Penélope Cruz s'est fait choper en train de gerber sa paella dans une discothèque du festival de Cannes !

Quel choc ! Si je m'y attendais ! Une femme aussi belle, aussi riche, grandeur et décadence : aussitôt la photo de la viande saoule espagnole fait le tour de la planète ! Évidemment, tout le monde se lâche ! Le peuple se venge ! Les boudins jubilent ! *(Au public :)* Ah, ça vous fait plaisir, hein ? La beauté qui devient laide, le succès qui se casse la gueule ! Je vous regarde, là, bande d'aigris dégénérés par l'indifférence de la chance : dès qu'un puissant bouffe le bitume, on se sent tout de suite moins nul ?

Pauvre Penélope, qui a quand même dépensé l'équivalent de trois Smic pour chacun de ses nibards ! En quelques minutes, elle est passée d'Almodóvar aux sitcoms brésiliennes : tout ça pour une mauvaise moule ! C'est ballot ! Du coup, Dimanche matin, mes premières pensées vont d'abord vers son mari, qui lui a dit cent fois d'arrêter la paella. Sauf que c'est tellement bon ! Surtout celle qu'on a même pas commandée soi-même... Elle s'est dit : « Allez, juste une petite assiette, ni vu ni connu... » Sauf que t'es très connue !

Comment prévoir que le soir même, une vilaine gastro va t'enterrer jusqu'à ta mort ? C'est pourquoi, Dimanche soir, je prends la décision de ne plus dire un mot sur cette sordide affaire !

Lundi, Lundi matin, toujours à Cannes, je me réveille dans le même état que la veille, empestant le whisky jusqu'à Nice, tristement isolé dans ma suite impériale du Sofitel de la Croisette. Je décide de prendre une douche, afin de laver les preuves de mon alcoolisme, quand soudain une silhouette obscure pénètre dans ma chambre...

« Qui va là ? dis-je.

— C'est la femme de chambre, m'sieur Bedos ! »

Vu la chaleur qu'il fait, je trouve inutile de lui cacher mon sexe de 40 centimètres, persuadé que la jolie soubrette d'origine africaine ne sera pas choquée par les dimensions sénégalaises de mon diamant de famille ! Je m'allonge sur le lit et je la regarde ramasser gracieusement les mignonnettes d'alcool échappées du mini-bar.

Ayant très mal au crâne, afin de me soulager, je lui

propose de boire un coup ! Elle et moi ? Oui, pourquoi pas ?! Fini la lutte des classes ! Au royaume des paillettes, j'ai soudain envie de me rapprocher du peuple. Sauf qu'elle semble préférer les gens de sa condition ! Je lui dis : « Faites un effort, hissez-vous jusqu'au sommet. Vous n'aurez pas deux fois la chance de poser vos mains rugueuses de prolétaire analphabète sur le torse célèbre d'un virtuose des mots ! » Comme je sens qu'elle hésite – par pudeur sans doute, s'interdisant un nirvana auquel rien ne la préparait –, je décide de l'aider à gravir les étages de notre société (et du mât qui se dresse sur le voilier de mon corps !).

« Viens là, connasse ! » lui murmuré-je tendrement, décelant chez elle un goût tribal pour la danse animale, loin du prêchi-prêcha de nos préliminaires bourgeois.

Alors je ferme la porte – nu comme un ver de trop – et on se tourne autour. Soudain je me sens loin, au cœur de la savane : « Pour qu'on s'aime, faut qu'on se batte. » Nous sommes deux guépards, perdus dans la jungle de nos sentiments, cherchant fébrilement à nous apprivoiser. D'ailleurs elle-même a envie de jouer – la preuve : dès que je m'approche, elle me repousse, m'entraînant dans son tango de fausse effarouchée. Mais elle n'attend qu'une chose : c'est la victoire du mâle ! Alors je la mets à terre, et paf ! je porte l'estocade en plongeant mon épée entre ses cris sauvages... Tous ces « non ! » qui veulent dire « oui ! » : j'aime, j'aime ! Alors là, elle me griffe, elle m'insulte, elle me frappe... Bref : elle m'adore !

Malheureusement pour elle, c'est allé très vite, je ne l'ai bousculée que deux ou trois heures. Je me serais bien amusé avec elle plus longtemps, sauf que j'ai du travail, moi, un vrai boulot. C'est quand même autre chose que d'aspirer trois grains de poussière en exhibant ses courbes.

Bon, dans la précipitation, j'ai oublié quelques affaires, une sorte de pourboire pour cette bonniche fort compétente qui a fait ma chambre de fond en comble !

Direction, l'aéroport ! Où je croise Belmondo (qui lui a carrément « emménagé » avec sa femme de chambre)... Dans l'avion, je tombe par hasard sur un copain flic, je lui raconte ma petite histoire avec la boniche – sans me vanter (c'est pas mon genre). Il me dit : « Tu sais, Nico, aux États-Unis, pour le quart de ça, tu te retrouves en taule pendant soixante-dix ans ! »

Je lui dis : « Arrête de déconner ! »

Il me dit : « Non non, j'te jure... »

Je lui dis : « Soixante-dix ans ! Mais alors, qu'est-ce qui reste pour les vrais méchants ? Si on n'a même plus le droit de toucher au petit personnel... Comme dirait Jack Lang : "Y a pas eu mort d'homme", hein ? C'est quand même qu'une gonzesse ! »

Il me dit : « Non non, t'as de la chance d'être en France : ici, c'est Disneyland, c'est Juppé, Balkany, Tapie et compagnie... Mais là-bas, tu poses une main sans réserver, et tu te retrouves la queue découpée en rondelles sur un plateau d'Oprah Winfrey... »

Je lui dis : « Non ?! »

Il me dit : « Si si : i t'font bouffer d'la merde, et tout. Avant même d'être jugé, on t'balance dans un sac de goudron... C'est un truc de malade : même quand t'as du pognon, tu peux faire de la prison ! »

J'lui fais : « Nooooonn ? »

Soudain, j'étais terrorisé... j'essuyais mes sueurs froides en tripotant l'hôtesse de l'air...

En rentrant à Paris, dans l'ascenseur de mon immeuble, je vérifiais mes poignets de façon compulsive pour m'assurer que j'étais bien libre... Du coup, j'ai sauté dans les bras de ma femme. Pour la première fois de ma vie, je l'ai trouvée sublime ! Je lui ai dit : « Marie-Christine, ne me laisse plus jamais tout seul ! T'es une malade ! Les gens sont si dangereux ! »

Mercredi, pour finir, coup de fil paniqué d'une vieille fréquentation dont je tairai le nom, d'autant que cet ancien mannequin d'origine italienne habite provisoirement dans un château ringard près des Champs-Élysées.

(En larmes :) « Nicolas, me dit-elle, tout le monde est au courant que j'attends un bébé. »

Je lui dis : « Ben, je sais bien, ma chérie, j'ai lu la presse allemande. Ton beau-père, faut le piquer : il arrête pas d'jacter !

Elle me dit : « Mais du coup, j'vais devoir le garder ?

Je lui dis : « Évidemment !

(En larmes.) Elle me dit : « Mais tu sais bien qu'il est de toi, cet enfant ! »

Je lui dis : « Parle moins fort ! »

Elle me dit : « Mais il va s'en rendre compte, l'autre, il est pas débile ! Va s'poser des questions, surtout quand le petit fera un mètre quatre-vingt-dix ! »

Je lui dis : « Mais non, mais non : il est trop mégalo pour imaginer ça, même si l'gosse était NOIR, il l'appellerait "fiston" ! »

Elle me dit : « J'en ai marre, j'en ai marre de mentir, j'ai pas envie qu'mon fils termine au conseil général des Hauts-de-Seine, moi ! Et puis tu me manques, chouchou, je me fais chier avec Guéant, Balkany, Alain Minc : j'prends des petits déjeuners avec Christine Lagarde, tu crois qu'c'est excitant ? Moi, j'ai envie qu'on s'pète la gueule au Baron toute la nuit, que tu m'joues du piano dans des bars dégueulasses... J'en ai MARRE d'être de droite... Faire semblant d'être généreuse, faire semblant d'être gentille : j'en ai rien à foutre, moi, des petits Africains... ! » *(Elle sanglote.)*

Je lui dis : « Chérie, tu te calmes, n'oublie pas notre PLAN : t'épouses le président, tu deviens une star interplanétaire, tu profites de ton pouvoir pour placer tous nos potes, et là, ma belle, on n'a plus qu'à ramasser ! Les t-shirts, les albums, les à-valoir de chez

Grasset, on peut se la couler douce jusqu'à la fin de nos jours ! »

Elle me dit : « Ouais, t'es mignon, mais c'est pas toi qui te le tapes ! D'ailleurs, heureusement qu'il s'appelle Nicolas comme toi, sinon j'me serais gourée dix fois ! »

Je lui dis : « Tiens l'coup, Loulou ! Tu viens de vivre le plus dur... Tu vas pas tout foirer la veille des élections ! Dans un an, on fout le camp ! J'ai déjà réservé la baraque au soleil ! Et puis, crois-moi, pour le bébé, c'est mieux que ce soit lui le père... Moi, ma situation, elle est bien trop précaire : avec cette émission de Giesbert qui s'arrête dans huit jours, cette calvitie grimpante qui me fait la tête de Kad Merad, j'suis même pas sûr qu'on m'verra à la rentrée... Tandis qu'avec un nom pareil, not'petit bout de chou à nous : il pourra rien lui arriver ! »

Elle me dit : « C'est même pas sûr ! Cette semaine, rien n'est plus sûr ! Que tu sois femme de ménage ou président de ceci, plus personne n'est à l'abri ! »

Comme dirait un ami – qui a failli être président, mais qui ne gouvernait plus sa bite :

« Voilà, pour moi ce fut une semaine de merde, alors imaginez ce que je pense... de la vôtre ! »

20 mai 2011

32

Au revoir et mercis

En présence de Jean d'Ormesson,
Jean-François Kahn et Edgar Morin

(En larmes.)
Lundi, Lundi... je dis Lundi pour la dernière fois de ma vie... *(Se ressaisissant :)* Lundi ! Lundi, je me réveille à l'aube, près de Chantilly, dans cette petite chambre d'hôtel où j'ai l'habitude de passer mes week-ends en amoureux, même quand je ne le suis plus. Je caresse la place vide laissée à côté de moi : Personne ?

Alors je me lève.

Franz est là, sur le balcon, totalement nu.

Ses cheveux argentés – récemment implantés – sont bercés par la brise matinale.

Il regarde dans le vide, l'œil strauss-kahnien...

Je lui dis : « Qu'est-ce qu'il y a mon chouchou, pourquoi t'es déjà d'bout ? »

Il me dit : « J'ai plus sommeil. T' façon, j'ai plus envie de rien. »

Je lui dis : « Même pas de moi ? »

Il me dit : « Toi ? Toi, tu es déjà loin, dans une semaine on se dit "au revoir" et tu disparaîtras... »

Je lui dis : « Mais non, mon Franz, pourquoi tu réduis tout à la télévision ? Rien ne nous empêche de continuer à nous aimer, avec ou sans contrat ! Et puis, même sans émission, tu peux continuer à me payer.

Il me dit : « Non, j'vous connais, les jeunes, c'est pas la première fois que je me ferai larguer par une chroniqueuse. Cette nuit, j'ai fouillé dans ton portable, t'as reçu trois textos de Michel Denisot ! »

Je lui dis : « C'est un copain... Fais pas ta jalouse. J'irai jamais au « Grand Journal ». En plus, tu dis n'importe quoi : il est déjà en couple avec Yann Barthès... »

Il me dit : « T'es qu'une pute...

— Quoi ? »

Il me dit : « Je t'ai présenté TOUT LE MONDE : des anciens ministres, des futurs présidents, des intellectuels très influents, j'ai fait semblant de te trouver drôle TOUS les Vendredis soir... J'ai tout fait pour t'épater : j'ai même pondu une biographie de Sarkozy, pour te prouver que j'avais des couilles... J'aurais pu me suicider pour toi ! D'ailleurs, je suis viré ! Et maintenant que t'as eu tout c'que tu voulais. Ah, tu te la pètes, vilaine tapette ! Tu t'laisses draguer par tout ce qui bouge... Pourtant j't'ai défendu, moi ! À France Télé, à l'Élysée, je leur ai dit : "Excusez-le, il est encore si jeune, il a besoin de tuer son papa... Et puis je l'aime, vous comprenez, j'me suis marié dix fois avant de réaliser que c'est dans ses bras frêles que j'avais envie de vivre... Sur le plateau de « Semaine critique », chaque fois qu'il souriait, j'avais une érection, même quand il est pas drôle, je glousse d'amour et de désir... parce que, soyons franc, sous mon p'tit pupitre de présentateur sérieux, j'tripote pas que mes fiches..." »

Je lui dis : « Je sais, Franz, ce qu'on a vécu, c'est magnifique... »

Il me dit : « Tu vois : t'en parles déjà à l'imparfait ! »

Je lui dis : « Parce que c'est terminé ! Mais j'irai te rendre visite : à la cafétéria du *Point*. Ou à Pôle emploi. On verra... Et puis arrête de déconner : il reste encore une émission, finissons en beauté... D'ailleurs tu reçois qui ? »

Il me dit : « Jean d'Ormesson. »

Je lui dis : « Ah ! ma grand-mère ? »

Il me dit : « Oui, souviens-toi, il était là à la première, quand on a eu c'coup de foudre, c'est un peu notre témoin, d'Ormesson... »

Je lui dis : « Oh, t'es mignon, et il y aura qui d'autre ? »

Il me dit : « Jean-François Kahn, c'est le mari de la productrice, on est obligé de l'inviter une semaine sur deux. Sinon ils se voient plus, tous les deux. C'est comme nous, quoi, on se verra plus... »

Je lui dis : « Arrête maintenant ! Oh, on va pas chialer ! Qu'est-ce qui pourrait te calmer ? Tu veux que je fasse "la femme de chambre" pour te faire plaisir ? »

Il me dit : « Non... Avant ça m'excitait, aujourd'hui j'ai l'impression qu'on va me jeter en taule... »

Je lui dis : « Mais non, mais non : moi, je porterais pas plainte ! »

Alors là, comme il faisait toujours la gueule, j'ai sorti le grand jeu, c'est-à-dire la valise avec tous nos ustensiles : la cuillère à huître, le tisonnier, ou, dans un genre plus trivial, une femme !

Je lui dis : « Ça te dit, une femme ? Ça nous rappellera le bon vieux temps... »

Il a posé un regard dégoûté sur cette petite Coréenne – que je loue une fortune à l'année –, et il s'est mis à enjamber la balustrade ! Telle Kate Winslet dans *Titanic* !

Je lui dis : « Arrête tout de suite ! Franz, mon loulou, fais pas l'con ! Fais pas ça, mon amour : j'vais aller voir Rémy Pflimlin, j'vais aller voir Carla Bruni ! Je m'inscrirai à l'UMP : ils vont nous recaser quelque part, je te le promets ! On présentera la météo, le tiercé, ce qu'ils voudront ! Je vais rester avec toi ! Même sur le câble (j'en pensais pas un mot) ! Et puis s'ils veulent pas... on montera un spectacle, avec Didier Porte, Stéphane Guillon, tous ces chômeurs... On jouera *La Cage aux*

folles à la fête de l'Huma! Mais saute pas! Saute paaaaaaassssss!!!!!!!! »
Plouf!!!!

Mercredi, on a enterré Franz. À Mérindol, au pied d'un olivier, dans son village du Sud. Ayant toute sa vie zigzagué entre les différents partis, c'est TOUTE l'Assemblée nationale qui a fait le trajet pour saluer une dernière fois la plus brillante girouette de France! Olivier Besancenot consolait Marine Le Pen, les larmes de Christine Lagarde coulaient sur l'épaule de Martine Aubry (d'ailleurs je me demande si les deux, elles sont pas...), bref, les sanglots de Bayrou nous laissaient entrevoir un passé très intime avec notre cadavre : apparemment, je ne fus pas le premier! À l'église, ce fut très beau : Yvette Horner interpréta une chanson de Tino Rossi en hommage à Franz, qui n'écoutait plus rien depuis 1950, date à laquelle il entreprit d'écrire sa première biographie, celle de René Coty...

Quant à moi, l'amant secret, je fus convoqué dans le bureau du commissaire Edwy Plenel, des traces de mon ADN ayant été retrouvées dans les cheveux du défunt.

« Non, je ne l'ai pas poussé, lui dis-je la gorge nouée. C'est un suicide passionnel, vous connaissez le principe : Roméo et Juliette, Chevallier et Laspalès, Zemmour et Naulleau... »

Par bonheur, la veille, juste avant qu'on enferme mon Franz dans son cercueil Conforama (ses treize pensions alimentaires ne lui permettant pas de s'offrir du vrai bois), j'ai tout de même pu l'embrasser sur la bouche une dernière fois! *(Ils s'embrassent. Musique.)*

Jeudi, pour terminer :
Je remercie Fabrice d'Almeida, cet historien un peu bronzé que les quotas de France Télé nous ont imposé chaque semaine! Ce soir, je tenais à lui dire que, même s'il était blanc, je le trouverais brillant!

Je remercie David Abiker, cette tapette refoulée
– parfois de gauche, toujours de droite –, qui n'a jamais
le trac, et que le soir de la première je regardais pour
me calmer, comme je regarde Mireille Mathieu pour me
vider la tête.

Je remercie mon amie Élisabeth Lévy, que j'avais tendance à prendre pour une réactionnaire pro-israélienne
odieuse, alors qu'aujourd'hui, maintenant que je la
connais, je la prends pour une réactionnaire pro-israélienne extrêmement sympathique, d'autant qu'elle a
pris le risque de se fâcher avec beaucoup de ses amis
juifs en prenant ma défense, moi qu'une poignée de
connards prenait pour un antisémite... Élisabeth, ce soir,
je te dis : « Merci ! Mais maintenant : change d'amis ! Le
goy te va très bien aussi ! Essaie un peu pour voir ! »

Je remercie Marion Ruggieri, ma copine d'avant
Giesbert, bien avant Giesbert : vous savez, quand on
débarque dans une nouvelle école, c'est toujours rassurant d'avoir déjà couché avec une des élèves.

Je remercie tous les top models qui sont venus sur ce
plateau : François Hollande, Laurent Fabius, Jean-Pierre
Chevènement, Alain Finkielkraut, Alain Minc et Jacques
Attali... Toutes ces bombes atomiques à côté de qui
j'avais l'air beau ! Je les remercie du fond du cœur
d'avoir rangé leur langue de bois pour écouter mes
inepties... Quand on a connu un public aussi froid, on
peut jouer au pôle Nord ! Merci, François Hollande !
D'ailleurs, François, sache-le : j'irai voter pour toi !

Je remercie Martine Aubry d'avoir souri à mes
conneries, paraît que ça lui était pas arrivé depuis l'âge
de huit ans ! Même ses parents n'en revenaient pas :
Jacques Delors m'a appelé juste après l'émission pour
me demander si j'avais pas glissé un ecsta dans son
verre...

D'ailleurs, Martine, sache-le : j'irai voter pour toi !

Je remercie Marine Le Pen, ma première attachée de

presse, je lui dois presque tout, à cette conne ! D'ailleurs, Marine, sache-le : tu peux toujours te toucher !

Je me remercie moi-même d'avoir trouvé le concept faux cul de cette semaine mytho, grâce à elle plein de gens ont pensé que j'étais faussement mégalo, faussement narcissique, alors qu'en vrai, c'est pire ! J'avais déjà la grosse tête à quatorze ans et demi !

Je remercie Facebook de m'avoir fait passer plus tôt qu'à 1 heure du matin ! Vive la technologie ! Toutes ces pouffes prépubères qui m'ont twitter vingt fois et que je vais mettre deux ans à tirer une par une. Croyez-moi, mesdemoiselles : je m'occuperai de chacune !

Je remercie Rama Yade et Kevin Sarkozy, la jalousie d'Éric Naulleau et les propos nazis de mon ami John Galliano... Je remercie les rimes en O.

Je remercie mon père qui par amour filial s'est forcé toute l'année à être « un peu » moins drôle que moi ! Obligé pour cela d'interpréter des textes d'Anne Roumanoff, le pauvre ! Si ça, c'est pas de l'amour... Merci Papa !

En revanche, je ne remercie vraiment pas les patrons de France 2 de n'avoir pas osé me virer, ce qui m'aurait permis de racheter la baraque de Guillon à Saint-Tropez ! Bande de radins !

Je remercie Tristan Carné, Nicolas Ferraro – nos génies de la réal – qui m'ont filmé sous tous les angles : franchement y a rien de plus difficile que d'essayer de rendre attractif un type qui parle tout seul. Ça mérite un césar !

Je remercie Marc-Olivier Fogiel, coproducteur de l'émission, d'avoir su mettre une très très bonne ambiance en ne foutant jamais un pied sur ce putain de plateau ! Merci, Marco : quand t'es pas là, je te trouve TRÈS bon !

Je remercie Rachel Kahn, productrice adorée, ma seule lectrice et relectrice, la seule à qui j'ai accordé le droit de me faire chier, car elle a le génie de redonner confiance au plus grand dépressif !

Je remercie Jean-Louis, notre ami régisseur, et toute l'équipe de techniciens qui m'ont surpris par leur culture et leur esprit, moi qui pensais que ces gens-là ne s'intéressaient qu'au foot ! J'ai découvert des gens certes démunis, mais presque fréquentables ! Bon, c'est pas pour autant que je les inviterais chez moi, j'aurais trop peur que ça s'attrape, mais, nom de Dieu, quelle bonne surprise !

D'ailleurs je ne comprends pas pourquoi Franz-Olivier s'obstine à refuser de leur serrer la main ! Pourquoi tant de mépris envers les maquilleuses, SURTOUT les maquilleuses : voilà des femmes qui poussent le professionnalisme jusqu'à rendre gracieuse Nadine Morano – tout en se barbouillant elles-mêmes comme des voitures volées !

Je remercie Delarue et Nagui, mes têtes de Turc préférées, de ne m'avoir fait aucun procès ! D'ailleurs, je félicite Jean-Luc d'avoir arrêté la coke, et j'encourage Nagui à arrêter la télé !

Je remercie M. Copé et M. Jérôme Garcin de m'avoir prouvé à quel point ce sont les plus grosses langues de pute qui refusent la critique !

Je remercie Thibaut Nolte, le vrai sniper de l'émission.

Je remercie Adélaide qu'est belle et même pas con.

Je remercie Julien Savin, mon prompteur adoré.

(La lumière diminue, il se retrouve dans la pénombre.)

Voilà, c'est terminé !

Je demande aux gens qui m'aiment de ne pas trop m'en vouloir si j'arrête la télé : on se retrouvera ailleurs... Et je remercie d'avance TOUS les gens qui m'aiment pas de pas trop m'en vouloir si je reviens dans six mois ! Ça dépendra de mes impôts, et de ma libido...

Voilà, mes chers amis, comme dans une pièce de merde, la lumière va s'éteindre... Et je vais disparaître...

Au revoir et mercis

Comme dirait Obispo citant Arthur Rimbaud :
J'vous kiffe... !

Voilà, pour moi ce fut une année... de merde... Alors
imaginez... ce que je pense... de la vôtre !
Noir.

27 mai 2011

Pour mon ami
Jocelyn Quivrin

(Inédit)

Jeudi.
Mon ami Jocelyn Quivrin, ayant passé le week-end en compagnie de la divine Alice Taglioni et de leur ravissant bébé (un laideron aurait surpris les généticiens) chez une amie à eux, décide de rentrer au volant de la voiture dont il rêvait depuis des mois – c'est son côté cow-boy 2.0, hédoniste viril. Sur l'autoroute, il repense à la chance qu'il a d'avoir autant de chance : une femme qu'on aimerait lui voler, des amis si tendres qu'on les lui emprunte souvent, des rôles de plus en plus forts (ils sont si rares, les gars beaux, sensibles et drôles sur les écrans hexagonaux, tellement rares que Dujardin possède une société privée de triage scénaristique), des projets avec un grand J comme génial avec un J devant, un enfant si beau que les agences de casting le courtisent déjà. Il accélère pour être sûr d'arriver en même temps que sa tribu irrésistible. À un moment, son engin mécanique se met à trembler, même que la roue avant décolle témérairement du sol. Il est dans un tunnel, il se met à flipper (lui qui n'a peur de rien) : le mur de gauche, d'une rigidité stupide, se rapproche bizarrement, et c'est à l'instant même où il s'est dit : « Tu vas quand même pas crever maintenant, tu vas quand même pas exploser au moment où tu exploses », c'est à ce moment précis que, par bonheur, mon Jocelyn

a repris le contrôle de son bolide vantard. Il est arrivé à Paris presque en même temps qu'Alice, Élodie et les autres. D'ailleurs, je les ai rejoints à la terrasse du Marco Polo, fameuse cantine de Saint-Germain que nous nous disputons. Il a commandé des tagliatelles aux truffes. Qu'il n'a pas finies, prenant soin de sa silhouette en vue d'un tournage qui l'excite, et l'angoisse à la fois, comme tout ce qui nous excite vraiment. On a bu un lambrusco qu'il a goûté avec sérieux, comme un père de famille. Je lui ai rappelé ce film que j'avais écrit pour lui quand nous n'avions même pas vingt ans, et dans lequel son personnage roulait déjà très vite au volant d'une Porsche des années 50. Pendant le dîner, il regardait son amie Élodie avec ses yeux d'un bleu fraternel. Ils se connaissent depuis toujours, depuis qu'ils sont intelligents, elle lui raconte ses aventures, les heureuses, les calamiteuses, elle attend de lui l'aval du confident méticuleux, compréhensif mais vigilant. Après le dessert, je me suis levé en leur annonçant que j'allais rejoindre une jolie femme dans un bar de nuit, il s'est gentiment moqué de moi, me soufflant à l'oreille de freiner un peu sur le whisky-Coca et les jolies femmes.

Aux dernières nouvelles, ils sont bien rentrés, ce week-end il paraît qu'on va tous à la campagne. Il compte revendre son tonnerre mécanique, car ce triste épisode dans le tunnel l'a enfin convaincu de se remettre fissa à la Nissan Micra.

Non, Jocelyn n'est pas mort, car on serait fou de mourir quand on s'appelle Jocelyn, qu'on est doué et aimable et aimant et aimé comme Jocelyn et qu'on couche tous les soirs avec Alice Taglioni. On ne meurt pas quand on est le type qui, à ma connaissance, a le moins de raisons de mourir.

Dans la vraie vie, la mienne, Jocelyn Quivrin n'est jamais mort, un mec qui meurt d'un coup à trente piges, c'est bon pour le cinéma, et le cinéma, c'est pour de faux, le cinéma, c'est pour écrire des rôles à Jocelyn Quivrin.

Donc, Samedi, je ne suis pas allé à l'enterrement de Jocelyn qui n'est toujours pas mort parce qu'on a autre chose à foutre un Samedi ensoleillé que d'aller chialer toutes les larmes de son cœur à l'enterrement d'un camarade qui va très bien. Très bien. Cette semaine, tout va bien. Tout va bien. La vie ne manque pas de talent, ni de logique. En tout cas, pas à ce point.

15 novembre 2009

Amy Winehouse

(Inédit)

Lundi, réunis sur une pelouse de l'île de Ré, parmi un groupe de protestants UMPistes qui portaient tous très bien le « pull sur épaule », nous avons copieusement fêté (au Champomy) le décès d'Amy Winehouse. Enfin ! Voilà plusieurs mois que mes amis et moi abandonnions parfois la lecture du *Figaro Magazine* pour celle de *Closer* et *Voici*, afin d'y glaner quelques signes encourageants : un concert annulé, une pipe de crack retrouvée, une réconciliation avec son amoureux dealer, ou même, plus modestement, des traces de vomissures sur un bas filé. Conscient que cette fin de vie minable représentait la plus vigoureuse et la moins onéreuse campagne anti-drogue de ce début de siècle, Jean-Noël, Gonzague et moi-même croisions nos doigts – légèrement hâlés par la lumière divine – dans l'espoir qu'elle s'étrangle enfin, une boulette de viande hachée coincée dans la glotte, suite à quelques convulsions.

Mardi, les résultats dépassent nos rêves : les multiples rediffusions de la diva saoule traînant son regard de poisson déjà mort devant un parterre de huées ont calmé nos petits jeunes. Les voilà vaccinés ! Qui a envie de finir si vite, si mal, si moche, si vide ? Par bonheur, comme elle est loin l'époque où un halo de mystère mystifiait la débauche d'un Jim Morrison, d'une Janis

Joplin et autre Kurt Cobain. Ici, point de génie musical depuis plusieurs années, point de surprise favorisant l'effroi, puis la canonisation. Non, grâce aux journaux people (que nous finançons chaque semaine), le groupie en mal d'idole éthylique se prend l'envers du décor en pleine gueule : la drogue grignote les ailes qu'elle a fait pousser, elle carbonise le cerveau qu'elle avait vivifié, elle ramollit les traits autrefois tendus, c'est la galère, l'angoisse, l'ennui, la morne mort, la vraie.

Mercredi, retroussant les manches de ma chemise Ralph Lauren (celle qu'est rose à rayures vertes, la même que ma femme, oui, on se fringue pareil, on s'aime), et regardant errer son fantôme dans le ciel, j'ai envie de lui dire : « Alors, ma grande, te voilà bien avancée, là où tu es, tu peux même plus te défoncer ! Fume donc le cercueil, c'est tout ce qui reste. »

(On n'insulte pas les morts, me souffle un lecteur ? Dégage de là, toi, je travaille.)

Puis je suis rentré, j'ai observé d'un air serein mon succès familial : Ma femme cuisinait son fameux poulet bio au fenouil, celui qui n'exige qu'un filet d'huile d'olive extra-vierge pour croustiller sous nos dents solides et blanches, j'ai posé trois de mes enfants sur chacun de mes genoux (faites le calcul, feignasses), et on a maté en famille l'avant-dernier concert d'Amy : celui durant lequel elle tombe, comme une merde, ramassée par ces choristes à qui elle demande le texte de ses propres chansons qu'elle oublie, comme une merde, avant de snifer une petite fiole de poudre collée dans sa tignasse cradingue et de rechuter, comme une satanée vieille merde qu'elle est. Ensuite, j'ai éteint, en souriant comme le hérisson passé sans égratignure de l'autre côté de la route, et j'ai demandé à mon aîné (Stanislas, sept ans) :

« Tu veux boire un verre de vin, mon ange ?

— Non, papa, jamais. Promis. »

Je me suis ensuite tourné vers ma cadette, Julie-Marie (six ans) :

« Une petite ligne, mon cœur ? »

Elle s'est mise à pleurer toutes les larmes de sa peur. Sa mère et moi sommes alors partis dans un grand éclat de rire commun (comme le reste). Mes enfants regardaient désormais la grande bouteille de Badoit disposée sur la table avec le même regard que celui que pose DSK sur ses avocats quand ils apportent une bonne nouvelle.

Vendredi, en me rendant à mon club de Golf, j'ai regardé Amy entre deux nuages, pour la dernière fois. Je lui ai dit : « Merci, Amy. Merci pour tes tubes, ta voix de Billie Holiday capturée par miracle dans un corps de déportée étrangement sensuelle, merci pour *Back to black*, merci pour ces grands yeux noirs qui nous ont fait rêver et ce rythme danser et ces paroles sourire. Mais merci, surtout, pour tout le reste, pour mes enfants craintifs qui préféreront encore se faire chier dans la sobriété que d'en chier à ce point dans l'ivresse. Repose-toi bien. La cure de désintox s'appelle le paradis. » Jolie mort, pour les autres.

Voilà, pour elle ce fut vraiment une vie de merde, alors imaginez ce qu'elle penserait de la vôtre.

23 juillet 2011

À la radio

(Oui FM - 2009-2010)

Esclaves radiophoniques

Lundi, je me rends aux prudhommes où j'attaque sans scrupules l'animateur-producteur-comique-poète Arthur, celui des petites boîtes à 20 000 et de Gad Elmaleh. La cause ? Exploitation de chroniqueurs surdoués sur l'antenne de Oui FM, le dimanche entre 18 heures et 20 heures. Voilà plusieurs semaines que ce patron (à l'abri du besoin jusqu'en 3047) nous paie en canettes de Kronenbourg (et encore, elles sont chaudes) et en Marlboro Medium (augmentant au passage mes chances, déjà maximales, de rejoindre le fameux club des génies morts avant trente et une piges). Sur le chemin du tribunal, je n'ai pu m'empêcher d'avoir une pensée humide pour tous les visages noirs avachis durant des lustres dans les champs de coton, et j'ai pensé à nous, avachis que nous sommes dans nos champs de bons mots, de questions percutantes et pertinentes façon Alexis Trégarot* – dont les efforts démesurés pour paraître jeune et cultivé, lui qui va sur ses quarante-huit ans et ne possède même pas son BEPC, forcent l'admiration. J'ai pensé à Olivier, chroniqueur ici présent, Olivier qui, samedi dernier, voulant nous gratifier d'une

---

* Animateur de l'émission « Oui Love Dimanche ». Ami intime. Hétérosexuel.

succulente ripaille, mais n'ayant plus un sou, a quand même fini par nous faire becqueter son chat. Fayo (c'était le nom de la bête), un pauvre chat européen, même pas coupé avec un siamois ou autre féline birmane, bref, une carcasse sans goût, dont la seule qualité fut de miauler une mélodie d'Hélène Ségara avant de plonger dans une casserole de tôle (quel ringard, ce chat). Ce soir, en attendant le verdict, j'implore donc Arthur d'avoir une pensée pour Fayo, petit chat à la moutarde... Arthur qui, je le rappelle, possède cinq léopards, moult autruches et treize lamas dans le parc naturel qu'il s'est naturellement fait construire sur les hauteurs de Cannes !

L'exploitation d'une classe par une autre, notamment celle des brillants par celle des malins, se poursuit donc sans trêve. Mais l'affaire Stéphane Guillon nous rendant plus confiants que jamais (voilà un homme dont le licenciement par France Inter redonne des rêves de luxe à tous les chômeurs de France), je vous jure, cher Arthur, que je ne finirai pas l'année sans vous avoir plumé !

Mardi, pas envie de travailler, mais, me sentant coupable, pas envie de voir les autres travailler non plus. Du coup, j'ai passé un coup de fil à mon collègue « fils de », le dauphin Jean de Sarkozy, et il s'est arrangé avec son royal géniteur pour décréter chaque Mardi férié, en hommage à je ne sais quelle cause lobbyiste servie dans un but purement électoraliste, façon « Chaque enfant va pleurer un petit juif de la shoa », « chaque enfant lira la lettre de Guy Môquet », « chaque bébé beuglera la *Marseillaise* avant de savoir roter "Maman" », « chaque femme se privera une nuit par an de tout rapport sexuel marginal au nom des femmes violées durant l'été 72 », « chaque jeune sportif passera une semaine dans un fauteuil roulant en hommage aux estropiés de la guerre 14-18 », et moi-même je m'apprête à passer une année épouvantable au nom de tous ceux qui – dans ce pays de taches – sont nés moins doués, moins drôles et moins beaux que moi. C'est la faute à pas de bol !

Mercredi, coup de cafard chez Sotheby's : la photo de Carla Bruni nue ne dépasse même pas les 5 000 euros. Et moi qui m'apprêtais à vendre la sex-tape que j'avais chopée d'elle, du temps où l'on se donnait rendez-vous dans les salons privés du restaurant Lapérouse.

Mes activités théâtrales ne nourrissant que mon orgueil, je comptais vraiment sur la vente de cette vidéo prise à l'aide d'un portable première génération. On y voit Carla dans les positions les plus acrobatiques (j'étais moi-même assez sportif, au moins autant que notre président). Le moment fort de ce long métrage amateur de 3 heures 46 minutes reste la séquence où je lui arrache son piercing à l'aide d'une cuillère à huîtres.

Mais la misérable vente d'une simple photo érotique me laissant augurer de maigres recettes, du coup Mercredi soir, je me suis attelé à l'écriture de *La Cage aux folles* numéro 5, avec jeux de mots vaseux et délires homophobes. En outre, dans une démarche strictement artistique, je compte proposer la pièce à Nikos Aliagas et Amélie Mauresmo. Le rôle de la folle serait joué – non sans nuances – par la sensible tennisman (rasée de près pour l'occasion), et Nikos interpréterait le clown blanc entre deux appels aux votes du public et trois reprises de Bruel. Non, le théâtre privé va bien ; non, le théâtre digestif, les affiches opportunistes, les portes qui claquent et le jeu appuyé ne sont pas les seuls arguments d'un succès parisien ; non, le public n'est pas assez dépressif pour se shooter aux pires daubes pourvu qu'il vomisse deux rires gras. Non, cette cohorte de salariés sans illusions n'est pas désespérée à l'idée de réfléchir plus de 40 secondes dans une salle obscure. Non, Sarkozy n'est pas le patron ; non je n'ai pas envie de me pendre quatorze fois par jour !

Voilà, pour moi ce fut une semaine de merde, alors imaginez ce que je pense de la vôtre.

David Foenkinos

Lundi, en pleine répétition de ma pièce *Promenade de santé* qui commencera dans moins d'un mois et que ça me fout les jetons et j'ai vraiment autre chose à foutre que d'écrire cette putain de chronique mal payée dans l'émission de mon Alexis Trégarot, à l'heure où le Français normal se gratte la panse devant « Vivement dimanche » en bâillant son haleine avariée par la pizza de la veille dans la crinière inoxydable de Michel Drucker, à l'heure où d'autres, plus démerdards, n'ont qu'une seule problématique : celle de trouver la bonne excuse pour foutre dans un taxi cette ravissante fausse blonde ramassée la veille dans un bar à la mode de l'an dernier, ravissante de moins en moins parce que bavarde de pire en pire, et soudain désireuse – mon dieu – de mater ce vieux Bergman prétentieusement disposé sur l'étagère (entre *Toy Story 5* et *Blanche-fesse et les 7 mains*), alors que Drucker paraît si sincère quand il présente Grand Corps malade comme le Nerval de nos banlieues.

Mardi, David Foenkinos et moi-même recevons dans nos boîtes aux lettres respectives, enfin, pour dire la vérité, dans notre boîte aux lettres commune – car quitte à décevoir les lycéennes littéralement enflammées par le rythme sautillant et la grâce de son dernier roman,

David Foenkinos et moi-même venons d'emménager dans un meublé au 12 de la rue Chapon, où nous partageons chaque instant que la vie daigne nous offrir : on écrit à quatre mains, on se tripote à vingt doigts, et lorsqu'il m'apporte mon petit déjeuner, n'oubliant jamais mon sirop d'orgeat et plaçant comme je le souhaite un œuf mollet légèrement poivré à côté du thé au lait, je constate avec joie que la « délicatesse » de l'écrivain est proportionnelle à celle de l'amant... Bref, Mardi, nous recevons dans notre boîte aux lettres, donc, une mystérieuse convocation à nous rendre au plus vite sur un terrain vague près de Marne-la-Vallée.

Là-bas, nous embarquons dans un étrange bolide de métal argenté.

Mercredi, après quelques heures d'un voyage aussi lent qu'un récit de Christine Angot, David – que j'appelle Dadou dans l'intimité – et moi-même atterrissons sur une surface aussi poudreuse qu'un récit de Frédéric Beigbeder.

S'approche alors de nous une svelte silhouette coiffée d'une tête dissimulée sous un masque anti-virus h1n1. Mi-homme mi-femme, mi-blanc mi-noir, perruqué, bref, un travelo futuriste à la voix nasillarde nous serre l'un puis l'autre dans ses membres chétifs. Il ne peut s'agir de notre ami Florian Zeller, ce dernier ne quittant jamais le 6e arrondissement. C'est alors que notre hôte nous invite à esquisser quelque pas dont la grâce nous met sur la voie : eh oui, chers auditeurs, Foenkinos et moi-même avons dansé sur la lune avec Michael Jackson. Il y vit seul, entouré d'enfants lunaires, d'animaux lunaires, de propos lunaires, il pratique le moon-walk, le moon-sex, j'ai découvert la moon-pipe, et mon beau David s'est très tendrement fait moon-sodomiser, la face orientée vers la terre (qu'il a pu contempler en poussant de légers petits cris au rythme de Billie Jean). Mon Dadou d'amour, ne t'avais-je pas dit qu'il n'était pas mort, ton king of pop, lorsque cet été, en vacances chez moi (des vacances qui au passage ne t'ont pas coûté un kopeck, même pas un bouquet de fleurs, alors que ton livre cartonne, on en reparlera), lorsque cet été, dis-je, tu pleurais une flaque de larmes (assez ridicule face à l'océan qui se traînait jusqu'à nos pieds) ? Le temps d'une chronique, allez, je te la rends, ta vieille tapette funk ! À défaut de décrocher le Goncourt ou le Fémina, mon ami, tu auras au moins décroché la lune.

Jeudi, suite à ce que je vous contais la semaine dernière, la photo de Carla Bruni nue trouve enfin preneur ! Ouf ! Je reprends donc espoir quant aux recettes mirobolantes que pourrait me rapporter la fameuse vidéo, dite « sex-tape », dont elle fut à la fois vedette et victime à l'époque de nos amours. Je rappelle à tous ceux qui hésitent à m'envoyer leur chèque que ce film amateur de 2 heures et 46 minutes nous représente elle et moi en pleine gymnastique sexuelle dans un salon privé du restaurant Lapérouse. Suivant un pur élan commercial – eh oui, le théâtre va mal –, j'ajoute qu'à la fin de la cassette une entrée surprise de Dominique de Villepin – la bite gonflée jusqu'au nombril – ravira toutes les femmes et certains hommes fragiles... d'autant que ce coït – fût-il vexant pour moi à l'époque – éclaire aujourd'hui d'un jour nouveau le conflit qui oppose l'ancien Premier ministre à l'actuel président de notre presque République.

J'aimerais finir cette semaine en rappelant l'ensemble de ma collection de vidéos porno-politiques (disponible en ligne sur le site Ouifm). Pour les fétichistes, j'ai du Raymond Barre avec Sophie Davant. Je viens de recevoir un Charles Pasqua avec... Charles Pasqua (eh oui, une branlette corse de 12-13 minutes, c'est pas dégueulasse...) Et puis... Pierre Joxe avec Sophie Davant (décidément). Et pour finir en fanfaron, une exclusivité :

celle de Dominique Strauss-Kahn avec... Anne Sinclair (inutile de vous dire qu'il s'agit bel et bien de la preuve vidéo du seul et unique rapport physique entre DSK et sa femme légitime).

Voilà, pour moi ce fut une semaine de merde, alors imaginez ce que je pense de la vôtre.

Les fausses tantes

Lundi, suite du procès qui m'oppose à l'animateur-producteur-comique-philosophe Arthur, patron de notre antenne, qui – rappelons-le – ne nous donne presque rien pour survivre. Mercredi matin, donc, j'invite à la barre les parents de mon collègue Olivier Benkemoun*. Pauvre couple d'immigrés sépharades ! Quelle ne fut pas leur surprise en voyant débarquer leur grand gaillard de quarante-deux ans dans son ancienne chambre d'enfant, faute de pouvoir retrouver un logement décent. Certes, Olivier n'est pas bien grand (j'ai même pris l'habitude de lui marcher dessus), mais il mérite tout de même un couchage plus décent que le berceau endommagé par Jennifer, sa petite nièce, avec qui il partage désormais chaque nuit, pour le meilleur et pour le pire (pensez au calvaire de l'enfant), pendant que son employeur collectionne les hors-bord et les dauphins domestiques au large de Phuket.

La nature est une pute, vous dis-je, moi qui ne suis pas la dernière.

---

* Journaliste et brillant chroniqueur de l'émission. Métrosexuel.

Mardi, soirée « Non non non, on n'est pas pédé, au contraire notre féminité ajoute à notre charme auprès des femmes » – je répète : soirée « Non non, on n'est pas pédé, au contraire notre féminité ajoute à notre charme auprès des femmes », soirée organisée au 12 de la rue Chapon, c'est-à-dire chez moi, qui suis en effet à Clovis Cornillac ce que Laurent Deutsch est à Gérard Lanvin. Donc, petits-fours, champagne : Édouard Baer débarque vers 21 heures, flanqué de Guillaume Gallienne, tous deux s'écharpent (de cachemire) au sujet du dernier succès littéraire de l'ami Beigbeder. Deux heures plus tard, Fabrice Luchini finit par les mettre d'accord en citant un très beau texte collaborationniste de Paul Morand. Philippe Tesson copine dans ma salle de bains avec le ténébreux Samuel Benchetrit, réconcilié une heure plus tôt avec Stéphane Guillon et Franz-Olivier Giesberg, le camarade Giesbert qui ne lâche plus Ariel Wiezman depuis que ce dernier a eu l'audace de fustiger chez Durand la paresse littéraire d'Alexandre Jardin.

La soirée « Non non non, on n'est pas pédé » se passait plutôt bien, piquante, ironique, doucement méchante, lorsque patatras, ayant omis de lui rappeler le thème, arrivée douche froide de David Douillet au bras (body-buildé) de Christophe Alévêque, suivis de près par Franck Dubosc et Fabien Onteniente. Aussitôt, la mine blafarde de mes convives devant ce troupeau de bourrins m'oblige à ressortir la coke ! De la coke 0 %, la seule que supportent les narines capricieuses de mon ami Julien Doré, arrivé pile au moment où Dubosc lançait (en tapant sur l'épaule fébrile de Melvil Poupaud) : « Alors les gars, y a d'la pute un peu c'soir, ou on s'termine avec des mots ?! »

Conscient d'avoir commis une erreur de casting à peu près aussi flagrante que le serait Brice Hortefeux dans un concert d'NTM, je décide de virer tout le monde et je file fissa au Queen rejoindre d'authentiques pédales à l'occasion de la soirée « Non non on n'est pas hétéro, mais le torse velu et la barbe de six mois ajoutent à notre sensualité ».

Jeudi, bien vexé par la troisième critique diffamatoire de cette salope de Jacques Nerson* au sujet de ma pièce *Le Voyage de Victor* (réservations sur fnac.com, billets réduc., matinée le dimanche et samedi, de toute façon ça marche très fort, fermer la parenthèse), bref, bien remonté contre la hyène du *Nouvel Obs* qui, en guise d'analyse théâtrale, se contente d'ironiser sur le nombre de « fils de » qui pullulent dans la profession, je confesse qu'en effet, chaque jeudi, nous nous réunissons dans les sous-sols de la mairie de Neuilly, où Jean Sarkozy – délégué général – nous accueille en smoking. C'est là que j'ai pu – grâce à Thomas Dutronc – décrocher la participation de son père au générique de mon prochain film, pendant que Julie Depardieu et Romane Bohringer – trois assiettes de foie gras plus loin – fomentaient l'idée d'une pièce basée sur une intrigue de Romain Sardou, et sans doute mise en scène par Salomé Lelouch, avec à la musique Matthieu Chedid et au décor le cousin de Charlotte Gainsbourg, lui-même marié avec la nièce de Chiara Mastroianni qui – rappelons-le – a su redonner sa chance à la brûlante Laura Smet dans le prochain film de Jacques Audiard dont je serais très fier

---

* Depuis cette chronique à peine rancunière (comment oserais-je- me servir de l'antenne pour répondre aux critiques !), le même Jacques Nerson s'est fendu d'un papier presque élogieux – faut pas pousser, tout de même – au sujet de ma pièce suivante, faisant soudainement preuve d'une lucidité et d'une finesse qui le hissent au niveau des plus grands écrivains du XXIᵉ siècle (jusqu'à la prochaine fois). D'ailleurs, tant qu'il me trouvera du talent, à moi et ceux que je fréquente, je militerai chaque jour pour que cette très grande plume s'exprime.

de signer les dialogues – si Justine Lévy n'est pas disponible.

Bref, mon cher Nerson, vous n'êtes pas sorti de notre illustre auberge !

Voilà, pour moi ce fut une semaine de merde, alors imaginez ce que je pense de la vôtre.

Pierre Lescure

Lundi, suite aux nombreuses offres d'auditeurs concernant la vidéo dite sex-tape des rapports désormais légendaires que j'entretins au restaurant Lapérouse avec l'ancienne Strotskiste Carla Bruni Tedeschi Sarkozy (etc.), vidéo dans laquelle je promets l'entrée inopinée de Dominique de Villepin muni d'une fourchette lubrifiée, un certain Nicolas S. fait monter les enchères en me proposant – en échange de la cassette – la direction de l'ensemble des théâtres publics de Paris, et voilà une offre – Pierre Lescure ici présent ne me contredira guère – qui se refuse difficilement. Pierre Lescure qui – rappelons-le – est le premier directeur d'un théâtre privé dont la programmation est celle d'un théâtre public, tant il lorgne à raison de l'autre côté des Champs-Élysées, sur le royaume gastro-théâtral de mon copain Jean-Michel Ribes. Marigny intello, Marigny branché, c'est les patrons du Baron reprenant la Loco (vanne très parisienne), c'est Arthur reprenant *Oh les beaux jours* de Samuel Beckett (vanne très normalienne), c'est Laurence Boccolini au « Masque et la Plume », c'est Sarkozy à l'Élysée (j'arrête là ?). D'ailleurs, m'efforçant moi-même de mettre sur les planches des théâtres privés des pièces dites « intellectuelles » (notez qu'aujourd'hui une pièce intellectuelle, c'est une pièce sans Amanda Lear, sans calembour avec le mot « chatte » dedans et sans lancer de ballons de foot dans le public), bref, je ne peux qu'applaudir à deux mains la démarche de Lescure – enfin à une main, car je suis en train de me servir de la gauche pour branler Pierre Lescure en direct, et je serais prêt à y mettre la bouche tant sa salle du Petit-Marigny conviendrait parfaitement à mon prochain spectacle !

Mardi, à 7 heures du matin, ma femme a accouché. Elle a donné naissance à un petit Léo, 1,700 kilo (un bébé taille-mannequin anorexique, c'est tendance). J'ai assisté à l'accouchement, qui m'a profondément dégoûté : jamais je n'avais vu cette aussi jolie femme dans une position à ce point disgracieuse, voire risible. D'ailleurs, il faut bien avouer que l'ensemble des neuf mois de sa grossesse ont révélé un caractère difficile, une étrange répartition des graisses, créant entre elle et moi une distance sexuelle qui me paraît définitive. Du coup, à 7 h 30 de ce matin, ayant tenu bon jusqu'à l'éjection de l'enfant, je décide de la quitter. Notez que le couloir de cette sordide maternité a aussi donné naissance à une jolie rencontre, celle d'une jeune infirmière atrocement bien gaulée, Emma, dont l'ironie piquante jamais n'exclut la bienveillance à mon égard. Pendant que la grosse truie beuglait en s'extirpant des hanches son bambin rachitique, j'en ai profité pour faire lire mon dernier manuscrit à la bombe en blouse blanche, qui m'a gratifié d'un commentaire de texte à la fois pertinent et désopilant. Je l'aime. Du coup, à 8 heures moins 5, je quitte la clinique au bras de ma tendre Emma, ayant pris soin au préalable (dans un élan de générosité qui me perdra un jour) de payer un brancardier pour qu'il fasse la cour à ma femme légitime pendant les trois jours de chagrin solitaire qui l'attendent. J'ose espérer qu'entre eux la magie va opérer, car j'ai acquis la certitude que ce barbu d'une quarantaine d'années (dont la modestie des revenus n'a d'égale que la grandeur de son abnégation) sera pour le petit Léo (ou Théo, ou Mao, on s'en fout) le meilleur père qui soit. De toute façon, il n'a pas le choix, puisque, n'aimant plus la mère, je refuse désormais de reconnaître l'avorton. Mardi soir, je déménage donc les affaires de mon ex dans le garde-meuble loué pas cher dans un garage de la Défense, et j'emménage avec Emma, que je compte mettre enceinte d'ici deux ou trois jours. Je croise ici les doigts pour que sa grossesse n'entame pas mon désir susceptible, un désir qui – Jeudi – j'ai honte de l'avouer – semblait avoir déjà quelque peu décliné lorsque je l'ai surprise ôtant ses souliers dans mon living-room et me faisant découvrir deux pieds rouges humides comme de la viande pas cuite ! Le fait qu'elle trime toute la journée ne la dispense guère de prendre soin de ce que la vie m'amène parfois à regarder. De toute façon, soyons lucide, Vendredi, la routine pointe le bout de son nez : Emma ne cesse de me décevoir. Bien sûr, je vais rester, ne serait-ce que pour le bébé, mais le cœur n'y est plus. Peu importe, après tout : l'important n'est-il pas d'oser s'engager !

Vendredi, Nicolas Bedos est mort. Le corps (si bien troussé par Dieu) du jeune auteur-metteur en scène a été retrouvé derrière le bar de l'hôtel Ritz à 7 heures du matin. Il semble que la cause du décès soit imputable à la pénible promotion qu'il venait d'accomplir pour sa pièce *Le Voyage de Victor* et son recueil de nouvelles publié chez Flammarion. En effet, alors que quelques connards prétendent encore que les médias français sont trop complaisants avec les artistes, la feuille de route de notre défunt virtuose prouve bel et bien le contraire : après la séquence « Ping-pong » de « Café Picouly » – dans laquelle une critique ménopausée dégueule (par écran interposé) sur le travail de l'invité –

puis le duo Naulleau-Zemmour dont on connaît la courtoisie, en passant par « Ça balance à Paris », dans laquelle quelques buses sous-payées rivalisent de postillons assassins pendant qu'un cadreur zélé tente méticuleusement d'attraper dans son filet les regards craintifs de l'invité maso, le tout sous le regard sympathique – voire amical – de notre cher Pierre Lescure qui applique tant bien que mal la méthode bien connue du « Allez-y, enculez-le, pendant que j'lui caresse les couilles », son grand chelem VRP-culturel s'acheva par une obscure émission belge dont le principe consiste à balancer une pêche dans la gueule de l'invité à chaque fois qu'un spectateur n'a pas été conquis. D'un système nerveux fragile, craignant d'avance la promotion de son premier film (durant laquelle il pourrait perdre une jambe, un œil ou une partie de sa dignité), Nicolas Bedos – qui a fait lettres modernes et non boxe thaïlandaise – a donc préféré se donner la mort Vendredi, vers 5 heures du matin, à l'aide d'un couteau à fromage dégoté une heure plus tôt dans les cuisines du célèbre diamant hôtelier de la place Vendôme. Dès Vendredi soir, on pouvait apercevoir le cortège de ses anciennes maîtresses (de scupturales nymphettes qui, à la demande de Bertrand Delanoë, se sont finalement rassemblées au Palais omnisports de Paris Bercy). La soirée d'hommage fut assez déchirante : après un bref medley des Rolling Stones (comment oublierons-nous le bouleversant « Paint in black » chanté a capella par un Mick Jagger rongé par l'émotion), puis le discours d'Isabelle Adjani conclu inopinément par un orgasme rétrospectif, Carla Bruni décida de porter elle-même la dépouille, à mains nues, jusqu'au Panthéon où quelques critiques parisiens furent pendus dans la soirée, non sans avoir été préalablement rasés par une foule furieuse. Le scalp de Jérôme Garcin (qui est passé à côté de Nicolas, comme Sainte-Beuve ne comprit guère Musset) fut retrouvé Samedi matin dans un caniveau du boulevard

Saint-Germain, à quelques mètres du clitoris inanimé de Charlotte Lipinska*, feignante critique au *Figaro*, que Niels Arestrup avait entrepris d'exciser la veille en guise de représailles. Cette mort brutale aura eu le mérite de jeter l'opprobre sur cette clique de perfides scribouillards qui rouille un peu plus une scène théâtrale déjà agonisante.

Samedi soir, miracle ! À l'annonce de la soirée Miss France (diffusée hier soir), le cadavre du jeune auteur est pris d'une violente érection post-mortem qui déboulonne le couvercle de son cercueil en acajou (mes parents ne sont pas ingrats). Et c'est dans son plus beau smoking de mort qu'on le retrouve à Nice où il a profité de la déception de quelques candidates noyant leur chagrin dans des bouges du cours Saleya pour leur faire miroiter quelques rôles et autre passages télé dans le seul et unique but d'aller butiner leurs corps incandescents et d'en extraire la vie, cette vie furibarde qui l'avait lui-même déserté la veille.

Dimanche, c'est-à-dire aujourd'hui, c'est donc avec Miss Provence et Miss Languedoc que je fais mon entrée dans cet obscur studio de radio. Pierre Lescure, qui n'a pas ses yeux dans ses pompes, vient d'ailleurs de proposer un job de chroniqueuse à Miss Provence, ce qui est en effet à la portée de n'importe quelle dinde, mais cette dernière vient de refuser tout net, ayant trop peur de passer pour une blonde.

Voilà, pour moi ce fut une semaine de merde, alors imaginez ce que je pense de la vôtre.

---

* Mlle Lipinska ayant depuis dit grand bien de la pièce d'un cousin, je la prie d'excuser cette vacherie et lui donne rendez-vous ce soir dans un petit italien très sympa et pas si cher (la presse paie mal, je sais bien, ma Charlotte) où nous boirons du lambrusco en mêlant nos regards, d'accord ?

Les larmes d'une princesse

Mardi, c'est les vacances, et je décolle pour la Thaïlande. Me reposer un peu de tous ces succès qui me tombent sur la gueule depuis quelques mois. Mon corps épuisé en vient presque à regretter les années de plantage, journées blanches, bouts de script refusés, raccrochages au nez et autres « J'aime bien ton papa, Nicolas, mais je préférerais encore partager une cave avec Natasha Kampush pendant quatorze ans que de jouer quelques mois dans une pièce aussi triste ». Bref, n'était-il pas finalement confortable, le temps de l'échec ? À présent que je presse mon citron du matin jusqu'au soir pour répondre aux commandes, terrifié à l'idée de replonger dans l'oubli (et le lit d'un laideron), obligé pour cela de dire « oui » à *Marianne, Minute, Gala, Le Monde des religions végétariennes,* de rédiger des dialogues, comédies musicales, notices pharmaceutiques, étiquettes de shampoing antipelliculaire, poésies chinoises et calembours niçois, bref, il me faut des vacances ! Me retrouver en tête à tête avec la seule personne vraiment intéressante et désintéressée qui gravite autour de moi : MOI.

Je me suis donc pris par la main, allez viens, mon chéri, fais pas ta prude, suis-moi. Je me suis bandé les yeux, et je me suis conduit en limousine jusqu'à Roissy-Charles-de-Gaulle où je me suis fait la surprise d'un transfuge Paris-Phuket.

Mardi, je débarque à Patong, dans un hôtel de rêve (houellebecquien) où, à défaut de m'adonner bêtement au tourisme sexuel, je me suis masturbé durant trois jours et quatre nuits, m'aimant enfin tel que je suis, laissant au placard le déguisement taillé par les médias français, acceptant mes parties génitales à leur juste taille et m'étalant de la crème pour protéger ce corps superbe contre la brutalité du soleil, ce fan souvent casse-couilles qui pousse l'adoration jusqu'à m'éclairer la nuit, quand le reste de l'humanité, c'est-à-dire pas grand-chose, s'efface sous l'épaisse et vilaine couverture de l'obscurité nocturne.

Mercredi, la bite en sang, et la main gauche calleuse comme un menhir breton, je retrouve la capitale et, rassasié d'égocentrisme, je daigne attaquer un Jeudi qui parlera des autres.

Jeudi, coup de fil d'une jeune comédienne dont je tairai le nom : pas du genre à fanfaronner en direct sur le tableau de chasse invraisemblable dont mon humble carcasse peut se vanter, et ce largement en dehors des frontières hexagonales – je pense notamment à l'équivalent de Céline Dion en Birmanie, avec qui j'ai vécu une torride amourette de onze ans, je pense à la Marie Drucker slovaque, adulée dans son pays, adulée dans mon lit, du temps que je flânais le dimanche sur les berges de la Volga.

Bref, Jeudi, coup de fil d'une jeune actrice dont je tairai le nom, d'autant qu'il est lourd à porter, car lorsqu'on est la fille de Johnny Hallyday et de Nathalie Baye, ce qui représente en soi le plus saisissant oxymore culturel qui soit (je précise pour l'auditeur de Oui FM qui me regarde avec ses yeux de bœuf triplement castré qu'oxymore est *l'expression employée lorsqu'on met côte à côte deux mots ayant des sens opposés et aboutissant à une image contradictoire et frappante pour la représentation comme dans « un silence assourdissant » ; en exprimant ce qui est inconcevable, l'écrivain crée ainsi une nouvelle réalité poétique qui suscite un effet de surprise, en ajoutant de la force à la vérité décrite, n'est-ce pas précisément ce que je viens de faire ?)...* Bref, Jeudi donc, coup de fil d'une jeune actrice doublement fille de, bourrée de talent, et que par pudeur nous appellerons Laura...

À l'autre bout du fil, elle est un peu fébrile, à tel point que mon portable déjà cancérigène semble envahi d'un surplus de mauvaises ondes : la jeune femme digère mal que j'annule nos fiançailles à la dernière minute. En effet, la cérémonie était prévue Samedi, au bloc opératoire-discothèque du docteur Delajoux, à l'endroit même où la hanche de son père fut transformée en tranche de jambon de Parme, manière pour elle de tuer le paternel avant d'entamer une nouvelle dépendance, un nouvel esclavage, celui que j'impose à toute femme désireuse d'unir son destin au mien. Je précise qu'excepté le fait qu'une actrice partageant ma vie soit contrainte de renoncer au cinéma, au théâtre, aux photos nue (et mal habillée), ainsi qu'aux mondanités avilissantes, y compris ce que certains appellent bêtement « les vacances », je suis un type moderne et fort ouvert d'esprit. (Oui, le tricot et la grossesse sont les plus beaux métiers du monde...)

Du coup, Jeudi, Laura chafouine, perdue : mon lunatisme légendaire la plonge dans le panier des chagrins. Pas de lune de miel, on annule ce week-end à Center Parc que j'avais généreusement validé, et la voilà qui pleure son deuil de balade en vélo rouillé dans les ruelles normandes, l'option massage en groupe prévue Dimanche à 17 heures. Fini, oui, tout est fini !

« Ben quoi, Laura ? Tu veux faire la belle ? Tu en laisses d'autres te désirer, recouvrir ton visage d'ange de leurs plus grossiers fantasmes (quand je pense qu'un type à Niort, au gré d'une rediff sur Canal, va pouvoir se vider les roubignolles en voyant ta silhouette se faufiler dans un navet), non, non, non, je t'avais prévenue : c'était eux ou moi. Tu les veux eux, ces chiens, qui toujours te rappelleront d'où tu viens, par qui tu es... eh ben fonce, dégage, allez, allez, va dodeliner comme une catin connue sur les marches du festival de Valenciennes, va minauder chez Denisot, va faire ta star fragile au micro de Mlle Agnès à la sortie d'un défilé de Jean-Paul Gaultier. »

Bon, là, autant dire qu'à l'autre bout du fil, c'était pas Disneyland. Ayant un double appel, à sa question « Y a-t-il encore une chance pour que ça s'arrange entre nous ? », je lui propose d'aller interroger le Seigneur tout-puissant dans l'église la plus proche.

Du coup, Vendredi, miracle : j'ai la preuve que Dieu existe, et qu'il n'est pas très psychologue, puisqu'il a répondu franco à l'égérie de Garrel. Et là, j'arrête mes conneries, c'est pas drôle : moi-même, du temps que j'avais du talent et du cœur, je ne suis pas le dernier à m'être cousu quelques frises sur les avant-bras, on se tait, ça va pas, car on peut être bien né (est-ce vraiment le cas ?) et addict aux maux de crâne, de bide, de cœur, aux vertiges quotidiens et aux sanglots inopportuns... Quelle que soit la vraie raison de son mal (la pire étant de ne pas le savoir elle-même), je souhaite à la jeune femme un prompt rétablissement, en lui rappelant cette phrase que mon père me répétait du temps où je prenais mon poignet gauche pour une sculpture sur bois : « Être désespéré, Laura, c'est manquer de mémoire et d'imagination. »

Voilà, pour elle et moi ce fut une semaine de merde, alors imaginez ce qu'on pense de la vôtre.

Guillaume Gallienne

Vendredi, quel plaisir d'apprendre par la bouche de mon pote Alexis Tregarot le nom de notre invité principal d'aujourd'hui : j'ai nommé Guillaume Gallienne. Guillaume ! Guillaume dont tout le monde parle, qui me fait rire depuis dix ans, mais dont ce pays d'ignares (premier consommateur de Prozac et de Mimie Mathy) a attendu une plombe avant d'aller applaudir le talent, tels des moutons congénitaux, d'abord sur Canal +, à la radio, au cinéma, puis enfin et surtout sur scène, dans ce bijou théâtral dont le titre – rien que le titre – *Les Garçons et Guillaume, à table !*, m'a fait rire 27 minutes, lorsque je l'ai découvert dans le métro. (Bien sûr que je prends le métro, c'est tellement exotique, le métro, j'en parlais ce matin avec Arielle Dombasle – qui vient de le découvrir –, il y a dans le métro des parfums très inspirants ; malheureusement, ajoutait-elle à juste titre, il y a aussi des gens dans le métro, ce qui en diminue l'attrait.) Bref, la roue tourne, mon Guillaume, pour toi comme pour moi. Et de même que du statut de « fils de » horripilant (et pauvre), je suis devenu le saint patron de tous les esprits libres, toi, Guillaume, sociétaire sous-éclairé, recouvert par le lainage protecteur de ton humilité, réservant ton humour délicieusement toxique et ta culture (réelle, j'ai vérifié) à quelques amis névrosés, te voilà refusant du monde tous les soirs et

devenant un sujet psychanalysé par les plus grands jour-
naleux de *Libé*, du *Nouvel Obs* et autres *JDD* (tu ratisses
large, mon cochon). Ton succès est si dense que, cette
année, la plupart des scénaristes se voient dans l'obligation de te rajouter un rôle, fût-il totalement hors sujet,
dans l'espoir que leur projet trouve enfin des finance-
ments ! C'est ainsi qu'on parle d'un volet n° 4 des
Bronzés, en cours d'écriture, et dont le titre provisoire
serait *Les Bronzés et Guillaume, à table !*. De même pour le
prochain *Cœur des hommes, et celui de Guillaume, à table !*,
sans parler de *La vérité si je mens*, rebaptisé *La vérité si je
mens, mais sans mentir, Guillaume, faut vraiment que t'ailles
à table maintenant, tu vois pas que ça va refroidir, tu sais
combien elles m'ont coûté chez le traiteur ces boulettes de
viande ?...*
   Pauvres scénaristes dont je fais tristement partie,
forcés de suivre la vague, quitte à noyer dans l'écume
notre intégrité.

   Samedi, j'ai couché avec ma sœur. Je sais pas trop
pourquoi, ni pourquoi je vous le dis, mais Samedi, sur
un coup de tête, j'ai introduit ma chère cadette. Nous
répétions – tard dans la nuit – son spectacle *Vicky banjo*
(vendredi prochain au Ciné 13, 20 heures, venez nombreux, c'est la famille), et je me suis dit, d'un coup, d'un
seul : Nom d'un cul, cette gamine est jolie, parfois
rigolote et plutôt sensible, on se connaît depuis toujours,
elle me respecte, voire elle m'idolâtre, ce qui n'est pas
désagréable, en prime nos parents sont très proches, pas
de problèmes de belle-famille, de différences sociales et
culturelles, on a reçu pour ainsi dire le même genre
d'éducation (« Fais ce que tu veux, mon fils, mais sois
juste le meilleur »), bref, pas la peine de lui faire avaler
mes défauts, elle les connaît par cœur, ils suscitent
même chez cette princesse des sourires bienveillants,
quelque peu maternels (ma sœur maternelle, c'est une
partouze freudienne de première catégorie), ajoutons à

cela que je ne serais jamais en proie à la jalousie du passé, l'ayant moi-même prostituée pendant des années auprès de mes amis – Trégarot et Benjamin Biolay, ici présents, ne me contrediront pas –, bref, ma sœur et moi, en voilà une idée qu'elle est si bonne qu'on s'en voudrait presque de pas l'avoir eue avant. Dieu qu'on est compliqué ! Le bonheur était là, juste là, dans la chambre à côté, elle me disait « Areu », elle me dira « Encore ! ». Pourquoi diable allons-nous toujours draguer midi à 14 heures ?

Dimanche, je suis là, malgré le décalage horaire thaïlandais, les remords incestueux, les procès avec Nagui, l'absence scandaleuse de nomination au Molière du meilleur plein de choses, scandale à peine compensé par celle de mon actrice Mélanie Laurent, que j'aime d'amour, qui est douée comme personne et qui a le cul si bordé de nouilles qu'elle devrait ouvrir une chaîne de restaurant italien, mais moi, nom d'un clébard castré : que dalle ! même pas un cendrier ou un porte-clefs France 2... Comme dirait l'autre : J'adore mon métier, mais je déteste mon milieu. Enfin je le déteste un peu moins quand je me rappelle qu'il y a des Gallienne dans le coin, qu'on va se croiser cent fois, ringard puis dans le coup, puis ringard, puis ringard... Il y a des jours où un type meurt, qu'on admirait de loin, et on se dit : « Tiens, j'aurais bien aimé être jeune en même temps que lui ! », et puis il y a des jours, comme aujourd'hui, où je regarde mon pote Gallienne, et je me dis : « Ça va être plutôt marrant de vieillir avec lui. »

Voilà, pour moi ce fut une semaine de merde, alors imaginez ce que je pense, par exemple, de la vôtre.

Opération Johnny

Mardi, mon nouvel iPhone – auquel je suis lié aussi passionnément que le chanteur Renaud est lié au pastis –, mon nouvel iPhone que je regarde plus souvent que la silhouette indiscutable de ma jeune fiancée franco-coréenne, une fiancée à qui, tout comme à l'iPhone, je rêve parfois d'ajouter quelques applications utilitaires ou ludiques, genre mode silencieux, profil actualisé, dictionnaire des synonymes et fonction anti-virus de jalousie chronique... Bref, Mardi matin, mon nouvel iPhone a l'honneur de recevoir un texto de Johnny Hallyday.

Je vous le lis : « My friends (oui, il pense que l'anglais le rapproche d'Elvis Presley)... My friends, j'organise petite fête cet après-midi à la clinique Monceau à l'occasion de petite intervention de la hanche ou de l'épaule je sais plus mais ça fait mal, venir accompagné et muni de champagne et fromage de chèvre. PS : Nico (il s'adresse à moi, la classe), sois gentil d'apporter également ta petite d'origine asiatique ou chinoise je sais plus mais elle est bonne, ça fait plus de 15 jours que je l'ai pas essayée. Signé : Jojo ton friend. »

Pas mal. C'est donc les mains pleines de champagne et de chèvre cendré qu'une heure plus tard nous tapons la bise à Bak, le physio du Baron débauché pour l'occasion, puis c'est au tour du maître de cérémonie, le docteur Delajoux, de faire les présentations au milieu d'une cohue de peoples plus ringards les uns que les autres : le fantôme de Carlos n'est pas loin, Jean Roch a sorti son plus beau marcel, Collaro frotte sa panse adipeuse contre celle de Mme Balkany (qui n'est pas la dernière à s'envoyer quelques shots de vodka Absolut entre deux vannes réactionnaires), Bébel trimballe sa femme (de chambre) et le tout Saint-Tropez entame une partie de boules. Johnny, tel le patriarche, prend place sur la jolie table des opérations, décorée pour l'occasion par une farandole de pétales de rose, DJ Abdel – aux platines – lance le compte à rebours (susurré par la voix enfantine de Joey Starr) : 4, 3, 2, 1... et paf, c'est parti... Le spectacle n'est pas décevant ! Le docteur Delajoux (smoking fuchsia) nous régale d'une petite charcuterie techno-médicale sur la hernie purulente de l'illustre rocker qu'on a anesthésié – quelle belle idée ! – grâce au shit marocain ramené à l'instant par Natasha Saint-Pierre, que toute la bande des Enfoirés utilise comme mule pour approvisionner leur tournée philanthrope... Bref, Johnny s'enfume jusqu'à l'os infecté, le docteur Delajoux l'opère au rythme d'un slam, le tout en accord avec le DJ pour que le dernier point de suture soit effectué pile au moment d'un gong final ! Après quoi, Johnny, hilare (bourré), réclame ma fiancée dans l'espoir d'une récompense buccale qui a fait la réputation de la petite jusqu'en Asie centrale. Ma jeune adorée, réprimant un sanglot vomitif déclenché par la vue du sang, fût-il celui d'une star, est contrainte de refuser, et le vieux bougre, non sans ronchonner, doit dès lors se contenter de sa femme Laetitia, sous les huées vexatoires de notre joyeuse bande.

Ce fut un bel après-midi, et nous sommes tous rentrés titubant avec au fond de l'estomac cet éternel refrain : Décidément notre Johnny, il fait des pires péripéties de la vie une putain de bamboula, la vie est une fête, pourvu que ça dure ! Il s'en remettra ! Non ?

Samedi, tournage de l'émission « Salut les terriens » présentée par notre invité de ce soir, l'ex-héroïnomane-ex-misogyne-ex-royaliste-ex-pédophile syphilitique Thierry Ardisson (à qui je tiens la main car il revient de loin). Cette semaine, dans un souci de cohérence intellectuel et artistique qui fait toute sa force, « Salut les terriens » accueillera Robert Badinter... Et Titoff. Puis une jeune myopathe sodomisée durant vingt-trois ans et douze jours par un député radical-socialiste du Var. J'apprends que cette dernière remplace au pied levé Michel Boujenah, qui n'était pas libre. L'ancien garde des Sceaux succède, lui, à Fabrice Santoro accouplé à Benoît XVI et au sosie de Philippe Bouvard, puisque Umberto Eco ne souhaitait plus être associé à Thomas N'Gijol, dont Jean d'Ormesson disait le plus grand bien deux semaines plus tôt, sous le regard approbateur de miss France et Patrick Balkany. La preuve qu'à la télé, comme dans le théâtre privé, il est de plus en plus acrobatique de constituer une belle affiche.

Voilà, pour moi ce fut une semaine de merde, alors imaginez ce que je pense de la vôtre.

Nicolas Rey

Lundi, après le très charmant *Roman français* de Frédéric Beigbeder, dans lequel il relate les conséquences philosophiques de sa garde à vue (suite à ce trait de chlorhydrate de cocaïne sniffé pépère sur le capot d'une Renault 5)...

Après le très mise-en-abîmé *Lunar Park* d'un Bret Easton Ellis sous crack, après les nouvelles « Lendemain de cuite » de Jay McInerney, après celles de Carver qui ne buvait pas que de l'eau gazeuse, après les trips sous LSD de Hunter S. Thompson, après les Blondin, Lowry, Musset, Byron et autres Charles Cros, les concours de vodka entre Hemingway et Fitzgerald, les pièces cul-sec d'Ionesco, les délires haschichés de Rimbaud, les perce-cœur poétiques d'un Verlaine au cerveau cuit comme une poire (Williams) par la défunte absinthe...

Voici le déchirant récit post-alcoolique de mon ami Nicolas Rey, bref, comment vous dire que Lundi : énorme envie de me péter la gueule ! De m'en foutre plein les veines, de me faire sucer par de minuscules Chinoises dans des taudis syphilitiques, d'échanger des seringues avec le fantôme de Guillaume Dustan, de me faire pisser dessus par celui de Gainsbarre, de tracer des lignes blanches dans un vieux cahier noir sous le regard hagard de tous les pseudo-Bob Dylan de notre morne capitale.

Lundi soir, donc, c'est parti : on s'en fout plein la lampe avec tous les Bukowski du pauvre convaincus que la gnole et la dopamine en barre sont l'encre des plus lucides déjections introspectives, des confessions flash, abrités derrière le principe selon lequel « Oui, j'parle de moi, mais quand j'parle de moi, j'parle de lui, et lui c'est eux, et eux c'est toi, donc en me lisant tu te confies à toi-même, tête de nœud, mais enfin te compare pas à moi, toi, quand même, parce que, merde, moi c'est moi et moi, c'est mieux, etc. ».

Alors je passe de Stalingrad au Baron, des cailloux psychotiques au whisky hystérique, des putes payantes aux putes gratos, d'Abdel Bidul à Gilles Lellouche, et ça tournicote en gerbant, ça baisouille en fouillant dans nos méninges brûlées un embryon de vérité. C'est là qu'entre deux vomissures, je dégaine quelques feuillets, je sors une plume toute chaude d'un vagin obséquieux, et paf je crée.

Sauf que...

Mardi midi, réveil, dégueulage, allumage d'un mégot esseulé dans le cendar, re-dégueulage, cherchage du cahier (quelques bouts de PQ noircis avant le trou noir de mon hoquet final), que lis-je : que dalle ! Ou plutôt, presque rien : deux trois formules toc vachement impérissables du genre « La nature est une belle pute », avec un peu plus loin sa variante « Le monde est une sacrée salope », souligné trois fois. En dessous de quoi je déchiffre avec peine le numéro de portable de Vincent McDoom, griffonné juste à côté de celui de Régine (on a bu tant que ça ?), puis j'ouvre un œil : Pierre Palmade, enroulé comme un nem dans mes draps humides, m'envoie quelque regard de biche, une biche qui semble murmurer : « Tu vois quand tu veux ? C'est pas si terrible ! » Du coup, re-re-dégueulage déclenché par un moi strictement homophobe. Sur le plan littéraire comme sur le plan privé, j'aurais mieux fait d'avaler une tisane en écoutant les *Variations Goldberg*.

(Je rappelle à Palmade, qui m'écoute chaque Dimanche et dont je connais le caractère procédurier, que ce récit de mon Lundi, tout comme celui de mon Mardi, n'est qu'une méchante fiction, un jet de mots ivres balancé sur la toile, en hommage à mon Nico, qui a bien fait d'attendre que son cœur soit lavé, son corps dépollué et que ses mots retrouvent toute leur nécessité, mon Nico qui ne fait jamais rimer autofiction avec exhibition, lyrisme avec verbiage, mon Nico tout beau tout neuf, enfin presque, et que j'aime et qui m'aime, et qu'on s'aimera à la Badoit aussi fort qu'on s'est plu sous ecsta.)

Jeudi !
Jeudi, constatant depuis longtemps le bien fou qu'aura fait la paternité à la carcasse rouillée de mon copain Nicolas Rey (je te lâcherai pas), face au regard énamouré que le petit Simon – bouille de gosse Walt Disney – inspire à son papa, le sortant de ce que les badauds du Flore appellent une mauvaise passe – mauvaise passe qui, je le rappelle, lui valut dans le temps une réputation de très bon coup... bref, constatant cette jeunesse que Nico s'est auto-insufflée à travers son bout de chou (fabriqué avec l'aide hospitalière d'une assez jolie dame), Jeudi, donc, à 10 heures, je décide d'avoir un fils. Et pourquoi pas ?

Seulement, pas question d'accouchement, de femme fragile braillant sa douleur comme une truie, les cuisses écartelées sur un brancard tétanos dans une clinique ruineuse, avec visite des grands-parents forcément plus lourds que les miens (qui sont décédés), tonton tata pipa caca plouf. Non ! Pas question du bébé (souvent inculte) posant les mêmes questions : Papa, pourquoi maman elle pleure ?

Non, Jeudi, moi je pars à la conquête d'un môme certifié « drôle », « sensible », amateur de Tchaïkovski, pianiste à l'occasion, joli coup de crayon, physique plaisant aux petites filles, petit, certes, mais TRÈS fort. Je parcours donc jusqu'à 14 heures les allées du parc Monceau, j'en dégote un dans les buissons, malicieux, caustique, très beau, top... mais noir. Je le rebalance illico dans l'étang, et glane un blanc-bec de neuf ans qui fait presque la blague. Bingo ! Sauf que sa mère – très maternelle – rechigne, je la frappe de toutes mes forces, le gosse se marre (preuve qu'il a de l'humour), elle tombe dans les pommes, il jubile, et nous voilà partis, lui et moi, dans un débat génialement précoce sur l'avenir du cinéma français en descendant d'un pas léger l'avenue des Champs-Élysées. Je l'abonne au théâtre du Rond-Point, puis lui fais avaler, en traversant le Louvre, l'ensemble des romans de Paul Morand, pourvu qu'il ait – comme il se doit – le cœur à gauche et le style bien à droite, avant de finir au Montana, avec tonton Biolay et tata Beigbeder.

C'est vers 5 heures du mat, alors que, prudent, je lui laissais le soin de prendre le volant de ma Mégane, que m'a traversé l'idée que c'était pas une bonne idée, qu'on ne s'improvise pas papa en trois mandales et deux vodkas-fraise, qu'il fallait bien du courage et du temps et du cœur pour jouer les héros quand on sort d'une vie trouble...

C'est pourquoi, Vendredi, après avoir déposé le petit – ivre mais sans contusions – devant les grilles du parc Monceau, Vendredi, je n'étais plus père, rien dans les mains pour cicatriser mes plaies, pour faire de moi un type plus noble et plus sein que Lundi, rien excepté une chose sans prix, vachement considérable : c'est l'estime que nous inspirent certains de nos amis, une estime qui, loin de nous recroqueviller sur nos insuffisances, au contraire nous grandit, nous souffle un lendemain

meilleur – « Puisqu'il l'a fait, je peux bien essayer »...
Quelqu'un a dit : « Un frère est un ami donné par la
nature », et quand je lis un roman de Nico, ou quand je
vois la main qu'il égare tendrement dans les cheveux de
son Simon, ça vaut bien une ébauche de psychothé-
rapie : c'est un miroir de l'avenir qui déjà me sourit.
Bon courage, mon frérot. Je t'aime.

Voilà, pour moi ce fut une semaine de merde, alors
imaginez ce que je pense de la vôtre.

Régis Jauffret

Lundi, endossant soudain le rôle de « critique », à la demande expresse d'Alexis Trégarot, je tiens à dire – haut et fort – le plus grand mal de l'œuvre de Sylvain Chamoux. Personne ne peut imaginer à quel point ce type mérite d'être dénoncé, pour la simple et assez bonne raison que personne sait qui c'est. Voilà d'ailleurs, à la rigueur, la seule chose que l'on peut mettre à son crédit : Sylvain Chamoux n'aura rien fait – mais alors rien du tout – pour qu'on parle de lui. Sylvain Chamoux n'a pas écrit un seul mauvais livre (vous me direz qu'il n'en a pas non plus écrit un bon, ce con), Sylvain Chamoux n'a jamais eu le courage de se présenter à la moindre élection, devant le moindre jury, fuyant la célébrité avec autant d'obstination que je fuis l'anonymat, bref Sylvain – qu'il en soit remercié – n'est personne. Mais serait-ce une raison pour n'en dire aucun mal ? Non, je regrette. De même que les nains ont eux aussi le droit d'être giflés (l'inverse les vexerait : connaissant bien les nains, n'en doutez surtout pas), eh bien, je ne vois guère pourquoi nous priverions d'un éreintement les inconnus au bataillon. Au contraire, esquinter ce vil manant me paraît nécessaire du fait même qu'il sévit dans la plus dangereuse discrétion. Seuls ses proches (je pense à sa femme, Isabelle, et à ses deux enfants) savent la vilenie dont il est capable.

D'abord, Sylvain Chamoux n'est pas drôle. Jamais. Je mets au défi quiconque parmi nos nombreux auditeurs de s'être jamais esclaffé à l'une de ses blagues. Il les commence par le milieu, la chute traîne une plombe avant d'être gâchée. Bref, n'allez jamais voir Chamoux en spectacle. D'autre part, Sylvain Chamoux baise comme un con. Pareil que pour ses blagues, ça traîne, d'abord trop lent, puis Isabelle n'a pas le temps de préparer sa montée vers l'orgasme que Chamoux vient de finir son affaire, penaud pour la 300e fois de pas sentir sa femme, qui elle-même ne peut plus le sentir, mais, comme il ne sent pas davantage l'exaspération qu'il inspire à cette charmante attachée de direction, Chamoux prolonge son échec conjugal indéfiniment, et cela sans qu'aucune critique vienne siffler la fin de l'imposture ! Eh ben, c'est chose faite !

Vous me direz : « Pourquoi t'acharnes-tu ? Cet homme n'est pas méchant ! », et je vous répondrai : « Mireille Mathieu non plus, Patrick Fiori est adorable, mais doit-on pour autant vanter leur talent musical ? » La plupart des artistes que la presse défonce à longueur de page sont souvent de bons parents, bons copains, bons citoyens, mais quand ils font de la merde, on prétend pas que c'est de l'or. Chamoux ne fait QUE de la merde ! Voilà plus de quatorze ans qu'il bosse comme conseil juridique dans la même société, vous pensez qu'il a progressé ? Une augmentation ? Une promotion ? Que dalle ! Quant à son style littéraire, ses derniers textos sont d'une telle platitude ! Pas plus tard que ce matin, alors qu'Isabelle lui demandait s'il avait pensé à faire réviser la voiture, qu'a répondu ce pauvre Chamoux (ne s'embarrassant d'aucune ponctuation !) ? « Yes C fait, la récup ce soir, love. » Du grand n'importe quoi, au mépris flagrant de sa lectrice (et de la conjugaison). Chamoux nous vend de la merde, et encore de la merde : un bout d'anglais trivial cuisiné aux abréviations d'un autre siècle. Une fois de plus, Chamoux échoue, perd, tombe, crève. Et je devrais l'encourager ? Non, chers auditeurs, je vous demande solennellement d'éviter le 13 rue Trousseaux, dans le 11ᵉ (où ce connard habite), je vous conjure d'éviter également la pharmacie des Sports de l'avenue Boileau, ainsi que le bistrot Scopic, place des Valères (c'est ici qu'il picole le pognon que la société – c'est-à-dire moi, toi, nous – lui concède depuis bien trop longtemps).

Tous ceux qui m'écoutent savent désormais quoi penser de ce M. Chamoux, triste personnage qui réfléchira à deux fois avant de me doubler rue Guynemer (ce qu'il a osé faire la semaine dernière), concluant notre échange orageux par un bras d'honneur que je n'ai toujours pas digéré.

Vendredi, après la lecture réjouissante de Régis Jauffret, grand écrivain ici présent, dont le dernier roman *Sévère* s'inspire de l'affaire Stern (milliardaire suisse assassiné par sa maîtresse), je me dis que le fait divers a la cote en librairie, qu'il donne l'impulsion d'excellents bouquins, de Capote à Ellroy (à côté de qui Régis ne devrait pas rougir).

Du coup, Vendredi soir, en opportuniste-né, je me lance à la recherche d'un fait divers pour ma cuisine perso, sauf que mon éditeur – mi-cuistre mi-banquier – me rappelle aussitôt que c'est l'autofiction qui a fait mon succès.

Voilà pourquoi, samedi matin, j'ai pris le parti de faire deux pierres d'un bon coup en glissant dans ma propre vie un sordide fait divers, dont je serais à la fois le narrateur et le personnage principal.

Vous comprendrez ainsi pourquoi, Dimanche, j'ai buté ma mère après l'avoir glissée dans une combinaison de latex rose bonbon, rapport aux sucreries qu'elle m'empêchait de sucer.

Avant ce chapitre central, je lui avais donné rendez-vous pour boire le thé, la mettant en confiance grâce à ce rituel bourgeois : un thé vert dans mon coquet appartement du Marais, voilà qui ne pouvait inspirer sa méfiance, si l'on excepte ma présence, assez raréfiée en cette période de travail acharné et de fornication obsessionnelle. Mais elle a gobé ma salade, me conseillant gaiement de presser un citron dans cette théière Mariage frères qui m'a coûté la peau du fion. C'est au moment d'aller lui chercher une petite cuillère Christofle que je suis revenu avec un couteau de boucher Conforama : fini la glande sophistiquée, place au sport primal ! À ce moment précis (qui fera cinq chapitres dans le bouquin), je porte une cagoule de laine blanche, précaution ridicule quand on sait que cette femme me connaît comme si elle m'avait fait (à tel point qu'elle parviendrait à dissocier mon style de celui de Patrick Besson ou de Régis Jauffret, je parle de littérature et non de sexualité). Là, je l'embroche sans scrupules, tentant pour garder bonne conscience d'oublier que cette femme a couvert mes mensonges devant mon paternel du temps où je séchais l'école pour aller déflorer je ne sais quelle graine d'aristocrate rue du Faubourg-Saint-Honoré. En découpant ma maman, je tente plutôt de me motiver en me rappelant ce jour où elle m'a oublié à la sortie de l'école, repaire de cathos fascisants dans la région de Vaucresson où mon père, gauchiste schizophrène, avait décidé de nous élever, ce qui revient à enfermer Éric Zemmour dans un gîte du Larzac avec Eva Joly et José Bové.

Dimanche, c'est donc les mains pleines de sang familial que je viens à ce micro vous rappeler – de concert avec Régis – que rien ne peut freiner la création littéraire, noble profession qui jamais ne se nourrit de trop bons sentiments (y a qu'à lire Marc Levy, on lui souhaite un carnage). D'autant qu'en ce qui me concerne, contrairement à Régis, personne n'ira cette fois-ci me reprocher de méconnaître la vérité de l'affaire et les détails de l'intrigue : c'est Mon service à thé, Mon couteau et Ma mère. D'ailleurs, si tu m'entends : pardon, petite maman, mais n'oublie pas que c'est toi qui toujours m'incitais à prendre en considération le plaisir de mes lecteurs, je t'entends encore me dire : « Le travail avant tout, Nicolas, l'Art d'abord, la vie ensuite, ne perds pas de temps avec l'amour : chaque minute dans les bras d'une grognasse, c'est une réplique de moins. » J'ose donc espérer que tu ne m'en veux pas trop et que, très bientôt, de là-haut, tu goûteras ma prose, fût-elle dictée au parloir de Fleury-Mérogis.

Allez, Régis, je vous laisse : j'ai une cavale à vivre avant d'écrire le tome 2.

Voilà, pour moi ce fut une semaine de merde, alors imaginez ce que je pense de la vôtre.

La dernière

Oui, une dernière semaine mytho sur Oui FM avant l'été, soi-disant avant de reprendre à la rentrée, mais quand on sait le nombre de nymphomanes à la santé douteuse que Tregarot a prévu de visiter sur les plages de Formentera au mois de juillet, il y a fort à parier pour que cette émission soit la dernière tout court.

Ajoutons que la télé me drague comme une viande saoule traînant sur la piste en fin de nuit au Montana, et que le prix qu'ils sont prêts à payer pour ma prose débridée dépasse de loin le cachet misérable cédé la mort dans l'âme par notre président Arthur, esclave radiophonique que nous sommes depuis un an, ce qui fait rire nos auditeurs mais file la gerbe à mon banquier. Je me dis vraiment qu'en septembre, Alexis, Benké et moi ne nous adresserons sans doute plus la parole, ou alors de loin, comme ça, à la sortie de Pôle emploi pour eux, à la sortie de chez Costes pour moi.

Bref, Lundi ! Coup de fil de Raymond Domenech qui me demande quelques conseils en vue du match de jeudi qui opposera la France, cette belle équipe soudée, motivée, humble et majoritairement blanche, à cette inoffensive petite bande mexicaine*. « On va les

_____
* Deux à zéro pour le Mexique.

carboniser, ces bouffeurs de piments », me dit Raymond, très à l'aise au bout du fil. Je lui demande comment ça va :

« Comment ça va, Raymond ? »

Il me dit : « Écoute, pas mal. On se les gèle, mais Dieu est avec moi. J'emmerde tout le monde, je chie sur le peuple, un peu comme toi après 3 heures du mat, mon Nico, quand je te croise avec Christine Bravo (ici présente) traînant vos ivresses grimaçantes dans tous les bouges de la rive gauche. Voilà, mon Nico, je suis au foot ce que Georges-Marc Benamou est au monde intellectuel, ce que Hitler est à l'histoire, c'est-à-dire un énorme pestiféré qui vous EMMERDE, un incompris qui vous dit "Suce mon doigt", et moi, perso, je kiffe. De toute façon, Jeudi, tout l'monde va fermer sa grande gueule, on va niquer les Mexicos en 20 minutes et on sera en finale, et *L'Équipe* titrera : "Raymond, Pardon". »

Il rajoute : « En revanche, depuis que les Blancs ont été interdits de maillot, j'me sens un peu minoritaire. » Je comprends, mon Raymond. Moi, c'est pareil avec mes potes, depuis qu'ils ont tous arrêté de boire, donc de rire et de produire, j'me sens un peu minoritaire. C'est là que je lui refile – comme avant chaque match depuis deux ans –, quelques judicieux conseils du genre : Reprends Govou, mise tout sur Anelka, laisse cette fiotte de Gourcuff sur son banc de tapette, avec Thierry Henry et tous les trous-du-cul, par contre mets Gallas en attaque, ça va faire des étincelles. »

Bon, Jeudi, ça s'est pas passé comme prévu, du coup, Vendredi, je prête ma maison de Calvi à Raymond qui va jouer les Yvan Colonna en cavale pendant les trente ans à venir, Estelle Denis le quitte aussitôt pour Nagui, le fake man le plus bankable du service publicitaire de France 2. Nagui, grand copain de l'imminent futur patron de France Télévision, Alex Bompard*, qui va à coup sûr nous faire bouffer du Nagui matin midi et soir, ce qui risque de provoquer chez moi une réaction cutanée ou, pire, de déclencher une sorte de virus du sida cérébral, un truc qui s'attrape quand tu trempes trop longtemps ton regard dans la merde**.

Mercredi – eh oui, je passe de Vendredi à Jeudi, et je retombe sur Mercredi, mais comme c'est la dernière et que, de toute façon, Christine Bravo est déjà en train de rouler sous la table, je peux bien mélanger les jours de la semaine... D'ailleurs, ma vie elle-même est un cocktail hétéroclite et imbuvable : je passe mon temps à ressortir avec mes ex, ce qui me donne l'impression, en me réveillant le Dimanche matin, d'être revenu à mon Lundi dernier, et dans le genre machine arrière, j'envisage d'ailleurs de retourner un jour dans les entrailles sucrées de ma mère, la seule bombe de Paris que je n'ai jamais pénétrée, la seule qui mérite de me garder.

Jeudi, je retrouve mon ami Jean Dujardin à Saint-Germain et, Jeudi, je vire définitivement ma cuti. N'en jetons plus : fini les actrices pleines de gloire ou d'amertume, césarisées ou sous-employées, les cérébrales, les instinctives, les théâtreuses et les Actors-Studieuses, les dragueuses ou les intègres, les frileuses et les grandes-gueules, fini les midinettes de luxe qui

---

* C'est finalement Rémy Pflimlin qui succéda à Carolis. Mais au moment où j'écris cette énième vacherie sur Nagui (que j'embrasse), Bompard est dans les petits papiers, c'est-à-dire en train de bronzer sur un transat dans les jardins de l'Élysée : « Carlita, murmure-t-il, t'aurais pas de l'écran total ? ça commence à cogner. » Oui, vous n'allez pas me croire (je m'adresse aux Anglais), mais en France, c'est le président de la République – fût-il Nicolas Sarkozy – qui choisit lui-même le patron de la télévision publique.
** Contrairement aux apparences, Nagui est un ami.

La dernière

traînent leur beauté suffisante entre deux cafés bio dans les rues de Saint-Paul ; non, remise à jour du logiciel de ma célèbre libido : Jean Dujardin est beau, drôle, humble jusqu'à la grâce, il me soulève avec un bras, le charme tombe de ses yeux comme une pluie radioactive, avec lui pas de chantage hebdomadaire : « Quand est-ce qu'on fait un niard ?! », pas d'horloge biologique, on adore la vodka, on se frappe tendrement au visage avant de s'introduire, il peut me payer un loft au dernier étage de la place des Victoires en deux comédies tordantes, et puis il a de beaux pieds, ce qui est très rare chez un homme.

Jeudi, je surkiffe Dujardin, et je me félicite de voyager à travers tous les sexes que la nature a mis à notre disposition, j'ai connu les vrais seins qui pointent, les faux seins qui pendent, les lèvres plates et botoxées, je connais désormais ce plaisir inédit d'une belle grosse bite s'immisçant avec joie dans mon rectum timide, et au final fort magnanime. Mon début d'année fut fauché, cette fin d'année sera pédé ! Le chemin parcouru est immense.

Samedi, j'annonce la nouvelle à mon ami Alexis, mon petit Trégar du dimanche, je le regarde pleurer, lui qui monta cette émission dans le seul but de me plaire et de me croiser ne serait-ce qu'une fois par semaine, et qui me voit partir avec un James Bond parodique ! Oui, la vie est une pute, Alexis, tu le sais bien, c'est un proverbe bruxellois, en hommage à toutes ces salopes de Bruxelles qui veulent, puis ne veulent plus, qui grimpent dans le manège en précisant d'avance qu'elles vont très vite en redescendre, dont la chatte porte déjà en elle des relents de chagrin – eh oui, mon Alex, on a souffert, cette année, mais on a fait souffrir aussi, Romain Gary disait : « J'aime les amours réciproques, mais je ne prétends pas au luxe. » D'accord, Jean et moi nous aimons, mais on patauge dans le précaire, l'instant fragile du « Est-ce possible ? », nos cœurs battent quasi au même rythme, mais je sais déjà que l'un de nous deux va péter l'harmonie, et entreprendre un bœuf avec je ne sais quel technicien de cinéma, peut-être est-ce moi qui butinerai sans scrupules une jeune acrobate à la sortie du Cirque d'hiver, et tout repartira en couilles et en nibards artificiels, et je reviendrai, mon Alex, l'œil humide et la morve au coin du pif, je te dirai : Allez, viens, pomponnette, pardon pour la télé, pardon pour Dujardin, pardon pour toutes celles que je ne t'ai pas permis d'être, remontons une émission sous-payée sur Oui FM, quitte à s'agenouiller devant Arthur – qui n'est pas si mauvais !

Dimanche, je vous embrasse tous, tous ceux que j'ai allumés pour jouer, mes victimes de papier : Carla Bruni-Sarkozy et tous les fantômes de son passé si romanesque, Bernadette et son présent qui l'est moins, Brice Hortefeux (les roux de manière générale), Helena Noguerra – dont la beauté éternelle pourrait en faire la première candidate quinquagénaire de l'émission « Graines de star », les Juifs pro-juifs et les Arabes pro-arabes, Éric Naulleau (dont les compliments sont aussi navrants que les méchancetés), Nagui, cette victime d'un pari imbécile qui ne m'a jamais rien fait à part naître et qui doit être un type sensationnel pour son meilleur ami, Foenkinos mon chéri, Annick et Mélanie Laurent, Benké, Arthur, ma sœur que j'adore et qui trime, ma mère que j'ai verbalement violée dix fois dans ce micro, Clémentine la Shoahtiste, Izia et sa voix, Facebook toujours, et enfin mon cher petit papa que je remercie solennellement de n'être pas mort cette année, une fois de plus, et dont c'était l'anniversaire cette nuit. Il vient d'entamer devant nous une folle liaison avec Jane Fonda : à leur âge, c'était vraiment inespéré, mais c'est une autre histoire, peut-être la première de la première semaine de la prochaine année.

Voilà, pour moi ce fut une année de merde, alors imaginez ce que je pense de la vôtre. À la vôtre !

Comment j'ai tué...
(nouvelles parues dans L'Officiel de la mode*)*

Angelina Jolie

Je m'appelle encore Élisabeth Blum quand je rencontre celle qui s'appelle encore Angelina Voight dans un bar new-yorkais, vers 22 h 20. On n'a pas quatorze piges. J'ai l'air d'une gamine torturée, elle a déjà le regard d'une bombe dominatrice. On fait tout ce qu'il ne faut pas, on bondit en s'esclaffant par-dessus les limites de la morale américaine. De toute façon, rien à perdre, personne à décevoir – son père célèbre est plus souvent à la télé qu'au bout du téléphone, sa mère déconne autant que sa fille, alors welcome le sexe, surtout pour elle, bonjour la came, surtout pour moi, et vive la moindre entreprise créative un tant soit peu transgressive. Je lui prête mes pulls noirs, mon rouge à lèvres noir, ce qui ne veut rien dire, je retape mes pantalons en cuir pour que ses jambes de rêve ne flottent pas trop dedans, je lui teins les cheveux en violet et lui fais danser le mosh. Je ne souhaitais même pas être styliste, mais habiller Angelina me donnait le sentiment de l'envelopper de mes mains nues, et quand elle enfilait mes écharpes, n'est-ce pas moi qu'elle enfilait un peu ? J'avais encore un autre atout : elle adorait mes dessins. Pourtant, en ce temps-là, il n'y a qu'un seul motif qui inspire mon fusain : le visage d'Angelina et tous les trésors qu'il contient.

Encore aujourd'hui, ma peau change de relief en

pensant à celui de sa bouche, une bouche qui vaut trois tailles de poitrine, douze parfums, mille bouteilles de vodka, et une ligne de cocaïne longue comme la muraille de Chine. Je la peins, je la sculpte, je la réinvente dans l'argile, l'aluminium, les pommes de terre, j'aurais pu embrasser mon étron s'il avait revêtu la forme céleste de ses lèvres. Elle savait très bien combien je la voulais, j'étais la première pierre d'un gigantesque monument de désir qu'elle allait porter sur ses frêles épaules en donnant l'impression de tenir une plume sur la paume de sa main. Les mains d'Angelina. Le cul d'Angelina. Ces mots viennent de me faire chialer une centaine de souvenirs.

Les années 90. On partage une piaule à L.A. – pas de baignoire, la porte ne ferme pas, j'aperçois sa silhouette sous la douche, je lui balance une serviette comme on balance un mot d'amour. Elle ne l'enroule même pas autour de sa taille – la taille d'Angelina –, non, elle se tamponne avec, un coup entre les seins – les seins d'Angelina –, un coup sur le ventre, elle sait que je mate, que je mate de toute mon âme, que mes yeux sont des pelles qui piochent sur son corps les délires ensorcelés de mes nuits à venir. Elle sait que le soir, en silence, j'entremêle le sourire et les larmes, et que mon cœur recèle le plus beau scénario de l'histoire du cinéma, mélange de frustrations, de ravissements, de chagrin abyssal et de douceur orgasmique, le tout par la seule opération de la pensée. Car, sur son front, elle a gravé « Ne pas toucher ». Comme sous une toile dans un musée. Je suis sa première visiteuse, et bientôt sa conservatrice. Dans sa vie, les hommes passent et trépassent. À son mariage éclair avec ce connard de Jonny Lee Miller, j'utilise son propre sang pour écrire le nom du veinard sur sa chemise blanche. Plus tard, elle dira joliment : « On se trompe toujours en amour quand on ne sait pas encore qui nous sommes vraiment. » Certains ricanent sûrement, mais pour moi, une phrase d'Angelina, c'est comme un geste d'Angelina : les plus triviaux deviennent beaux. Alors, je l'écoute sans relâche : la paix dans le monde, le bouddhisme, la liberté sexuelle, les hommes, les femmes... Je l'entends qui tournicote autour de la notion de bisexualité, j'attends qu'elle ose, je rêve qu'elle flanche.

Malheureusement, elle va flancher sur les lèvres d'une autre. Jenny Shimizu, sa partenaire dans le film *Foxfire*, rafle la mise de son penchant saphique. Et je poirote dans l'onanisme comme un démon au purgatoire.

La foule se presse : sa prestation de psychotique sublime dans *Une vie volée* (film où elle vole littéralement la carrière de Winona Ryder, ravissante poupée qui a soudain l'air d'un bonsaï à l'ombre d'un palmier), lui apporte la gloire, l'oscar, et des dizaines d'admiratrices dans mon genre, mon sous-genre. Le silence du désir emplit le moindre restaurant où elle fait son entrée. Les chauffeurs de taxi qui nous ramènent à l'hôtel se trompent d'itinéraire, rien que pour lécher du regard le spectacle saisissant que reflète leur rétroviseur. Moi, je suis la petite en sueur, à côté.

Les années 2000. Je ne possède rien d'elle, voilà bien longtemps qu'elle ne pose plus sur moi qu'un regard hasardeux. Mes sarcasmes ne la font plus rire, alors je me tais. Maintenant, je ne suis qu'un regard. Permanent. Ma fonction : la désirer. Alors, il va falloir que je trouve une combine avant qu'elle ne me chasse. Je ne veux pas finir comme standardiste du fan-club. Qu'ai-je fait de mes talents ? Un matin que je ressasse ce proverbe latin, *Quod me nutrit me destruit* (Ce qui me nourrit me détruit) en pensant à elle – pour changer –, je l'écris sur un Post-it. Une heure plus tard, en réveillant sa longue carcasse devant un bol de céréales, elle va tomber dessus, persuadée qu'il est de moi. « C'est beau, Lisa, ce que tu as écrit là. C'est si beau que j'aimerais garder ces mots sur moi, en moi, jusqu'à la fin de mes jours. » Qu'à cela ne tienne ! Voilà des années que je rêve en secret de peindre sur sa peau. Balader mon pinceau dans les moindres recoins de son dos. La plus belle toile encore vierge dont je puisse rêver. Je me suis donc ruée à ce stage de tatouage, sur Sunset Boulevard. Une semaine de surexcitation. Trois jours à pratiquer sur d'infâmes boudins, en me raccrochant à l'idée que ces repoussantes créatures constituaient le brouillon d'une œuvre majeure.

Il fallut la faire boire pour qu'elle s'allonge sur mon billard. Ma délicatesse extrême lui permit de s'endormir, et je bénéficiai d'une heure par lettre, dégustant chaque plein et chaque délié, approchant mon grand pif de l'encre encore fraîche. J'aurais pu me noyer dans son dos, que les soupirs du sommeil faisaient onduler subtilement. Puis elle se réveilla. Qu'allait-elle en penser ? Sa gueule de bois n'entama pas son enthousiasme et ce fut le début d'une longue série calligraphique dont j'étais le maître d'œuvre, souvent la rédactrice, toujours l'artisane.

Pendant le tournage de *Lara Croft*, il y eut cette citation de Tennessee Williams : *A prayer for the wild at heart, kept in cages* (Une prière pour les libres dans l'âme gardés en cage), que je lui gravai sur l'épaule – les épaules d'Angelina ! – en présence de sa mère. Il y eut le prénom de son premier mari, Billy Bob, au-dessus de son origine du monde, ainsi qu'une fenêtre tatouée tout en bas du dos qu'elle effacera par la suite, s'embourgeoisant dans des films bien sages signés De Niro ou Eastwood. La fin de la période punk sonnait doucement le glas de ma période Angelina, de ma période « J'aime, je vis, je sais qui j'aime et pourquoi je respire ».

Ironie du sort, ma dernière œuvre angélinienne porta le nom de celui qui allait me la voler. Maddox, premier avorton adoptif pêché au large du Cambodge. En gravant ces six maudites lettres, j'hésitais entre le suicide par pendaison ou par noyade. Je n'étais déjà plus l'artiste de son corps, mais l'une des ombres « baby-sitteuses » larguées à l'arrière de son jet privé (Angelina pilote sans permis, Angelina pond des mômes sans baiser, Angelina joue dans des films sans tourner – *La Légende de Beowulf.*) Elle nous traîne d'Afrique en Asie, de famine en pauvreté, de peste en choléra, au gré de ses velléités humanitaires. À chaque peuple en souffrance, un marmot en gage : Pax pour le Vietnam, Zahara pour l'Éthiopie. Et moi, je les suis, sans même approcher la jolie. Et vas-y que je me tape la visite des camps pakistanais pour réfugiés afghans ! Et vas-y que je chôme mon Thanksgiving pour observer les conséquences du séisme de 2005 au Cachemire ! Combien de voyages épuisants à essuyer les commissures de tous ces braillards peu catholiques pendant que la belle roucoule à l'avant, au bras du mari de Jennifer Aniston ?

Combien de fois me suis-je fait percer la couenne par les moustiques du Zaïre, sous une chaleur micro-ondée et dans des conditions indignes d'une native de Boston, tout ça parce que la conscience de ma patronne l'obligeait à voyager « de la même manière que les plus démunis ». Et nous voilà troquant les suites du château Marmont contre une tente dégueulasse au fin fond de la Namibie. Fuck ! Ramassant les miettes du couple vedette, ayant à peine de quoi me payer mes doses, je les voyais en prime laisser un million de dollars à chaque peuple plaintif, comme on laisse un pourboire au bagagiste de l'hôtel qu'on quitte.

Pour moi, il n'y eut pas de pourboire. Un samedi, à 9 heures, je fus virée. Par mail ! Elle se débarrassait de tout : plus d'agent, plus d'assistante facultative, notre nombrilisme joyeusement rock'n'roll avait bel et bien cédé la place au sérieux de l'engagement planétaire. La belle qui me faisait jouir à distance en roulant des patins à Banderas dans *Péché originel* incarnait désormais la sobre Mariane Pearl dans *Un cœur invaincu*, ce qui n'était guère le cas du mien. Fini les cheveux violets, les fioles de sang, les prières en khmer tatouées sur la cuisse gauche, Madame recevait le prix de la Paix décerné par l'International Rescue Committee. J'avais rencontré la plus sublime salope du monde et je me faisais lourder par sœur Emmanuelle.

À présent, dis-le, mon amour, dis-le : tu n'es pas plus gouine que Laura Bush, pas plus gothique que Nicole Kidman, pas moins fidèle avec les hommes que moi avec mes sachets de coke et ma bouteille de gin. Ton blondinet et toi, que la presse fusionne en un seul et même nom, Brangelina, incarnez pour toujours les Ken et Barbie de la philanthropie.

Hier, je suis allée te voir dans ton dernier film, c'était l'avant-première et quelques frileux m'ont laissée passer, eu égard à notre passé platonique. À l'écran, tu étais belle, certes, bien meilleure comédienne qu'au début, peut-être l'une des plus crédibles de ta génération, mais il s'est produit le pire des événements qui pouvaient m'arriver : tu ne m'as pas fait bander ! La seule chose que je possédais, ce désir monstrueux, même lui tu me l'as confisqué. Je ne demandais pas grand-chose – je n'ai jamais été gourmande –, juste un fantasme pour réchauffer mes nuits de solitude. Mais, à force de respect, d'absence d'ambiguïté, de beauté virginale, la flamme s'est éteinte dans le creux de mes reins. Tu ne me fais plus peur, mon amour. La panthère s'est transformée en chatte. Me voilà vide de tout, comme si tous nos tatouages avaient soudain disparu sur le tableau magique de mon imagination. Alors, discrète comme je l'ai toujours été, je t'ai attendue à la sortie du Chinese Theatre, sur ce Sunset Boulevard que nous parcourions autrefois ivres de shit et de vodka. Et je t'ai dessiné une dernière marque en deux coups de couteau. Cette fois, mon ange, aucun chirurgien esthétique ne pourra l'effacer. Cette marque entre tes seins, elle te suivra jusqu'en enfer, ou pire : jusqu'à ton paradis. Nos chemins se séparent. Adieu, je te laisse l'eau pure, et je retourne au feu.

Michel Houellebecq

15 heures

Pour la première fois de sa vie, la femme si sérieuse que je suis vient de se déguiser. Une perruque rousse, presque rose, prêtée par Paola. Du rouge à lèvres très rouge. Et une jupe courte, trop courte. Mais ce qui m'a vraiment tricoté une cape d'invisibilité, c'est cette tronche d'enterrement que je n'ai pas quittée de la nuit jusqu'à l'instant fatal (ces odieux narcisses du milieu littéraire se sont toujours moqué de mon sourire à toute épreuve).

19 h 30

Ça me dérange de traîner cette panoplie de catin vieillissante dans cette ruche de faux derches, snobinardes parisiennes et princes éphémères de l'autofiction, mais il fallait que je sois là, que j'affronte l'avènement de mon assassin, et puis mon assassin lui-même, que je sente le parfum nauséabond de l'homme qui a gâché ma vie. Il s'appelle Michel Houellebecq et vous le connaissez. Ce soir, il reçoit le Goncourt. À son tour.

Il m'a flinguée à bout portant devant le restaurant Drouand, en 1998, l'année qui aurait dû couronner ma carrière d'écrivaine. Je venais de publier *Confession pour confession*, un roman dont j'étais fière, des pages écrites avec mon sang. Coup de fil de mon éditeur (j'appréhendais et j'espérais) : « Françoise, ma chérie, c'est fait !

Je suis tellement heureux pour toi. Ce prix, tu le mérites largement. »

Ce ne fut l'avis de personne. Du moins de trop peu pour faire quelqu'un. On ne parla que de lui, ce crapaud vaniteux dont la méthode consiste à conter ses misères sexuelles pour attendrir son monde, à commencer par les vicelards de Saint-Germain-des-Prés, les faux désespérés repus dans leurs boudoirs mondains. Je n'eus pas le temps d'exprimer mon émotion devant les jurés du Goncourt que les huées s'organisèrent et que les vannes jaillirent. « Ils ne s'en remettront pas », décréta un journaliste en parlant du jury... Il le dit à trois mètres de moi, alors que je bredouillais quelques remerciements. Il n'avait même plus le courage de me tendre son micro, il cherchait déjà le batracien, sa réaction face à l'échec lui importait davantage que mon bonheur dans la victoire. La prime au perdant. Je n'étais pas au bout de mes peines. Dans les heures qui suivirent, même les rares critiques qui avaient défendu mon livre révisèrent leur jugement à la baisse. Pire, ils le descendirent, déchirant leurs serments sur le cadavre de mon talent. On m'appela « la mascarade », on sortit des phrases de leur contexte romanesque pour démontrer en s'esclaffant la faiblesse de mon style. On déterra aussi l'affaire Louis-Ferdinand Céline – à qui le prix avait échappé de justesse au profit d'un auteur aussitôt consumé dans les flammes de l'oubli.

Le soir même, ma famille – qui vivait dans le Sud, comme moi – me téléphona. J'attendais des félicitations, je récoltai des voix d'enterrement. « Ça va, Françoise ? » J'avais envie de hurler : « Mais bien sûr que ça va ! Je viens d'avoir le prix Goncourt. – Ah oui, c'est vrai, bien sûr », répondirent-ils en feignant l'enthousiasme. Les jours suivants, le crime s'organisa. Débat chez Ardisson : on ne m'invitait pas pour que je défende mon livre, on attendait que je m'excuse. Un mea-culpa, moi, mais pourquoi ? Certains me conseillaient carrément de

« rendre » le prix à Houellebecq et de partager l'argent avec le plus méritant. Pour la première fois depuis des décennies, je pus lire dans la presse que les ventes du Goncourt ne décollaient pas. L'effet Goncourt n'opérait plus, excepté pour le perdant ! Ses sinistres *Particules* ne quittèrent pas le podium. Je ne pouvais plus dîner en ville sans tomber sur ce pavé rempli d'une prose glauque et frigide, au point de me demander si mes hôtes ne le disposaient pas sciemment sur leur foutue table basse.

Aujourd'hui, je suis morte. J'enseigne à Montpellier dans l'indifférence générale. Mes romans ne sont même plus critiqués, puisque personne n'en cause. À la sortie du dernier, je me suis surprise à espérer un éreintement, tout plutôt que ce silence. Je suis *ad vitam æternam* la tâcheronne qui a raflé le Goncourt à la barbe d'un génie. Il ne m'a même pas écrit. Le seul mot qu'il a daigné prononcer à mon sujet fut : « Nul. » Avec une grimace en guise de sourire, il a dit : « Nul. »

Depuis qu'il m'a tuée, Michel Houellebecq vit mieux que n'importe qui. L'à-valoir qu'il a touché pour *La Possibilité d'une île* – un livre qui m'est tombé des mains – a atteint la somme inédite de 1 300 000 euros (à quoi il faut ajouter le financement de son adaptation cinématographique). On le dit radin, pas étonnant pour celui qui a écrit : « Ce qui marche le mieux, ce qui pousse avec la plus grande violence les gens à se dépasser, c'est encore le pur et simple besoin d'argent. » Voilà l'écrivain français le plus lu dans le monde. Alors que je quémande la moitié d'un stand dans de minables foires aux livres, il refuse des colloques prestigieux, et lorsqu'il débarque dans une conférence, c'est à bord du jet privé de son pote BHL.

Alors ce soir, en apprenant ce que tout le monde savait déjà, j'ai tenu à faire le voyage. Comme un lugubre pèlerinage. C'est mon chagrin que je viens enterrer, je viens le saluer après des années de vie commune, ce chagrin toujours tu par ma pudeur têtue (voilà le genre de phrase qui, signée par le crapaud, serait qualifiée de « géniale » par son imprésario Frédéric Beigbeder). Moi que personne ne reconnaît plus, je crains tout de même le ridicule. Alors, rajoutant une louche de pathétique à la situation, je me suis grimée : ce soir, l'ancienne lauréate n'aura même plus de visage.

19 h 40

Une foule s'est réunie au théâtre de l'Odéon pour fêter le Goncourt qui revient enfin au talent légitime. Les grappes de dandys pullulent autour du bar, s'enivrant déjà à la place de leur idole. On dit qu'ils étaient prêts à sortir leurs flingues si leur Victor Hugo du pauvre ne recevait pas la fameuse récompense.

20 heures

Il n'est toujours pas là. Les politiques s'impatientent : certes ça fait branché d'être là, mais ils ont quand même du travail. BHL et Dombasle promènent leur parfum vanillé. Tous les médias trépignent dans le large escalier. « Il sort du "Grand Journal" », gueule une attachée de presse. « Il est sur une moto », postillonne une autre. Des cris de soulagement vont faire vibrer le lustre : s'agit-il de Madonna ? Tous ces jeunes gens aux longs cheveux bouclés (et gras) qui se partagent une coupe ont-ils seulement parcouru *La Carte et le Territoire*, ce tableau désespérant de notre société ? Sont-ils déjà contaminés par cette imagination moribonde et cette ironie ? Les filles sont pourtant si jolies, je les entends pouffer comme des gosses adorables. Vous n'allez pas me faire croire que c'est leur auteur de chevet, à elles que l'existence n'a techniquement pas eu le temps de décevoir.

20 h 20

La vedette apparaît enfin. Je replace ma perruque. Il porte un blouson vert-de-gris. Dégueulasse. Son front sue, sa bouche pendouille. Dégueulasse. Ses yeux s'embuent, non pas d'émotion, mais d'une lassitude profonde. Habituelle. Blasphème suprême, il n'est même pas heureux. Le voilà qui grimpe d'une façon grotesque sur une table minuscule. Le crapaud crapahute sous l'ovation générale. Il murmure un discours aussi peu inspiré que ses livres. Quelqu'un ose un « Plus fort ! » qu'il ne relève pas, vomissant en sourdine quelques banalités... qu'ils applaudissent néanmoins. Ils ne savent pas pourquoi : ils applaudissent l'applaudissement, félicitent le succès, encouragent la bonne réputation. Moi, j'ai la gerbe.

20 h 40

Miracle d'un mouvement de foule, je me retrouve dans son cercle, pourtant bien gardé. Il lève son regard de tortue (oui, je n'aime pas ces bestioles). Il me considère longuement. Est-ce la vulgarité de mon accoutrement et l'épaisseur de mon grimage qui lui rappellent les travelos que je le soupçonne de fréquenter ? Toujours est-il qu'il me reluque, le bougre. J'en profite pour engager un brin de conversation. Je me prétends journaliste. J'ai l'idée saugrenue de me présenter comme originaire d'Irlande, là où il cache ses millions inutiles. Il me dit : « Je dois partir, maintenant, j'ai faim, mais retrouvons-nous plus tard... » Je lui demande : « Où ça ? » Un long silence de réflexion (il est déjà bourré, surtout), puis il lance : « Frédéric va m'emmener dans une boîte vers minuit, c'est une cave près du Flore. »

0 heure

Je suis au rendez-vous. En discothèque. Pour la première fois de ma vie. Moi l'universitaire, la romancière férue d'Afrique et d'Amérique latine. Moi qui enseigne la beauté classique de notre langue à une classe d'étrangers aux yeux émerveillés, me voilà plantée dans un taudis de la rue Saint-Benoît, perchée comme une vieille pute sur des talons aiguilles, devant une bande de débauchés sans doute plus jeunes que mes enfants. Lorsque l'idole fait son entrée, elle ne tient plus debout. Michel Denisot le porte par le bras gauche, Beigbeder se charge du droit. On le dépose sur une banquette. La bouteille de champagne et la blondasse moscovite sont déjà sur la table. La fumée des cigarettes – exceptionnellement tolérées – me brûle les narines et décuple ma nausée. Mais la haine permettant le dépassement de soi, je me faufile jusqu'à lui. « Ah, l'Irlandaise », murmure-t-il. Puis il ajoute, toujours brillant : « J'ai très envie de pisser. Il paraît que c'est en bas. »

0 h 10

Je l'ai accompagné. Il a manqué de tomber dans l'escalier étroit et je me suis foulé la cheville en le dispensant d'une dégringolade. En bas, il est entré chez les hommes, laissant la porte entrouverte : après m'avoir chié dessus quelques années plus tôt, cet enflure va pisser sous mon nez ?

Je suis entrée avec lui, et j'ai bloqué la porte. Nous voilà en tête à tête. Coincés dans un décor de Michel Houellebecq. Je retire ma perruque. « Vous me reconnaissez ? » Je l'entends éclater de rire pour la première fois. Sans doute fut-il lui-même surpris d'être encore capable d'une telle émotion. J'ai enfoncé mes ongles dans sa chevelure pauvre, puis j'ai plongé la tête de mon bourreau dans la piscine de son urine. N'est-ce pas une fin magistrale pour celui qui se décrit lui-même, je cite, comme « un beauf, auteur plat et sans style, un nihiliste, raciste et misogyne honteux ». On ne pourra pas dire qu'il ne méritait pas son sort. On ne pourra pas dire que je méritais le mien. Je lui offre la légende en écrivant moi-même sa fin. Bien tournée, n'est-ce pas ? Dites-moi que oui, cette fois. Je vous en prie.

Robert De Niro

Je m'appelle Simon Lewis, j'ai soixante-cinq ans, mais j'en fais facilement vingt de plus. Quand vous contemplerez ma tronche, c'est un siècle que vous traverserez d'un simple regard.

Je suis l'homme aux mille métiers, trente régimes, vingt époques et aux milliards d'émotions intenses et contradictoires. J'ai commencé comme n'importe quel figurant zélé inscrit dans un cours d'art drama. Les années 60 démarraient en trombe quand je fus admis par miracle à l'Actors Studio. Pas l'un de ces ersatz qui pullulent aujourd'hui, tels des boutons d'acné sur le front des mannequins : non, le vrai, l'unique, celui qu'inventait Lee Strasberg sous l'influence de Stanislavski. Celui qui avait déjà nourri l'instinct de Marilyn, Paul Newman ou James Dean. Sans oublier Marlon, notre modèle à tous. Brando. Tour à tour sensuel et glacial, cérébral et physique, féminin ou viril, toujours plus vrai que la nature. Brando : on voulait faire pareil.

À l'école, on commença par du léger : « Fais-moi une tomate, mais n'oublie pas le sel qui pénètre sa chair, et rajoute-moi le ver qui cherche à en sortir ! » Puis, on nous apprit à chialer l'Holocauste, à mentaliser notre enfance, à maudire sur commande nos ancêtres adorés. Le programme s'alourdit : « À 15 heures, sois léger comme un pétale de rose ; à 16 heures, tu pèses trois tonnes : Simon, t'es un camion, et puis non t'es une grue, tu es tout un chantier, tu es l'Afrique ; à 22 heures, fais-moi la mort. » Nous, on disait : d'accord.

Bientôt, un certain Bob va corser la recette. Il veut davantage que la malle à accessoires qui gît dans le grenier de son imagination. Comme Flaubert se documentant cinq ans avant de pondre la première phrase de *Salammbô*, Bob voudrait tout savoir du personnage qu'on lui commande. Bob, c'était le meilleur d'entre nous. Le Juppé de Chirac, le Zidane de Jacquet et l'Hillary de Bill. Bob, c'était un brun banal et exceptionnel que vous ne connaissiez pas encore sous le nom de Robert Mario De Niro Jr, fils d'un peintre catholique d'origine italienne et d'une mère presbytérienne d'origine allemande. Il était aussi doué que je ne l'étais pas. Et tout le monde l'avait remarqué. Stella Adler d'abord, le grand Strasberg ensuite. Puis la brochette de cinéastes encore puceaux qui traînaient dans le quartier.

En 68, sa prestation dans *Greetings* de De Palma vint chatouiller le cinéphile attentif, mais celle qu'il composa l'année suivante, dans le *Mean Streets* du jeune Scorsese, lui péta carrément à la tronche.

C'est à ce moment précis que je m'incline. On a vingt ans tous les deux et le même genre de physique, mais ce type plutôt timide sur les bancs de l'école s'anime comme un fauve dès qu'on lui dit « Moteur ». Mes colères sont des miaulements de chaton quand les siennes font froid dans le dos. Il pleure comme je pisse ; quand moi je joue l'ivresse, Bob devient alcoolique ; quand moi je fais du charme, il est irrésistible ; et quand je me déplace, le geste hésitant et les semelles plombées, il a dansé dans l'air, il s'est téléporté...

Je n'écouterais plus les profs, c'était décidé : je regarderai Bob. Mon Mozart à moi, qui ne suis même pas Salieri. À côté d'une seule de ses improvisations, toute ma carrière à venir devenait absurde. J'allais servir la sienne ! Sa collaboration avec Scorsese allait noircir plusieurs pages de la grande histoire du cinéma américain. Je les accompagnais partout, à la recherche d'un secret qui ne se souffle pas à l'oreille, même après une virée dans les bars de Broadway.

C'est devant l'entrée des années 70 que Robert De Niro me proposa un pacte digne d'une tragédie allemande : « Simon, tu vas vivre ce que moi je vais jouer. » Il voulait de l'info fraîchement ramassée, de la doc flaubertienne et du détail qui tue. Les livres et les photos ne lui suffisaient plus. « Va au charbon, me demanda-t-il, tu as le temps et le culot. » La contrepartie ? « Ferme ta gueule. Tu peux coucher avec nos filles, assister aux premières et poser ton gros cul près du mien sur les plateaux, mais tu me laisses les interviews, la légende et le mérite. C'est moi l'acteur. » Et moi, Bob, je suis quoi ? « Un brouillon ! »

J'ai dit oui sans hésiter. Ça valait toujours mieux que mes seconds rôles dans d'obscurs téléfilms. Je préférais nourrir le génie d'un autre que ma propre nullité ! Alors j'ai signé ce pacte secret, non pas avec mon sang, mais avec le sourire.

Mon boulot commença avec *Taxi Driver*, en 76 : Bob avait trop de travail pour jouer les chauffeurs à longueur de nuit, alors c'est moi qui pris le volant dans les rues mal famées de la ville. Je notai les trafics, les retours d'ivrognes qu'il faut porter jusqu'au plumard, les coups de fatigue au petit jour, les regards dans le rétro, le rapport aux collègues, aux clients bavards, la façon d'écouter, de se taire, de se croire maître de New York. Il picola mes anecdotes et mes suggestions. Je lui filai la marque d'un blouson en cuir, il singea ma façon de négocier les virages en matant le compteur. Et puis je disparus, comme une maîtresse docile. On ne me revit qu'à Cannes, dans un smoking de location, le soir de la

Palme d'or, loin derrière les vedettes exhibant leurs dents blanches sur les marches pourpres.

Nouvelle mission l'année suivante, pour *New York New York* : je me mis au saxophone, j'infiltrai un orchestre ringard durant une tournée de trois mois, je me saoulai de whisky dans tous les clubs de jazz ; je devins presque noir ! Un mois avant le tournage, de la doc plein le cœur et les poches (sous les yeux), je vins montrer à mon prodige comment sniffer la cocaïne (début pour Bob d'une longue carrière) et lui donner mes instructions : « Non, Bob, dans l'autre main la paille, range le sachet comme si de rien n'était et renoue ta cravate. »

Dans le chef-d'œuvre de Martin, Bob tombait amoureux d'une ravissante chanteuse. Jouée par Liza Minnelli. C'est ce qui m'arriva dans la vie, la vraie vie. Elle s'appelait Mary. Et elle me demanda bientôt : « Comment tu gagnes ta vie ? » Qu'allais-je donc répondre ? Je tenais un saxo comme personne, mais je n'en faisais pas sortir une note. Je traînais avec la fine fleur de Hollywood, mais je n'apparaissais dans aucun générique. Alors je répondis que je faisais des choses pour Bob.

« Quel genre de choses ? insista-t-elle.

— Des choses que lui ne peut plus faire.

— Quoi, tu promènes son chien ? Tu fais ses courses ?

— Voilà, c'est ça, je fais ses courses. »

Des courses, je dus en faire un max, pour le rôle qui suivit ! Un rôle ultraprotéiné que je digère encore. Il me fit prendre vingt kilos. Et je perdis Mary avant même de l'étreindre. Profession indéfinie, quotidien caméléon, physique lunatique, notoriété zéro : la formule idéale des amours précaires ! Autant vous dire que, durant toutes ces années, les artères de mon cœur ne furent pas embouteillées.

Ce fameux rôle, c'était celui de *Raging Bull*, l'histoire que tout le monde sait, celle de Jack La Motta, un boxeur qui démarre svelte et vif comme l'éclair pour finir imbibé de chagrin et de lambrusco. Je vécus tout le parcours psychologique de ce triste personnage qui offrirait à Bob sa première statuette. Bien avant le premier clap, je pris de vrais coups dans la gueule, sur le ring poussiéreux de minables salles de sport, je bouffai de vrais macaroni pendant de vraiment longues semaines. Ensuite, en père Noël du témoignage méticuleux, j'appris à la vedette comment enfiler ses gants, comment les jeter après un match bidonné, comment les maudire et comment les brûler. Je lui soufflai mon désespoir, lui inculquai mes échecs alors qu'il observait d'un œil amusé et gourmet l'ivrogne adipeux que j'étais devenu. Les vingt kilos, il les perdrait. Moi pas. Jamais. La différence était là : il me faisait interpréter ce que moi j'éprouvais. Il piochait, j'encaissais. Pour lui, le rôle suivant chassait le précédent. Sa mémoire d'acteur se nettoyait à coups de succès. Mais moi, pauvre Simon Lewis applaudi par personne, je restais dans le jus de mes cent quarante vies, comme un soldat traumatisé sur ces champs de bataille que les reporters ne font que survoler en hélicoptère.

Pendant des années, Bob et moi continuâmes à partager la poudre et quelques naïves rescapées des pays chauds. Mes os s'étaient rouillés et mon regard avait perdu le sud, mais ses triomphes étaient tels que le parfum qu'ils dégageaient – fût-il lointain – suffisait presque à m'enivrer. Des triomphes commerciaux, mais d'abord artistiques. Et, comme j'aimais toujours avec passion le grand Art dramatique, l'idée d'avoir servi son plus glorieux outil me comblait de fierté.

Sauf que, vers l'automne des années 80, Bob se détourna de moi en même temps que le génie se détournait de lui. Plus de documentation, plus de transformations : le bougre s'embourgeoisait à la vitesse grand V. Sa gloire était acquise, Marlon – le modèle, la boussole – était méconnaissable et les cinéastes moins inspirés. Alors, de plus en plus souvent, mon Amadeus se contentait d'une opérette. Dans les années 90, il se vendit carrément comme un produit de luxe. Puis vint l'époque blasphématoire de l'autoparodie. Se singeant lui-même me singeant dix ans plus tôt. Les projets facultatifs s'accumulaient dans sa filmo. Ne se moquait-il pas de moi en se moquant de lui-même ? *Mafia Blues* ? 1 et 2 ? Ce séjour en Sicile qui, quatorze ans plus tôt, m'avait gratifié d'une balle dans l'épaule, voilà qu'il nourrissait désormais des pitreries à peine drôles ? J'avais frôlé douze arrêts cardiaques et perdu tous mes cheveux pour le voir aujourd'hui enchaîner les daubes juteuses, à coups de sourcils froncés. Comment as-tu osé me faire ça, Bob ? À moi qui crève doucement de toutes ces pauvres vies que je t'ai confiées... N'auras-tu pas la politesse élémentaire de disparaître comme James Dean, la douce pédale de *La Fureur de vivre* qui nous abandonna sur un ultime chef-d'œuvre ? Je ne suis pas devenu personne pour que tu sois n'importe qui.

Ces dernières années, le génie de Bob a officiellement pris sa retraite : le voilà doubleur de requins dans des dessins animés, beau-père de boulevard dans des navets adolescents. Il a lancé la mode des fins de parcours alimentaires : Al Pacino quittant Shakespeare pour le rejoindre dans *La Loi et l'Ordre* ! Jack Nicholson s'humiliant avec rage dans le triste *Self Control* !

Nous voilà bien avancés : ces grands chênes se font pisser dessus par de petits comiques cyniques, tout ça pour cuver de très grasses matinées dans l'air conditionné de leurs palais californiens. Si au moins ils assumaient – comme Marlon – leur autodestruction. Non, ceux-là nous balancent en étrennes un vague bon film tous les cinq ans, par orgueil, et s'en retournent chez eux compter leurs parts producteur. Le salaire de la honte.

Alors, ce matin, Bob, j'ai sonné à ta porte. Tu ne m'as pas reconnu. Pourtant c'était toi qui sonnais. Tous tes « moi » : le nerveux justicier de *Taxi Driver*, le mafieux névrosé de *Casino*, le caïd chauve des *Incorruptibles*. Tu ne t'es pas reconnu, tout comme je ne te reconnais plus. Je t'ai serré très fort dans mes bras saturés de graisse, très fort contre mon cœur rongé par des dizaines d'allers-retours psychiatriques. En crevant étouffé contre ma poitrine, tu l'as senti ce cœur fragile, aussi fragile que tous ces personnages que nous rendîmes célèbres. Tu as poussé ton dernier souffle en embrassant mille et une vies. Nos mille et une vies.

Voilà. Je m'appelle Simon Lewis. Je suis le gardien d'un temple qu'un esprit marchand venait d'envahir. Il fallait agir. Et même si la postérité me retient comme l'assassin et non le comédien, me maintenant à l'ombre derrière les barreaux, je serai jusqu'au bout la mémoire vivante de Robert De Niro.

Édouard Baer

Je m'appelle Christian Grinot. Mais certains d'entre vous se rappellent davantage de moi sous le nom délicieusement drôle de Ferdinand Cul-de-vache, personnage truculent que j'incarnais avec brio au côté d'Édouard Baer, mon ami, mon mentor, celui qui a fait ce que je suis désormais : un condamné à mort.

Nous nous sommes rencontrés le soir de l'an 2000. Il était en retard. J'accompagnais ma fiancée dans une soirée improvisée sur les toits de Montmartre. Ce n'était pas mon milieu. Le cinéma, la scène, je regardais tout ça avec les yeux presque apeurés d'un jeune responsable dans une société d'informatique. Mon métier. De 8 heures à 18 heures, à Stains. Peu glamour, c'est exact. Les rares fois où j'avais pénétré dans une salle de théâtre, c'était pour faire plaisir à Isabelle, dont le père était acteur et la mère musicienne. Le jour, elle rongeait son frein dans une boîte de télémarketing mais, dès que la nuit tombait, elle baladait ses longues et jolies jambes dans les soirées branchées, rêvant d'un petit rôle dans les films de Jacques Audiard, Desplechin, ou même Dany Boon, ou même Josée Dayan, Christophe Lambert, ou même Orangina, la BNP, n'importe quoi pourvu qu'on la regarde. Isabelle aurait tant voulu qu'on soit d'autres gens. Je la suivais dès que je pouvais, mais ma présence l'embarrassait. Une nuit, alors qu'une de ses nouvelles copines lui demandait si elle m'aimait, Isabelle répondit : « Bien sûr, il paie la moitié du loyer. » N'allez pas croire que j'en souffrais, je m'estimais déjà chanceux de redécouvrir chaque matin son corps de rêve à mes côtés, lorsque j'ouvrais des yeux timides sur cette splendeur à peine fanée par l'éternelle cuite de la veille et son paquet de regrets.

Il faisait carrément froid sur ce toit de Montmartre, mais le vin recouvrait nos membres comme une couverture épaisse. Voilà quelques heures que j'entendais dire : « Ils arrivent dans 5 minutes... Si si, je te jure qu'ils viennent... C'est un pote de Natasha... C'est même un ex de Natasha... Lequel ? Les deux, je crois... » Il s'agissait d'Ariel Wizman et son complice Édouard. Les deux dandys ébouriffés qu'Isabelle écoutait sur Radio Nova, puis qu'elle regarda sur Canal avec l'air attendri d'une pucelle énamourée. Dans le journal *Metro*, j'avais lu d'eux qu'ils étaient les « trublions de l'année », plus loin j'avais lu : « les experts en costard bien coupé et vannes bien troussées ». Mais, pour être sincère, je ne comprenais pas bien « leur délire » cathodique. Trop de mots, jamais de chute. Aucun message politique. Mes parents détestaient. Isabelle m'avait dit : « Oh, tu piges rien, mon pauvre ami... Cherche pas le sens, c'est décalé. » Ensuite, je me souviens qu'on n'a plus fait l'amour pendant treize jours. Du coup, ce soir-là, perché sur ce toit, je comptais bien me rattraper. Apprécier tout ce qu'ils diraient. Dans le cas contraire, je ferais semblant de me tordre de rire. J'espérais qu'Isabelle et moi serions complices dans l'esclaffe. Me dévêtir de cette peau de pisse-froid d'arrière-garde, son coloc attardé, celui dont le métier ne provoque que des bâillements.

Édouard Baer et son pote débarquèrent en fanfare. Au sens propre ! Une fanfare (trois jeunes cuivres) accompagnait leurs digressions facétieuses. Ils les avaient rencontrés en remontant la rue Lepic, raccrochant aussitôt ce wagon à leur joyeuse locomotive. Ils passaient de fête en fête, attendus un peu partout, ne décevant nulle part. Édouard Baer. On aurait dit une vieille abeille. Butinant le champagne, caressant le buffet et quelques jolies filles avant de s'envoler sous les applaudissements d'une armée de fourmis subjuguées par tant de grâce et d'esprit. Durant cette étape (nous), ce virtuose de la phrase à tiroirs et de la fausse timidité ne lâcha pas le micro des fous rires féminins : elles gloussaient, couinaient et minaudaient à chacune de ses formules. Isabelle en tête. Qui ne me voyait plus. Savait-elle seulement que j'existais encore ? Dès que je me rapprochais d'elle, elle se rapprochait de lui. J'avais l'impression que même ses seins l'applaudissaient, et cette idée me rendait fou de désir. Il aurait pu la baiser sous mes yeux sans qu'elle se sente fautive. On ne trompe pas un type comme moi, pensait-elle, on s'en soigne. Sauf que, par un fracassant retournement de situation – qui me surprend encore –, c'est à moi, Christian Grinot, qu'Édouard Baer s'intéressa ! En tout bien tout humour. Il se trouve que mon rire – que j'avais largement sur-joué, comme vous savez – lui sembla original. Il s'approcha de moi et entreprit une « fantaisie » dans laquelle il me présentait comme une vache. Non, pas un bœuf. Une vache. Ensuite son imagination se chargea du décor : nous voilà en pleine campagne, il est le berger, et moi la vache complice, celle qui refuse obstinément d'avancer vers la colline. Dit par moi, c'est sinistre, mais dit par lui c'était irrésistible. Je me prêtais au jeu avec gourmandise ! Édouard s'amusait de ma silhouette (j'ai les hanches aussi larges que les épaules étroites), il décoiffait avec délicatesse ces trois cheveux qui se battent en duel sur mon crâne, il se moquait tendrement de mon collier tahitien (un cadeau de ma tante) qui – apparemment – lui rappelait une clochette bovine... À sa demande, je me mis à « meugler » à certains endroits de son monologue, ponctuant ses saillies, entraînant l'assemblée vers une partouze de gloussements. Il me tapait sur les fesses. Quoi qu'il fasse, Isabelle se bidonnait. Elle semblait stupéfaite que je sente aussi bien les attentes de mon nouveau compère. Quelques minutes plus tard, alors qu'il lubrifiait ses ailes avant de décoller vers d'autres salles de spectacle noctambules, il me proposa de les suivre. Je répondis : « Oh oui, oh oui ! Avec plaisir ! Mais je ne suis pas seul... »

Et nous voilà raccrochant la locomotive enchantée jusqu'à l'aube.

Quelques mois plus tard, j'avais changé de vie. Plus de technicien informatique, plus de RER à travers la banlieue blême : je passais à la télé et je montais sur scène, je faisais rire les gens, je lui permettais d'être meilleur encore, je buvais des cocktails à la mode avec des acteurs à la mode dans les clubs à la mode sur des musiques ringardes. Un matin, l'attachée de presse de Canal + me proposa – parmi quelques autres – la couverture de *Technikart*. C'est ainsi que, sous le titre « Les enfants de Marcel de Duchamp », ma mère me découvrit dans mon costume poilu de Ferdinand Cul-de-vache. Cette reconversion la plongea dans une brève dépression. Peu importe. Depuis plusieurs mois, je ne voyais plus Isabelle. Une nuit, elle était rentrée en larmes, s'enfermant dans la salle de bains et n'en ressortant que pour sortir de ma vie. Le bruit courut qu'elle et Édouard avaient vécu quelque aventure. Je ne lui en voulus pas. Il faisait de moi ce que bon lui semblait car ce que bon lui semblait était toujours bon pour moi. Je n'étais plus Christian Grinot, fils de Jean-Pierre et Sylvie, j'étais Ferdinand, personnage d'Édouard Baer, à la scène comme en ville. D'ailleurs je possédais trois costumes de bovin. Il m'arrivait même d'aller chercher mon tabac à rouler en Ferdinand Cul-de-vache. Partout les gens s'en amusaient : ils me faisaient des petits signes amicaux, me tapaient dans le dos, ou plutôt sur le cul. J'avais pris l'habitude de dire : « Touchez mon cul, touchez mon cul : il porte bonheur ! »

La preuve : n'étais-je pas heureux ? À la demande d'Édouard, je m'inscrivis bientôt à un cours dramatique. Il voulait que j'en fasse mon métier. L'improvisation devait se transformer en numéro professionnel. Il pensait sérieusement à sa seconde pièce, dans laquelle il envisageait de me faire évoluer. Sauf que, pour ça, il attendait que j'apprenne à marcher, respirer, articuler. J'étais en train de mettre au point un « medley fermier » qui me permettrait d'interpréter tour à tour le coq prétentiard, le renard saoul et le lapin borgne... Avec moi, Édouard possédait désormais une dizaine d'animaux domestiques. D'ailleurs, pendant les dîners, je me couchais à ses pieds, je travaillais mon numéro de chien misogyne, je roulais mon gros derrière sur les tapis persans, je me grattais le museau contre ses bottines Gucci, parfois je léchais son pantalon, faisant mine de réclamer quelque pâtée. Les gens riaient aux larmes. Ils riaient, ils riaient...

Ce fut un peu plus tard que nos nuits s'éclaircirent tristement. Édouard broyait du noir. Alors que ses spectacles soigneusement foutraques (le désordre étudié d'une chevelure rebelle) passaient du happening branché au succès pantouflard d'un vaudeville pour mamies, alors que certaines mauvaises langues commençaient à dénoncer les ficelles de ses diatribes poussives, sa carrière d'acteur « sérieux » alignait bide sur bide. D'autant que l'ancienne égérie de la presse bobo semblait chercher le « peuple » dans des daubes marketées. Il y eut le double zéro de Gérard Pirès (qui en méritait trois), le « Passe-passe » inaperçu de Tonie Marshall, le Dorante d'un *Molière* aussi authentique que le serait Mimie Mathy dans Marie-Antoinette... et le *Mon pote* qui s'est fait peu d'amis sous la direction de Marc Esposito. Bref, je sentais mon patron se crisper davantage, éternel agacement du rigolo de service à qui la galerie réclame de la déconne quand on voudrait lui soutirer quelques sanglots admirables. Les fêtes se poursuivaient, mais le cœur n'y était plus : les méchantes du Mathis Bar feignaient l'admiration et les gamines du Montana n'oubliaient plus son âge. D'autant que ce Chazot des années Sarko, plutôt que de chercher du souffle dans l'esprit d'une Sagan ou d'un Brialy de son temps, ne fréquentait plus que nous, sa troupe adorative, locataire de nos grimages, tutus et perruques sales. Nos rires prévisibles ne le faisaient même plus sourire et le moindre « nouveau-jeune-beau-gosse-à la mode » lui donnait de l'eczéma. Car aussi pathétique que cela puisse paraître, les plus doués d'entre nous s'avèrent parfois les plus jaloux et, les années passant, mon Édouard n'est à l'aise qu'avec les femmes faciles et les hommes qu'il estime inférieurs.

C'était un mardi soir, au retour des vacances. Lassé par mon gros cul, je voulais lui faire la surprise d'un régime protéiné – qu'il avait très brillamment rebaptisé le « régime Dukon ». J'ai posé mes valises, et je me suis pointé chez lui, enfin délesté d'une quinzaine de kilos. Il paradait dans son salon, parmi les nouvelles créatures de son prochain spectacle. Il y avait là Luigi – dit « la Tapette géante » –, Johanna Relou et Mouloud le raseur. En découvrant ma mine svelte et burinée, Édouard m'infligea une raclée que je n'oublierai jamais. Il avait beau sourire en poussant sur son charme, les mots giflaient mon cœur : « Mon pauvre Ferdinand, dit-il, qu'est-ce que tu vaux sans ton derrière ? Là, tu ne ressembles même pas à un mauvais acteur ! Tu veux jouer quoi ? Une canne ? » Quelques jours plus tôt, mon physique amaigri m'avait pourtant permis d'attirer dans mon lit un poème féminin, la jolie Barbara, que j'aimerai jusqu'à ma mort. Sauf que la concurrence n'étant décidément permise qu'entre lui et lui-même, Édouard ne put s'empêcher de rafler le bonheur de son ancienne vache de trait. J'ai, comme toujours, fermé ma gueule, mais mes yeux grands ouverts l'ont insulté avec la rage d'un désespoir clinique. Du coup, les répétitions furent on ne peut plus répétitives : chaque jour, il m'aimait moins que la veille. La Tapette géante prenait toute ma place, foulant carrément mon modeste pré-carré en osant aboyer vers la fin du spectacle ! Édouard me fit camper un Africain débile, plus proche d'un sketch de Michel Leeb que d'une fable dadaïste. Plus personne ne riait. Plus personne ne riait. Durant la représentation, il s'asseyait sur moi, frappait régulièrement mon crâne juppéiste, coupait mes trois répliques, faisait grimper sur scène de médiocres jeunots rencontrés lors d'une fête de la veille. Nous commençâmes à 12, nous finîmes 22 sur scène. Ce n'était plus une troupe, c'était un bar d'hôtel !

La semaine dernière, ayant forcé sur le whisky avec d'autres aigris, je l'ai attendu à la sortie du théâtre Marigny. Il n'a pas eu le temps de me refaire le coup du savon qui m'échappe : ce type qui – dans une soirée – s'arrange toujours pour garder son manteau afin de disparaître dès qu'un fâcheux s'approche pour le complimenter s'est retrouvé à poil sur le rond-point des Champs. J'ai arraché sa chemise APC et je l'ai étranglé avec le collier à clochette de feu Ferdinand Cul-de-vache. Je suis monté sur lui, il pleurait comme une fille, je lui ai donné l'ordre de brouter la pelouse qui longe le pavillon Élysée. Mon bâton de berger cinglait son petit cul blafard. Je riais, je riais, je riais comme un fou que j'étais. Ensuite je levai mon bâton et envoyai mon mentor, mon idole, mon amant illusoire... à l'abattoir ! Sa nuque se brisa sourdement, comme une coupe de champagne dans le fracas d'une discothèque. Il s'est tu, pour toujours. Certains diront « enfin ». Grâce à moi – qu'on m'en soit gré –, il ne jouera jamais le fonctionnaire ventripotent des moustaches d'Astérix, ni les stéréotypes de Fabien Onteniente.

Et pourtant aujourd'hui, dans la cellule de mes remords, il me manque à nouveau. Celui qui m'a tout donné sans jamais rien m'offrir ne me faisait pas rire, mais lorsqu'il rentrait dans une pièce les gens devenaient presque amusants. Voilà un homme qui avait le talent de rendre votre médiocrité attractive. Ce ne fut pas suffisant.

Édouard, Je t'aime. Mais tu n'es qu'une peau de vache.

Johnny Hallyday

J'ai rencontré le fauve à la terrasse d'un restaurant, sur une plage de Saint-Tropez. Nous avions vidé treize bouteilles d'un rosé discutable, comme l'est toujours le rosé. Depuis ce jour-là, l'estomac taché, je ne bois plus d'alcool. Depuis ce jour-là, le foie insatiable, il n'a pas arrêté. La nuit tombait mollement et je sentais qu'elle s'emparait de lui, lui redonnant quelques couleurs, des envies de chanter, baiser, hurler, casser.

Boire.

Il a plongé ses mains brutales dans le sable argenté et s'est mis à sculpter une ébauche de château. Un château interdit aux plus de sept ans et demi.

« Va chercher de l'eau », a-t-il aboyé comme si j'étais son ladre. Il arborait un regard halluciné, celui dont abusent les comédiens de série B quand il s'agit d'interpréter un créateur surpris par les muses. J'ai ramené un seau (emprunté à mon fils qui barbotait un peu plus loin). Il a alors mouillé le sable, avec soin, se prenant pour Rodin, mais un Rodin en maillot de bain, bourré au vin de Provence, devant trois blondes à transat qui bronzaient sans soleil. Puis il a dessiné une tour triomphante au milieu de son pâté, lui donnant dès lors la forme d'une bite transgénique flanquée de deux microburnes. Il m'a dit : « C'est un château. » J'ai dit : « Bien sûr, Johnny », d'un ton respectueux – c'était déjà une star.

« File-moi un briquet, m'a-t-il dit.

— Pour quoi faire, Johnny ?

— Les flammes ?

— J'ai compris, Johnny : le château est en flammes. »

Il m'a dit : « Exactement. » Il m'a dit : « Et moi je descends par un fil transparent, on m'a pas vu dans la fumée, et puis paf tout à coup j'apparais au sommet de la grande tour, au milieu des flammes ! »

Je lui ai dit : « D'accord. Et tu fais quoi ?

— Je chante, connard.

— Oui, mais tu chantes quoi ? »

Il m'a dit : « On s'en fout. T'es musicien ?

— Non, Johnny, je suis décorateur.

— Alors, fais-moi ça. En grand.

— Grand comment ?

— Tu vois le soleil là-haut ? »

En ce temps-là, je découpais du carton-pâte pour suggérer un parc, une île, un bar-tabac et autres fantaisies sur les plateaux d'un célèbre show télé, produit et mis en scène par les Carpentier. Johnny – habitué des lieux – ne m'avait jamais remarqué. Et me voilà sur une plage, cinq ans plus tard, en train d'esquisser le décor gigantesque de sa prochaine rentrée. Il m'avait suffi d'être là, avec mon gamin, de lui tendre une main amicale à une heure où le vin l'avait mis de bonne humeur, et puis de rire aux bons endroits, de lui servir un peu la soupe et beaucoup de pinard. Il avait levé son verre en me fixant d'un air sévère, l'avait ingurgité d'un rapide coup de langue, puis – prenant ma tête dans sa paluche – m'avait murmuré à l'oreille : « Tu sais que t'es un génie ?

— Moi ? m'étais-je étonné.

— Ouais, t'es un génie. »

Que connaît-il de mon travail ? me suis-je dit. En effet, je me rappelais son attitude durant les enregistrements :

il ne levait jamais les yeux vers mes modestes bricolages, le nez dans sa guitare et sa bouteille de sky.

« Je m'en fous, avait-il prophétisé, Donne-moi la main (je me suis exécuté), regarde-moi dans les yeux (je les ai écarquillés). T'es un génie, je te dis ! »

Pourquoi discutailler ?

Puisque, 2 litres plus tard, nous étions accroupis dans le sable, érigeant des châteaux futuristes, des navettes spatiales, un Lion de 60 mètres, un faux New York et une ribambelle de vraies mauvaises idées.

Le lendemain matin, je croisais les doigts en espérant qu'une fois dégrisé, le soiffard ne m'aurait pas chassé de sa mémoire. Je craignais d'être pareil à la jeune groupie, celle que j'imaginais sortant de chez lui toute penaude, un faux numéro de téléphone griffonné sur la fesse gauche, une fesse à qui la veille il avait promis le mariage. Car l'alcool est rassembleur mais trop prometteur : il crée de beaux emplois mais licencie au petit jour.

Et pourtant, par je ne sais quel relent de biture, il m'appela trois mois plus tard.

« Je veux parler au génie ? grommela cette voix légendaire à l'autre bout du fil.

— C'est Johnny ? » ai-je prononcé tel le juif orphelin s'écriant « Papa » en reconnaissant son père à la libération des camps (c'est vous dire) !

En avril 69, premier tour de manivelle. Premier clou, première goutte de sueur. J'investissais le Palais des Sports de Paris afin d'inaugurer « the first mega-show » de notre Elvis belge. Mon fils n'en revenait pas. « Papa fait des cabanes à 2 milliards de francs. » Au menu : une scène centrale reliée à cinq autres plateaux, deux ballons de 8 mètres servant d'écrans géants, ces derniers diffusant – dans le désordre :

1) des images de fauves (premier spectacle associant le rock et le doc animalier !) ;
2) d'insoutenables archives du ghetto de Varsovie ;
3) des volcans en irruption.
Et alors ? Pourquoi pas ?

Pour ceux qui s'interrogeaient sur la pertinence du lien établi entre un guépard en rut et le cauchemar des enfants juifs, je répondais toujours : « Demandez au patron. » S'ajoutaient à cette savoureuse bouillabaisse d'émotions : cinq cracheurs de feu, une dizaine de cascadeurs, trois jongleurs... et un fakir !

C'est d'ailleurs le fakir qui, la veille de la première, nous a mis dans la merde en entraînant Johnny dans une tournée des bars. Deux heures avant le lancement du premier feu d'artifice, le rocker titubait dans la loge des danseuses, confondant les mains aux culs et les ultimes encouragements. Avant de s'écrouler dans sa caravane, ivre de fatigue. Comme je passais alors, à tort, pour l'un de ses intimes, c'est moi qu'on chargea d'introduire quelque poudre magique dans ses narines ronfleuses. Une besogne inédite et odieuse pour un type qui, comme moi, ne savait même pas comment rouler un joint. Par bonheur, la magie opéra : il se redressa d'un coup, comme si je venais d'enfoncer un pieu dans son rectum.

Le lendemain matin, la presse, y compris la plus snob, souligna le triomphe.

En 79, je conçus pour le Pavillon de Paris son nouveau délire, modestement intitulé « L'ange aux yeux de laser », pot-pourri futuriste qui fit s'étrangler de rire les cyniques de chez Castel... Et moi-même. Pour sa défense, Johnny confia au *Figaro* qu'il avait choisi ce thème pour faire plaisir à David, son fils âgé alors de treize ans et fan de *La Guerre des étoiles*. Il a bon dos, le gamin ! Lâche diversion de la part d'un père qui se déguise volontiers en cow-boy et dont les goûts portent encore la couche-culotte. D'ailleurs, les cuites paroxystiques n'étaient que l'ascenseur lui permettant de descendre dans le sous-sol des régressions. Envie d'amour ? Commande-moi une fille ! Envie d'Amérique ? Affrète-moi un avion ! Ses producteurs sont ses parents laxistes : en ce temps-là, il n'a même pas de carnet de chèques, des apparts en location, le frigo se remplit tout seul, un chauffeur raccompagne les dégâts de la nuit et, pour ses dépenses quotidiennes : on lui glisse des billets dans la poche en guise de « pourboire ». Quant aux gourmandises scéniques, c'est moi le père Noël ! Pour le décor de « L'ange aux yeux de laser » (on ne s'en lasse pas !), rien ne fonctionnait ! Malgré l'aide d'une centaine de lutins : je perdis 13 kilos et mes cheveux de devant, obligé d'aller puiser l'électricité manquante à Pantin, de l'autre côté du périph, d'installer 6 500 fauteuils, de poser 10 000 mètres carrés de moquette, casser des rampes, monter des gradins, isoler le toit avec de gigantesques bâches afin d'éviter au spectateur une électrocution irrémédiablement provoquée par la pluie. Le fameux rayon laser – qu'il tenait absolument à voir sortir de ses yeux – risquant d'incendier le public, il fut convenu que je le déclencherais à chaque fois que la star lèverait les yeux au ciel, ce qu'il omit de faire souvent, me reprochant ensuite d'avoir gâché l'effet.

« Mais Johnny, je ne pouvais pas prendre le risque de brûler un spectateur !

— Pense plutôt à tous les autres ! » me rétorqua-t-il, faisant preuve d'une logique qui me laissa songeur.

La conclusion du show était tout aussi sobre : je devais le faire descendre des cintres dans une sorte d'araignée métallique pendant qu'un nouveau laser dessinait sa silhouette et écrivait son nom au-dessus de l'orchestre. Mégalo ? Non, Johnny.

Le lendemain de la première, en allant acheter la presse, je m'attendais à un flot de perfidies. À la place de quoi je pus lire : « C'est tellement ridicule que c'en devient sublime. » Étais-je donc le génie qu'il avait reniflé ?

À chaque veille de première, la même comptine se fredonnait, vrillant les nerfs de tous : « Johnny n'est pas en forme ! », « Johnny n'est pas chez lui », « Johnny s'est battu avec une vieille dame ». La tradition voulait que, chaque fois, je m'occupe de réveiller la bête et de l'installer au cœur de mon dispositif. C'est ainsi qu'il vomit sur mes pompes, qu'il me tira les cheveux, qu'il insulta mon fils, qu'il projeta un mollard sur mon assistante coréenne et que je le torchai avec une partition. Deux minutes plus tard, au point culminant de ma trouille et de ma haine, il relevait toujours la tête, et l'étron se métamorphosait en diva. Je n'avais plus qu'à me laver les mains, purifier ma mémoire et lever le pouce en signe d'absolution. Il m'épatait, sans aucun doute, mais je ne l'enviais jamais. Il le savait. « Viens boire un coup ! » me disait-il après la victoire. Mais il lisait dans mon sourire poli tout le dégoût du monde pour le désastre assuré que cette petite phrase annonçait.

Toute sa vie, ce gamin a fêté ses miracles. Moi je rentrais chez moi, et je visionnais l'enregistrement d'une série télévisée que j'avais loupée. Il se noyait dans les fruits de mer, je dégustais une blanquette sortie du micro-onde. Mon fils, ma femme, mon salaire, mes week-ends en Bretagne, les parties de pêche avec mon père et mon beau-père. Quand Johnny braille, brille et brûle, moi je bosse, bâille et bulle !

Durant les vingt ans qui suivirent, nous enchaînâmes les coups de bluff à un rythme hystérique. D'une année sur l'autre, je l'ai vu maigre, puis gros, puis maigre à nouveau, bronzé, blafard, blond, roux, brun, puis les trois, je le quittais en cuir pour le redécouvrir en smoking de satin blanc. En 82, à sa demande, je dus représenter « le chaos d'un monde détruit par le nucléaire dans lequel un survivant est pourchassé par des zombies mais auquel l'amour de Vampirella va permettre de triompher ». En lisant cette dernière phrase, j'ai vomi. Quatre-vingts personnes et une douzaine de chiens-loups. J'ai dû faire pivoter une montagne, scalper un figurant, lancer un nuage de fumée et trouver aussitôt le moyen de la dissiper. Je ne comprenais rien. Le public, pas grand-chose. Mais grosso-merdo, tous crièrent au miracle, applaudissant l'ode pacifique et le pamphlet écologique. Je commençais à regarder cette viande saoule comme le messie, *l'ange aux yeux de laser*, le survivant héroïque. Ce gamin qui, à quatre pattes, construisait des châteaux de sable, n'était-il pas l'idiot le plus audacieux de France ?

Je vous épargne la suite, qu'il vaut mieux voir pour y croire. Sachez seulement qu'en 84, je le fis apparaître accroupi sur la paume d'un poing géant, articulé par deux cents vérins hydrauliques. Sachez aussi qu'un soir ce fameux poing s'ouvrit sur un Johnny Hallyday effondré par l'excès, m'obligeant aussitôt à refermer mon engin sur sa carcasse rouillée.

Sachez, en prime, que pour la fin de ce spectacle, il me dit ceci :

« Je veux une guillotine, je veux mettre ma tête dedans, que la lame tombe, et que ma tête roule au sol. Débrouille-toi. À demain.

— Attends, Johnny, répète-moi ça ! » (Il avait raccroché.)

Sachez, pour finir, qu'en 92, il fut emporté par une grue dans les limbes, qu'en 93 – pour ses cinquante ans –, je construisis une copie quasi parfaite du Golden Gate Bridge de San Francisco dans un virage du Parc des Princes.

Ce soir-là – un soir parmi tant d'autres –, il interpréta 52 chansons.

Voilà.

En quarante ans, je l'ai fait voler, disparaître, réapparaître, brûler vif, traverser la foule, tomber de 15 mètres, se relever, grimper sur des motos géantes, des animaux géants, des guitares géantes, des femmes géantes.

Il a survécu à 2,3 tonnes de cocaïne, 37 hectolitres d'alcool, 26 rentrées parisiennes, 180 tournées, 711 représentations et 28,4 millions de spectateurs*.

Aujourd'hui, on nous dit qu'il en est mort. On sous-entend même que nous l'avons tué. Peut-être l'ai-je tué, mais on peut bien mourir quand on a tout vécu.

Mon dernier rêve ? Retourner sur cette plage où je l'ai abordé, et reconstruire un château de sable.

« T'as un briquet ?

— Ouais.

— Regarde-moi : t'es un génie.

— Merci, Johnny. Merci. »

---

* Source Wikipédia.

George Clooney

Je m'appelle Rachel Wenwick. J'étais une bombe à castings pour lingerie plus ou moins fine quand la voix rauque de Barbara Stuff, semblant surgir de l'au-delà, m'envoya soudain valdinguer contre les nuages en sucre d'un paradis terrestre. Barbara Stuff, attachée de presse à Hollywood, confidente des plus grandes stars, souhaitait me rencontrer afin d'organiser un rendez-vous avec un type qui a joué les pédiatres, Batman et Mister Ocean dans tous les films que vous savez, avec tous les sourires que vous savez, toute la beauté que vous voulez, tout le charme qu'on dit, l'esprit qu'on demande et la légèreté qu'on attend d'un homme exactement parfait.

Il avait vu mes photos à l'occasion d'un casting foireux, avait trouvé « adorable » l'interview stupide que j'avais accordée à un site people. Ensuite, c'est allé aussi vite que le désir d'un homme puissant. Barbara fut très directe : « George doit se rendre trois jours au Festival de Cannes, puis deux jours à Paris pour la promotion d'un film. Il aimerait bien que vous l'accompagniez. Vous seriez libre au mois de mai ? » Pas une seconde je n'ai pensé répondre : « Il n'est pas assez grand pour m'appeler lui-même ? » Non, la fierté a des vertus abrutissantes et j'ai dit seulement : « Oui, où et quand ? »

Nous avons déjeuné, George et moi, quelques heures avant d'embarquer pour l'Europe. Je me demandais à partir de combien d'années je parviendrais à oublier qu'il s'agissait de George Clooney. Rien ne me facilitait la tâche, il avait la tête de George Clooney, son sourire prognathe, sa voix. Cette alternance irrésistible entre les questions sérieuses et les digressions comiques. Le paradoxe idéal entre tension et sérénité, profondeur et innocence qu'aucun homme ne maîtrise avec autant de virtuosité. La musicalité de ses phrases, la pirouette tant espérée après une question sur ma mère, le regard mélancolique suivant cette confidence sur la mort de mon grand frère. Quelqu'un a écrit : « Voir Venise et mourir. » Moi je dirais plutôt : « Écouter George Clooney vous draguer et crever. »

Il avait maigri par rapport à son précédent film, celui que j'avais vu en payant mon ticket comme tout le monde. Il était précédé d'une réputation de noceur, buveur, trempeur de bite invétéré. Apparemment, tout était faux. Il dégusta deux verres de bordeaux avant de dire stop au serveur. Il suivait un régime rassurant mais s'en acquittait avec l'autodérision nécessaire. Quant à son passif de collectionneur, sa sœur le disculpa en quelques phrases magiques. Je baignais dans une joie insolente.

Le premier soir, à Cannes, il me raccompagna dans ma chambre. Fabuleusement timide, respectant chacun de mes souffles et ne brusquant aucun silence. Il dit : « Je ne suis pas loin, suite 18, au fond à droite. » Quelques minutes plus tard, je prenais déjà sur moi pour ne pas fracasser sa porte à coups de phéromones. Un Lexomil, puis un Stilnox ne furent pas de trop pour calmer mes ardeurs. Le lendemain après-midi, entre deux interviews, il me proposa une sieste. On s'allongea comme deux gosses devant le premier film de François Truffaut. Il me parla de son père, les yeux mi-clos, de politique, de Bush, j'étais d'accord avec lui avant même qu'il développe. J'eus envie de dire : « George, tu sais, de manière générale il se peut que je sois très souvent totalement en accord avec toi, et je suis très d'accord avec ta présence sur cette terre, notamment ici, maintenant, blotti contre moi. »

À ce moment de notre histoire, mon visage avait déjà fait trente fois le tour du monde, et George se prêtait d'ailleurs au jeu des photographes avec générosité. J'étais sa nouvelle fiancée avant même que nous ayons couché ensemble. Dans son lit, le troisième soir – cette fois, je ne résistai pas –, il fut fondant de maladresse. Il but son premier whisky sec devant moi. Puis son premier troisième whisky-Coca. Apparemment, il tentait de dissoudre l'anxiété dans l'ivresse. Je voulus aider cet enfant quadragénaire du mieux que je pus. Il ferma ses grands yeux tandis que je descendais le long de son ventre. Qu'on se le dise : tout sent bon chez George Clooney. Il avait vingt ans de plus que moi mais je me sentis, sur ce plan-là, plus expérimentée. Les préliminaires avec George sont plus longs que les parties de sexe avec mes ex, mises bout à bout. Cette maladresse, qu'à ce moment je prenais encore pour de la sensibilité, lui conférait un mystère supplémentaire. La coupe était pleine : je l'aimais. Je l'aimais vraiment. Je l'accompagnai à Rome, Berlin, Genève, Berlin de nouveau, New York. On passa cinq jours chez ses parents. À mes yeux, George Clooney possédait désormais de nouvelles couleurs : un chien mort qui lui manquait, une sœur un peu paumée, des soucis de santé, une enfance, des après-midi oisifs, une fleur préférée, une faculté à faire très long sur Barak Obama, et puis ce soir – béni entre tous – où je l'entendis dire des conneries.

Très vite, les torchons à scandales posèrent la question qui m'envahissait chaque nuit, quand le champagne me rendait truffe : « Quand l'épousera-t-il ? » Je crois que la presse m'appréciait, elle m'avait tricoté une image de fille plantureuse, certes, mais intello. À ce sujet, je me rappelle certains slogans, « la tête et les jambes », « la blonde pas blonde ». Tout ça parce qu'un ami d'enfance m'avait dit, un matin où je portais une paire de lunettes que je chausse quand mes lentilles fatiguent mes yeux : « Tu sais, chérie, elles te vont bien ces loupes, elles font ressortir tes lèvres, tu aurais le culot de les mettre vendredi, à la soirée des Oscars ? » J'avais relevé le pari lancé par cet idiot, et c'est ainsi qu'un semi-top-model se vit parachuté « bombe cérébrale ». On me prêtait des lectures comme on prête des aventures. À tort. On exagéra mon passage à la fac de New York où j'avais amélioré mes compétences de rouleuse de pétards, sucé mon premier gosse de riche et jamais terminé un livre. George semblait très flatté par ce malentendu. Il s'était arrangé pour qu'on se fasse photographier à la sortie de la Cinémathèque, à Paris. Il me complimentait quand je lâchais mes talons de 12 au profit de vieilles baskets, façon Diane Keaton.

On se maria deux mois plus tard, dans sa villa du lac de Côme. Je portais une robe dessinée sous mes yeux par Alber Elbaz. Pour ajouter une touche rock'n'roll, j'avais enfilé des mitaines de dentelle qui ont serré la pince de Matt, Ben, Leonardo, Dustin, Charlize, Julia, Steven, l'autre Steven, Scarlett, Nicole, Naomi et tant d'autres. J'ai pris ma première et dernière ligne de coke pour faire plaisir à Colin. Autant dire que je survolai cette soirée, un peu comme l'hélico qui traquait la photo de la plus belle brochette de crânes célèbres de tous les temps.

Cette nuit-là, George fut trop ivre pour me faire plaisir. Le lendemain, sa migraine nous priva du moindre baiser. Ses mains me manquaient. J'y pensais toutes les nuits, seule dans cette chambre où il ne me rejoignait qu'à l'aube. À l'évidence, l'amateur de grands crus avait cédé la place au siffleur de scotch. Quelques mois plus tôt, j'avais eu la chance perverse de tomber sur une période de convalescence. Désormais, il se lâchait. Comment aurais-je osé m'en plaindre ? Tous les garçons beaux, riches et drôles que j'avais fréquentés jusque-là possédaient un vice de forme quelque part. Chacun cultivait son gâchis personnel. Mon seul reproche de jeune mariée ? Pourquoi le Jack Daniels n'entraînait-il pas George dans la vraie débauche ? Celle du sexe brutal, avec insultes au salon et réconciliations torrides sur la moquette de la chambre, celle qui m'aurait au moins procuré un orgasme.

Je me fis une raison. Notre complicité grandissante ne comblait-elle pas une partie de mes frustrations ? On partageait tout, j'apprenais à lire un script, à en parler, réalisant au passage que j'étais loin d'être con. Je mettais du Perrier dans son whisky pour qu'il boive moins. Je lui racontais l'Italie sous un angle historique. Vous connaissez les Borgia ? Lorenzaccio ? Dante ? Moi, je ne connaissais pas. Je n'aimais pas les bêtes non plus, mais, tout l'hiver, je couvai ses clébards.

Au bout d'un an, je n'aimais plus le regard de Barbara. Sa façon de me parler comme à une collégienne, de rire avec lui de secrets que j'ignorais, de me reprocher des dépenses « facultatives » : « Franchement, ma poupée, ces nouvelles salles de bains, elles ne sont pas "facultatives" ? »

Et puis, il y eut cette soirée donnée en l'honneur de Scorsese. Il était 23 h 30 quand cette pute lança à George un regard qui ne sentait pas bon. La pute traînait dans les parages depuis quelques semaines, mais je ne prêtais pas attention aux putes dans son genre. Pendant son discours sur Martin, mon George semblait dédier tout son charme à la pute. Un sourire pour Martin, un sourire pour la pute. Dans les couloirs, un peu plus tard, Barbara discuta avec la pute. Donc la pute était déjà dans la place. Quelques jours et mille soupçons plus tard, je jouai les Sherlock Holmes de ma propre infortune en suivant la voiture de la pute, croisée près du Chinese Theatre.

Cinq jours que George a disparu. Pas même foutu d'inventer une promo ou une prépa dans un ranch quelconque. La Buick de la pute s'arrête sur les hauteurs de Bel Air, devant une baraque prétentieuse à la façade rose et blanche. Je me planque dans un coin. Je sors discrètement de ma caisse. J'hésite sur tout. Ma vie tremble déjà. Le portail est entrouvert. Un passage vers le jardin. La piscine. De la musique. Une baie vitrée. C'est ouvert. Pourquoi tout est ouvert ? En avançant, je regrette presque l'absence d'un vigile, d'une alarme, de tout ce qui pourrait m'empêcher d'avoir accès à la fin tragique de mes rêves. Mes larmes aux yeux sont prêtes, la boule dans ma gorge et les cris dans mon ventre : tous les acteurs de mon chagrin sortent du maquillage. Début du tournage. J'entre dans le salon de cette villa dédiée au plaisir. Très vite, je reçois mon coup de poignard : une photo de George sur l'étagère, une seconde accrochée au mur. Ce sont des photos de lui au milieu d'une bande d'inconnus, il se marre comme jamais, comme jamais avec moi. Dans la piscine, sur un bateau, fumant un cigare. Depuis quand fume-t-il ? Depuis quand porte-t-il ce t-shirt grotesque ? Depuis quand fréquente-t-il ces bellâtres autobronzés ? Je poursuis la musique jusqu'à cette porte, débouchant sur le cauchemar de toutes les femmes normales : George Clooney est allongé sur un lit défait, sa tête est renversée, un jeune homme le pénètre. Le soleil me donne tous les détails de la séquence-monstre, la pute se marre devant le crime. La pute est un jeune comédien dont tout le monde se balance, à part George. La pute se déboutonne. La pute sort sa grosse bite et se tripote sur mon mari qui attrape la bite de la pute et l'avale comme un

George Clooney

cigare qu'il ne fume pas. Je sors le revolver et je tire dans le tas. Je flingue ce tas de pédales, et que personne ne vienne m'expliquer à moi, en cet instant maudit, qu'on ne dit pas un « tas de pédales », qu'on ne dit pas une « femme normale » – à la rigueur, on m'expliquera tout ça dans sept ou huit ans, quand j'aurai purgé mon chagrin à la prison de Valley. On m'expliquera aussi que c'est la même rengaine depuis l'âge d'or hollywoodien, que le pauvre Rock Hudson a dû cacher ses préférences jusqu'à la maladie du siècle, que Cary Grant a perdu l'homme de sa vie à force de mensonges forcés par le système, que Clark Gable s'ennuyait à crever dans les bras de Carole Lombard et que tous ces sublimes étalons furent déchirés en deux, privés du bien le plus précieux : leur vérité. Ma vérité à moi, c'est qu'une vieille morue des studios est venue me vendre un rêve qui n'a jamais eu qu'une seule idée en tête, quand je rivalisais d'ingéniosité pour lui arracher une érection pénible : aller se faire labourer le fion dans son autre maison. Au moment du carnage, le flingue dans les mains, je me souviens avoir tiré un coup supplémentaire, un coup « facultatif » dans le derrière de mon mari. J'espère que cette fois-ci, avant d'expirer, George aura pris son pied... Grâce à moi. Pour une fois.

Benjamin Biolay

Pourtant j'ai attendu.

Dans les cafés, au restaurant, j'ai attendu. Sur le quai de la gare de l'Est, devant un taxi place Pereire, sur le seuil de l'appartement de maman, les poches pleines de honte, j'ai quand même attendu. Benjamin, mon amour : combien de fois t'ai-je attendu ? Et moi qui, me voulant plus sage et plus mature que tes précédentes pleureuses-râleuses, te répondais toujours : « Ce n'est pas grave, ne te justifie pas, ne t'excuse surtout pas, nous sommes grands, je ne serai pas une maîtresse à reproches, mais plutôt celle des grands débats joue contre joue, pieds mêlés, des rires volés à ton chagrin métaphysiologique, je serai celle qui se contente, celle qui te fait du bien. »

Benjamin, mon Benjamin, nous nous sommes rencontrés dans un studio tabagique après le bug de l'an 2000. Tu étais encore loin du triomphe de *La Superbe*, mais déjà porté par la rumeur flatteuse d'un brillant compositeur pour dames, sur le mode gainsbourien. Et moi, Virginie Montenay, violoniste sous-employée, chanteuse au chômage, je jouais quelques cordes sur l'album d'un copain. Dès que tes yeux désespérés se sont posés sur moi, aussitôt contredits par un sourire de gosse dont tu as le secret, j'ai su que le soir même nous ne disputerions pas une partie de Scrabble. Tu étais si timide pendant le repas que l'audace physique dont tu fis preuve ensuite m'a cueillie par surprise. Méfions-nous des mous ! Ils se réservent pour la nuit. Mes trois orgasmes d'affilée ne semblant pas te suffire, tu m'as terminée à la langue, avec une délicatesse de mouvement qui, sur les cinq millimètres de mon clitoris, méritait la palme.

La vague. Je me rappelle de toi comme d'une vague, mon chéri : l'ennui avant le jaillissement, le silence avant la symphonie, puis le silence qui reprend tout, qui m'abandonne, ivre de joie, sur une plage de déceptions. Je me rappelle ton premier cri, la première fusée de détresse, jamais avant minuit. Voilà trois semaines que je n'ai pas de nouvelles, que je regarde l'écran de mon portable puis celui de ma boîte e-mail, que je vendrais ma mère et mes meilleures copines pour un message de toi, quelques bribes de poésie – fussent-elles comme souvent paresseuses, jamais précises, jamais porteuses d'avenir. Cette nuit-là, je dépense avec un connard tout l'amour que je te voue. Ton texto indique : « Mon ange, il faut que tu me sauves, je suis en train de crever, viens chez moi, si tu savais comme je t'aime. » Je laisse le connard dans sa bière et je cours dans Paris. J'avais l'adresse en tête (depuis ta disparition, j'étais passée dix fois – en douce et en larmes – devant ton immeuble, j'apercevais la fenêtre de ta chambre, celle de nos grasses et tendres matinées). Je fais le code, le cœur battant, je grimpe les escaliers, je m'interroge sur les circonstances de la mort que je vais t'épargner. Je sais que tu n'arrives plus à écrire, je sais aussi que ça va revenir, et qu'à chaque album tu oublies que ça va s'arranger. Je me dis que tu as dû forcer sur les antalgiques, le Lexomil, peut-être le Stilnox (celui qui nous faisait drôlement délirer sans jamais altérer le désir). Soudain, parvenant sur le palier du 2ᵉ étage, je redoute que tu te sois dessiné quelque décoration sur la peau douce de tes poignets, mais, quoi que tu aies fait, je suis d'ores et déjà fière d'être l'« appelée au secours », celle qui, au seuil du gouffre, retient ton attention. J'arrive devant ta porte, j'y suis presque, je vais te soulever comme un enfant, et te poser sur le plus douillet des lits d'hôpital, celui sur lequel – quoi qu'en diront les blouses blanches – nous ferons l'amour, comme au premier jour.

Juste avant de sonner, j'entends le bruit d'un ascenseur : une jolie blonde en sort, déjà elle me déteste, déjà nous savons l'une et l'autre ce qui nous amène là. Elle a sur moi l'avantage de posséder un double des clés, donc un passé plus consistant entre tes bras. Je la suis comme l'occasionnelle suivant la favorite. Pas un mot entre elle et moi, juste un silence de haine mû par cette jalousie que j'ai toujours méprisée chez les « filles ». Je suis une « fille », cette nuit, à cause de toi. Lorsque nous arrivons dans ta chambre, tu pleurniches sous une couette, ivre de vin et d'herbe, ta tignasse flottant sur les genoux de ton ex-femme. Il y en a, des infirmières ! Elle nous fusille d'un regard que je n'oublierai jamais. « Qu'est-ce qu'elles foutent là ? », te demande-t-elle. Mais tu esquives d'une larme.

La favorite, s'inclinant devant l'ancienne épouse, murmure : « Pardon, on va vous laisser. » Moi je ne murmure même pas, je ne suis rien, rien qu'un texto sans doute groupé. Elle reprend l'ascenseur, je reprends mes escaliers.

Trois semaines plus tard, tu me donnes rendez-vous. À nouveau du retard, à nouveau des pardons. Tu es beau comme un dieu, comme ivre de sobriété, remis en selle par cette énième convalescence. Tu me dis : « C'est fini, le whisky, les autres, je ne pense plus qu'à toi, j'ai réglé mes comptes, j'ai payé l'addition », tu t'exprimes comme une chanson. Le lendemain matin, on est partis en Corse, dans un hôtel moyen, mais la vue sur mer et tes sourires de gosse me permettaient d'y croire. Près de toi, sur une plage que l'hiver nettoyait, j'ai charrié par SMS toutes les âmes charitables qui m'avaient dit : « N'y retourne jamais, Virginie, c'est dans sa nature, toujours il se perdra et te perdra avec lui, n'oublie pas que c'est une vague, c'est toi-même qui l'as dit. » Là-bas, tu lis beaucoup, ton album va sortir, tu te prépares à affronter les foudres de la promotion, les critiques, le trac télé, le direct radio, les plumes jalouses et les courbettes. Je te fais rire de toutes mes forces, je m'épuise à te donner de l'énergie, je vais jusqu'à simuler une sérénité nécessaire à ta concentration. Je coupe tes longs cheveux au bord de la piscine, je vérifie tes apports caloriques, je supprime de ton assiette le moindre féculent, je ressemble à ces femmes d'avant, celles contre lesquelles je me suis constituée, et je me dis que c'est sans doute ce paradoxe qui fait désormais mon charme. Moi qui toujours regarde de haut la plupart des hommes, c'est avec délectation que je me mets à ton service. Parce que je t'aime comme je respire.

De retour à Paris, c'est la farandole des interviews, la ronde des lives.

Le soir de l'enregistrement de « Taratata », où tu partages le micro avec une star de folk anglaise, tu me fais à nouveau attendre. Nous avions rendez-vous sur une terrasse de Saint-Germain, ma plus vieille copine (celle qui te maudissait) est là, prête à changer d'avis. Je lui dis, tu vas voir, mon nouveau Benjamin. Elle ne le saura jamais. Je t'ai retrouvé cinq heures plus tard, par hasard, dans un taudis branché à deux pas du café de Flore. Tu postillonnais ton ivresse, au bar, dans l'oreille complaisante d'une sublime Asiatique. Il y avait près de toi un auteur de théâtre à moitié à la mode, coureur de fond de petites culottes, figure locale des promesses non tenues et des amours sans surlendemain. Il voulait t'épater, tu refusais de le décevoir. Et les pouffes qui tournent autour, les verres qui se gobent d'un trait de cocaïne. Je suis dans l'obscurité de ton regard, à quelques mètres mais déjà renvoyée au pays du passif, dans le charter des "déjà fait". Je vous ai observés, toi et le Harold Pinter du pauvre, je vous ai bus pendant une plombe, et je vous ai gerbés. Dans un coin, follement seule, je me suis repassé le film de nos vacances diététiques. Ces heures à renier tes années de débauche, ces heures à me promettre la lune d'un petit appartement dans le Sud, où nous irions au bout de Pablo Neruda et d'*À la recherche du temps perdu*.

Tout ça pour ça. Je le savais un peu, parfois beaucoup, et je me disais : « Peu importe, le bonheur précaire avec lui vaut mieux que l'ennui constant avec un autre », mais cette nuit-là, dans ce bouge à frime, j'ai pleuré sans larmes.

Puis il y a eu le pompon, cet instant presque comique où tu es passé devant moi en feignant de ne pas me reconnaître. Là, je t'ai frappé au visage, tu m'as pris par le bras, nous sommes sortis dehors, là où toutes les putes se redonnent des couleurs à coups de cigarettes. Et, devant tout le monde, tu es parti dans un monologue éthylique, insultant, misérable : « Putain, tu comprends pas que j'ai besoin de ceci-cela pour faire des trucs que toi, tu ne soupçonnes même pas, tu comprends pas que les machins qu'on me demande, ça me pompe le bidule à un point dingue... » Tu grimaçais d'ivrognerie, jouant les méchants que tu ne sais vraiment pas jouer.

Le lendemain, tes appels obsessionnels ont fini par me sortir du chagrin que je cuvais, « Viens tout de suite, juré cette fois c'est la fin, emmène-moi très loin, je n'étais pas moi-même cette nuit, tu es la mère de mes futurs enfants, je viens de faire une grosse bêtise. » À nouveau le taxi, à nouveau l'angoisse mêlée à l'enthousiasme. J'en étais réduite à remercier le ciel de nous réunir si vite dans une de tes cures de culpabilité. À trois rues de chez toi, j'étais au bord de réserver l'hôtel quand un nouveau texto m'a plaquée contre le bitume de la réalité : « Fausse alerte, mon cœur, je vais mieux, je dois filer à la télé, pas le choix, quelle bande de cons, à tout à l'heure, besos. » J'ai dit au taxi qu'il pouvait faire demitour. Le soir, j'ai regardé l'émission en question, hallucinée par ta vigueur, fliquant dans tes yeux un reste de mal-être, en vain : connard, tu allais bien !

Le soir, j'ai attendu, tout comme le lendemain et la semaine suivante. Pendant trois mois, j'ai attendu. Je t'ai vu dans le journal avec une nouvelle amoureuse. Puis dans la rue avec une autre. Elle semblait si heureuse. Je vous ai recroisés un mois plus tard : elle avait pris cinq ans et perdu dix kilos.

Me hissant sur le radeau de ma vie sans toi, je suis devenue très ferme : les hommes que je rencontre doivent me fournir des preuves, et je passe sans doute à côté de celui – magnifique – qui pourrait « évoluer ». Mais je n'ai plus la force de redonner la moindre chance. Il me faut du tout cuit, du tout de suite. Je vérifie à la loupe leur CV amoureux. Je suis la DRH de mon propre corps, pas commode en affaires. Je n'aime encore que toi, mais je me préfère.

Ton nouvel album, sorti le mois dernier, est littéralement superbe. Il est saturé d'excuses, tu y racontes nos vacances corses, tes remords, tu es très doué pour dire que tu ne l'es pas, tu te traites de grosse merde au carrefour de chaque vers. Je suis convaincue que tu les a écrits pour moi, comme je suis convaincue qu'ils s'adressent aussi à Chloé, Laura, Vanessa et tant d'autres. Nous sommes sans doute une bonne dizaine à chialer dans nos salons, à traquer les allusions en regrettant les mauvais jours.

Cette nuit, William – le nouveau dans mon lit – me désespérait à force de n'être que lui. Ses yeux, sa bouche, sa façon de baiser, ses silences, rien ne va, rien ne m'éloigne de toi. Vers 5 heures, tu as appelé, après un an d'absence : « Virginie mon amour, je suis prêt, viens me sauver, c'est une très longue histoire, où es-tu ? Je viens d'avaler une boîte de Xanax tellement je crains ta réaction, tellement je regrette le mal que je t'ai fait, je t'attends au 5 rue Chapon (j'ai déménagé), code : A 23 52, 3e gauche. » J'ai enfilé le manteau de William, sans même me vêtir en dessous, et sauté dans un taxi. Je n'ai pas à sonner, ta porte est ouverte. Lou Reed en fond sonore, un beau salon minimalo-bobo, la photo d'une autre au-dessus du canapé, des guitares en file indienne. Tu es presque mort sous tes draps tachés de sang. Tu t'es fait une entaille de puceau sur l'avant-bras gauche, un suicide de cour d'école. Même le couteau de cuisine se moque de toi, dans ta main droite. Tu entrouvres les yeux.

Voilà, mon amour, j'ai attrapé l'arme blanche, et j'ai fini le travail. Un coup dans le cœur, façon hara-kiri. Pas d'empreintes. On pourra dire : « Il s'en voulait, tiraillé qu'il était entre son romantisme et son plaisir de la conquête, incapable d'honorer ses propres rêves d'amour fou et définitif. » On dira aussi : il buvait trop. Ça fera une chanson. D'amour ? J'en doute.

Une chose est sûre : je ne t'attendrai plus nulle part.

Michael Jackson

Je m'appelle William Ronis. J'ai aujourd'hui trente ans et je souhaite vous enlever une très profonde épine du pied. Ne vous êtes-vous pas interrogé sur les obscures circonstances de la mort de Michael ? Cinquante ans, quand bien même son corps aussi chétif qu'un mannequin brésilien allaité à la coke serait brûlé par des années de tranquillisants et une vie d'intranquillité, quand bien même : cinquante ans, soyons francs, n'est-ce pas un peu précoce pour aller gratifier de son célèbre *Moonwalk* le tapis rouge du paradis ?

Si l'on oublie le talent, l'argent et le succès, Michael et moi avions tout en commun. Nous sommes tous deux nés à Gary, ville ouvrière de l'Indiana, au sud-est de Chicago. Comme celui de Michael, mon père rentrait chaque soir ivre d'une aciérie. Avec, dans les poches, un salaire insuffisant pour couvrir ses frais de bar. Comme Michael, je m'enfermais chaque jour dans les chiottes de l'école pour chialer les trois cents vannes dont cet ordure avait le secret. Contrairement à Michael, ce n'est pas mon gros pif qui faisait ricaner le vieux, mais plutôt mes ratiches écartées et mes oreilles pointues. À partir de six ans, il m'appela « lapin lutin ». C'est mignon, les lapins, dans *Alice au pays des merveilles* ; et c'est mignon, les lutins, ce sont ceux qui traînent, l'œil malicieux, dans les pattes du Père Noël. Mais, dans la bouche du père

Fouettard, le tendre sobriquet giflait comme une insulte : « Ferme ta gueule, lapin lutin », « Ramène une bière, lapin lutin ».

Lorsque je dansais dans mon berceau, Michael était déjà la star de tous les trous paumés du monde, mais son village natal – le nôtre – en avait fait le Christ. Je suis donc né ivre de lui, bercé par « On the Wall », « Thriller » et « Billy Jean ». J'ai esquissé mon premier sidewalk à l'âge où les autres mordillent une tétine ou le sein de leur mère (la mienne est morte en attendant mon père). Vers dix ans, je n'aimais déjà plus Michael comme un gosse fanatique, je l'aimais comme un homme qui désire plus que tout posséder un autre homme. C'était ma seule ambition, mon rêve obstiné, moi qui posais sur toutes choses les yeux d'un condamné à mort. L'école m'avait rejeté, le cours de danse aussi, ma famille me méprisait, ma petite sœur ne comprenait pas pourquoi j'étais plus féminin que son reflet, et très vite c'est tout le quartier qui me traita de petite fiotte. Ça ne me dérangeait pas : j'étais une petite fiotte. Du plus loin qu'il me revienne, mon sommeil si fragile fut peuplé de grosses bites et de torses masculins. Les petites filles, au mieux, me servaient d'adversaires aux billes, de recopieuses de devoirs.

En 1993, l'idée apocalyptique que j'avais de mon avenir fut soudain balayée par une tornade d'espoir : les infos relatent en boucle l'affaire Jordan Chandler. Ce qui pour Michael constituera un cauchemar me parvient comme un miracle. Jordan Chandler, un gamin de mon âge, accusait le King of Pop d'avoir abusé de lui. Michael avait croisé la route de la famille Chandler un an plus tôt et une tendre amitié s'était développée entre lui et le gamin. Que Michael apprécie la compagnie des jeunes âmes, je le savais depuis longtemps. Macaulay Culkin dans le film *Moonwalker*, son penchant pour les parcs d'attractions, sa jeunesse empêchée par les tournées d'adultes et la cravache d'un père boulimique de fric. Je savais. Les clichés se bousculent : Michael se recherchant lui-même enfant, Michael évitant la folie de sa gloire monstrueuse en plongeant dans Mickey comme l'autruche dans son trou, en 1993, je sais déjà tout ça. Mais cette nouvelle affaire rend soudain envisageable un amour plus concret.

Je prends cela comme une petite annonce, la promesse d'un emploi, mon emploi, celui pour lequel je répète depuis plusieurs années, jouant du chapeau devant la glace de cette lugubre salle de bains, minaudant comme une traînée, roulant des pelles à l'oreiller. Pour la première fois de ma vie, j'ai toutes les chances de mon côté car je me sens enfin unique. Vous connaissez beaucoup de pédés ravis de s'offrir avant quinze ans ? Du coup, je monte dans l'autobus, les vilaines bagues de ma mère dans un sac. Ce n'est pas une fugue, c'est l'exode. Je revends la ferraille de la vieille trépassée devant un motel. Je suis moi-même surpris que les déambulations d'un gamin de treize ans ne surprennent personne. Peut-être ai-je l'air plus vieux que moi ? L'angoisse m'étreint. Pourvu que Michael ne me trouve pas trop vieux pour lui ! Serait-ce la faute à mon regard, ces yeux si durs que, dans le miroir, ils m'effraient davantage que les morts vivants de *Thriller*. Un mort-vivant ne danse pas en blouson de cuir rouge. Il n'y a que les enfants pour trembler devant cette blague. Et je déteste les enfants. Mais comme mon amoureux les aime, je dois leur ressembler, trouver le moyen de glisser quelques candeurs dans mes yeux moribonds. Il faut que j'apprenne à sourire comme un con, à caresser les chiens, à éclater de rire en grimpant dans un manège, à avoir peur la nuit pour mieux me blottir contre lui, et surtout, que j'aie l'air de ne pas savoir plein de choses, je suis sûr qu'il est ému par l'ignorance propre aux nabots. Alors je m'entraîne à dire

« bonjour monsieur », comme Laura dans *La Petite Maison dans la prairie*...

D'ailleurs, à l'arrière du camion qui me rapproche de la star, je rêve : moi qui trébuche dans la prairie, vêtu d'une robe à fleurs, aussitôt ramassé par Michael, il me tend sa main gantée de paillettes, le chapeau blanc vissé sur ses mèches gominées, je m'accroche à son mollet, les mains palpant ce pantalon notoirement trop court, j'ai treize ans et l'érection d'un grand gaillard, on retombe comme deux folles dans les herbes folles, on roule comme des pierres, frictionnant nos béquilles dans cette course folle, folle, je me réveille entre deux vaches, et je suis folle de lui. En arrivant là-bas, je n'ai pas eu beaucoup d'efforts à faire pour avoir l'air sale. Le voyage avait fait tout le travail, j'ai déchiré un peu mes vêtements, je me suis cogné le front jusqu'au sang et j'ai sonné. Un gardien m'a ouvert la petite porte collée au portail. J'ai simulé l'évanouissement, laissant négligemment tomber un mot de mes mains tachées dans la terre d'un pot de fleurs : « Je suis orphelin, Michael. Sauvez-moi. » J'ai fermé les yeux dans les bras du vigile, mais mon pif et mes oreilles étaient aux aguets : tout le personnel qui s'agite (j'imagine des nains), le grincement d'une porte en bois, la musique au fond d'un long couloir, la Javel d'une cuisine, les pas sourds sur la moquette, une chambre parfumée à la fraise, un oreiller à la lavande, et puis la voix de mon amoureux, affolé, précautionneux, déjà plus jeune que moi. J'ouvre les yeux devant les siens, à la fois tendres et globuleux, trafiqués par une armée de chirurgiens, ces fossoyeurs de malice et de charme, ces croque-morts de spontanéité, ils me scrutent comme si j'étais un ours en peluche déposé par le Diable au pied de son sapin. « Michael ? – Qui es-tu ? – Je ne sais pas. Mais je t'aime. » Je tends les bras, il me serre dans les siens. S'en est suivie une semaine de conte de fées, débutée dans un bain bouillonnant et achevée au commissariat. Entre les deux, j'ai dramatisé ma vie dramatique, on m'a demandé d'où je venais, j'ai répondu « Je n'en sais rien », ils ont soupiré, il a souri, je l'ai maté sous toutes les coutures – et Dieu sait que les siennes étaient apparentes –, on a mangé de la viande devant la télé, des légumes dans le jardin, des crèmes glacées la nuit et du maïs à l'aube. J'ai insisté pour dormir dans son lit, il a toujours refusé, sans doute échaudé par le scandale de cette salope de Chandler.

Je suis là depuis quatre jours, son avocat me hait, il lit le danger sur mon front. Alors que nos lèvres se rapprochent et que mon cœur danse de la funk sous mon T-shirt Mickey, Michael empourpre son visage sans couleur d'une colère soudaine, lui qui ne lève jamais la voix ailleurs que dans un stade, le voilà qui vocifère en me montrant du doigt. Alors je cours et m'enferme au sous-sol, dans la salle de cinéma. Ils m'ont cherché pendant trois heures. L'adorable lapin n'était plus qu'un chien galeux. L'adulte vicieux ne supportait pas son miroir juvénile.

On m'amena au commissariat, où j'ai vite compris le sort qui m'attendait : celui que j'avais fui. Quelques coups de téléphone, on m'a renvoyé chez l'ivrogne. Le mot d'ordre m'est fatal : plus d'enfants à Neverland. Retour à Neverlife. À la télévision, j'apprends que le père de Chandler exige vingt millions de dollars, la star finira même par accepter que soient photographiées ses parties génitales, celles qu'il n'avait pas daigné me montrer. C'était pas faute d'avoir insisté, caressant subtilement la source de ses cuisses et le bas de son ventre. Le témoignage de Chandler contredit la vérité : il avait prétendu que Michael était circoncis, ce que les photos démentent. Une transaction à cinq chiffres clôt l'affaire.

Et moi j'écris, de mon trou j'écris, tous les ans, je lui envoie des dessins volontairement naïfs. En vain.

Vers l'âge de dix-sept ans, je suis serveur à L.A. Le hasard l'installe à une table du café où je tapine. Mes traits ne retiennent pas son attention : trop épais, le nez trop large, sans doute je ressemble à ce contre quoi ses chirurgiens ont remédié à coups de hache. Je suis afro-américain, et je n'ai pas les moyens de devenir américain. Je lui rappelle nos quelques jours passés ensemble, le gosse recueilli devant son portail, le vêtement en lambeaux et le visage barbouillé, l'amnésie, la mère froide et le père alcoolo. Il s'émeut à nouveau, me serre une main douce. M'invite à prendre le café dans les jours qui suivent. Je compte bien le récupérer.

Deux jours plus tard, je sonne. L'accueil est chaleureux, mais sans ambiguïté. Même son accoutrement réfute le moindre désir : un survêtement trop ample, une coiffure brouillonne, ni raide ni frisée. Il y a des enfants dans une chambre. Ils ont raflé la mise, blonds comme le blé que leurs parents toucheront un jour. Je les ai vus à la télé quelques semaines plus tôt, dans une interview accordée par le King qui réveille le scandale en s'étonnant qu'on puisse trouver malsain qu'un adulte bienveillant dorme avec des gamins. Dans quelques jours, l'un d'eux, Gavin Arvizo, accusera Michael de lui avoir servi du vin, de s'être masturbé devant eux, de leur avoir montré des sites pornographiques... Moi ce soir-là, chez lui, je n'ai vu qu'un grand frère ivre de solitude et c'est moi qui ai tenté de lui faire boire du vin. Mais je l'indiffère. Trop vieux, trop noir, trop ordinaire. Je sens qu'il aime les hommes, je ne suis même pas un homme. Je suis coincé entre deux sexes, deux âges, deux boulots, deux échecs. Je le regarde se bourrer de drogues légales, jouant aux comprimés de Xanax, Valium et Ativan comme je n'ai jamais joué aux billes. Il dort debout, me raccompagne. Je tente de lui arracher un baiser dans un élan désespéré. Jamais je n'oublierai ce petit rire de fiotte échappé de ses lèvres diminuées. Il venait de signer son arrêt cardiaque.

Quelques années sombres plus tard, à l'été 2009, je suis désormais un petit infirmier qui ne fait rien pour le réanimer. Je simule un bouche-à-bouche – notre unique épanchement. Mais je n'ai plus de souffle, la vie m'a tout enlevé. J'avais traversé l'Amérique à treize ans pour lui offrir tout ce que j'avais. Il n'a même pas eu la courtoisie de me traumatiser. Décidément, Seigneur, tout me sera refusé. Hier, j'ai appris que le père de Chandler s'était suicidé. Son gosse, devenu un adulte au visage ingrat, a avoué que jamais le chanteur n'avait posé une main sur lui. Une fois de plus, le destin s'est foutu de moi.

C'est pourquoi ce soir, avant qu'il n'achève de m'assassiner au fond d'un ravin californien que je regarde sereinement, j'ai une dernière pensée haineuse envers ces gosses de riches qui lui ont gâché la vie. Même ses victimes prétendues naquirent du bon côté et périront du même côté. Je les laisse vieillir dans leur flacon de remords. Moi et Michael allons danser de nuage en nuage, figeant notre jeunesse artificielle jusqu'à la fin des temps. Mon amoureux, sache-le : coincé l'un avec l'autre dans ce doux purgatoire, je te poursuivrai sans relâche, jusqu'aux portes du paradis. Ouvre-les-moi. Ouvre-les-moi.

Naomi Watts

Me voilà recroquevillé comme un clébard vexé dans le couloir de cette chambre qui m'a coûté la peau du cœur à l'hôtel Martinez. Mon premier Festival de Cannes, celui où j'étais venu récupérer mon bien, et mon dernier festival, celui où, ce soir, tout le monde me recherche. La télé est allumée : on devrait annoncer la Palme d'or – sera-ce Xavier Beauvois ou le poétique *Poetry* d'un Asiate génial de plus ? Mais l'info qui gueule en boucle en figeant toute impatience cinéphilique, c'est la mort tragique de l'actrice britannique préférée des actrices françaises, cette blonde pas si ange révélée par un David Lynch moins brumeux que d'habitude, la poule à King Kong, la veuve de *21 grammes* : Naomi Watts, deux fois présente sur les marches cette semaine, vient de dégringoler du grand escalier de sa vie, poignardée par un dingue.

C'est dans les années 80 que je l'ai croisée, c'est en Australie que je l'ai emballée. À l'époque, je terminais un stage de Pygmalion en ambitionnant de devenir mari de star. Elle avait la mine blafarde d'une gosse avec qui le passé n'avait pas été très sport. L'Angleterre de son enfance ? Adieu. L'harmonie familiale ? Ce sera pour une autre vie : Naomi n'a pas quatre ans quand ses parents se déchirent, et c'est à dix ans qu'elle apprend que son père souvent absent le sera pour toujours, le bougre est mort sans dire pardon, au revoir, sans l'embrasser. À dix-huit ans c'était une vraie blonde. Elle me plaît plus ou moins. À vrai dire, c'est sa copine Nicole Kidman que je branchai en premier – son profil parfait, ses jambes plus longues, ainsi qu'un feu dans son regard que Naomi avait provisoirement éteint à coups de larmes. Mais, par réalisme et impatience, je me contenterais de la Watts, j'apprendrais à l'aimer. Sa mère la déménageait souvent, au gré de ses élans superficiels pour des tocards du coin. Très vite, Naomi se fixa au creux de mes bras. J'étais sa constance, et le reflet du père. La blonde est rigoureuse, pas du genre à prendre les cours d'art dramatique pour une cafétéria. Elle bûche et trébuche sur les classiques. Je la vois se goinfrer une dizaine de scènes par mois, toujours prête à essuyer les vannes de la prof. D'ailleurs, elle en redemande : insensible aux compliments, c'est la critique qui l'épanouit. Avec moi, la voilà bien tombée : je suis dans ma période méchante. Comme j'ai peur de l'avenir de cette brillante comédienne, un avenir terrorisant pour l'amoureux fragile, la promesse de mille amants sur pellicule, plus riches et beaux les uns que les autres, du coup je joue à fond la carte du « T'es une merde, il n'y a que moi qui puisse t'aimer, et te comprendre, remercie Dieu de me trouver tous les matins dans ton pieu. Franchement, j'aurais pu succomber au charme de Nicole, qui enchaîne les castings, et qu'Hollywood réclame bientôt ! Alors prends soin de moi, prends soin de moi comme de toi-même. Je suis ce qu'il y a de mieux chez toi ». Elle apprend dans nos disputes à pleurer sur commande, et c'est dans nos incessantes réconciliations qu'elle s'effondre sans effort. Je suis prof de douleur, coach en chagrin, bref, je la prépare comme personne au registre mélodramatique dans lequel elle excellera.

À cette époque, j'ai du mérite, parce que ça traîne. On ne croule pas sous les invitations mondaines ni les ronds de jambe de son banquier. La bouffe australienne, comparée à celle de ma France natale, est déjà dégueulable dans les cantines quatre étoiles, alors imaginez la grimace de mon ventre dans les troquets à 12 dollars. Nos tête-à-tête s'épuisent : il n'y a que les médias pour nous faire croire que les actrices sont passionnantes. D'autant que la mienne n'est pas une cérébrale : jamais de débat passionnant sur le style de Shakespeare et sa prose visionnaire. Non, les auteurs, elle ne les lit que pour les jouer, l'ensemble lui échappe, seules ses répliques l'interpellent. Les années passent et nos amours trépassent. Pourtant je tiens ! J'ai misé sur l'Anglaise, recalé par l'Australienne pur porc, je m'emmerde depuis cinq ans avec une blonde à la peau si fine que ses pieds deviennent rouge sang dès qu'elle descend les poubelles, alors c'est pas le moment de flancher ! Seulement, je la préviens : « Va falloir penser à gagner de la caillasse ! »

Elle pleure – comme d'habitude – en me disant au revoir à l'aéroport de Sydney. Direction : le Japon, la Chine, tout ça. Ma Naomi va surjouer les top models, elle dont le physique moyen n'est même pas celui d'un mannequin. Pourtant, à coups de joli port de tête et de sourires gracieux, elle nous ramène du blé. « Une expérience traumatisante », dira-t-elle à propos de cette période podiums-shootings. Rien de bien original, une fois de plus, ne sortait de sa bouche : citez-moi un portemanteau qui ne crache pas dans le caviar. Seuls les boudins adolescents s'imaginent que c'est un job de rêve.

Ensuite, Naomi va bosser dans un magazine de mode, de l'autre côté. Elle survit, je lâche prise : quelques écarts qu'elle me pardonne de moins en moins. D'autant que son amertume voit plusieurs causes sonner à sa porte : après Nicole, voici Cate Blanchett qui explose à son tour. Blanchett de plus en plus belle, et je me ronge les ongles. Comment ai-je pu miser sur la perdante des trois blondes ? Dix ans plus tôt, c'est qu'elle la ramenait presque avec ses origines anglaises, cette petite supériorité dans le ton qui semble murmurer : « Bande de bourrins, chez vous c'est jamais l'heure du thé ? »

Soudain, lueur d'espoir : elle tourne avec Sam Neill, dans la romance tiède *For Love Alone*, dont le scénario m'était tombé des yeux. Rien à foutre, elle se lance dans ce bide avec l'arrogance des actrices vieillissantes et désespérées. Résultat : pas un souffle de brise dans le voilier cabossé de sa carrière. En 1995, je lui déconseille d'accepter *Tank Girl*, une daube de science-fiction adaptée d'une BD déjà foireuse, mais madame semble tout savoir mieux que moi. Nouveau navet pour nouvelle taule. On habite aux États-Unis, on croise la Nicole au bras du petit Tom, ils nous lancent en étrennes quelques conseils trempés dans le mépris : « Ne perdez pas espoir, mes chéris, il n'y a pas d'âge pour réussir, et puis accepte tout, Naomi, tout, même les séries : aucune occasion n'est mauvaise. »

Du coup, ma blonde se rabaisse un peu plus, en draguant le genre sitcom. Des apparitions indignes dans la série *Brides of Christ* achèvent de me glacer : on baise pour les grandes occasions – Noël, Thanksgiving, mon anniversaire, jamais le sien. Je lui en veux de ne pas s'aimer, elle m'en veut d'être témoin de rien. Je me félicite d'avoir tenu si bon, au bras d'une actrice devant qui même les paparazzis baissent leur appareil. Naomi fait débander les pires rapaces. Personne ne nous fréquente par intérêt. Et c'est en salivant d'envie que nous écoutons Tom et Nicole se plaindre de l'hypocrisie générale. On ne se drogue même pas ! Mais comment, Naomi, en est-on arrivés là ?! Pour couronner le tout, cette époque de vaches maigres est le moment qu'elle va choisir pour devenir sensible, voire profonde : le fantôme de son défunt père Peter (ingénieur du son des

Pink Floyd) fait son apparition dans le brouillard de son cerveau, la nuit comme le jour. On mange triste, on vit triste, on pense triste. Merde ! Faut que je file. Moi-même je vieillis, mes cheveux foutent le camp sur la brosse, mon ventre se gonfle et mes ratiches jaunissent, je sens qu'une nouvelle génération pointe le bout de son nez. Il va y avoir des Cotillard, des Kate Winslet, des Natalie Portman ! Elles frémissent dans l'écurie : serai-je au niveau s'il s'agit, en guise de baroud d'honneur, de quitter ma jument précocement blessée pour grimper sur une jeune pouliche ? Il me reste une ou deux canettes de charme au frigo, mais je ne suis pas un enfoiré – qu'on se le dise. Et puis l'habitude, vous savez... Auprès de ma blonde, fût-elle sujette aux mèches blanches, je reste.

Un jour, elle a trente ans. Des rides autour des yeux, celles qu'on dit « rides du rire », venues d'on ne sait où : je ne l'ai jamais fait rire. Et paf, le grand taré à cheval entre salle obscure et galerie branchée, David Lynch, gonfle tous les studios avec son projet mégalo de série télé philosophico-surréaliste. Une variation pompeuse sur le cinéma, le rêve, le cul, que sais-je. C'est mon compatriote, le Français Alain Sarde, qui récupère le bâton merdeux et en fait tout un film. Ça va s'appeler *Mulholland Drive* : une brune, une blonde, deux niveaux de narration, peut-être un nain mythomane et obsédé, allez savoir, ce qu'il voudra. Ce type filmerait la queue de Vincent Gallo en plan fixe pendant une plombe que la presse hexagonale réveillerait quand même Rimbaud et Breton en secours de références. Je dis à Naomi, un soir, au bar : « C'est le dernier, ma poupée, j'espère pour toi que ça va marcher, parce que dans le cas contraire, je me barre. » Elle me serre dans ses bras et pleure, évidemment.

Nous sommes à un mois de l'an 2000 et, en lisant les

chiffres, je retrouve des couleurs. Pas seulement la critique qui babille, non cette fois-ci le fric débarque façon GIGN : « Haut les mains, vous êtes riches ! » En lisant son portrait dans *Vanity Fair,* je lui fais l'amour trois fois de suite. Sexuellement, je suis soudain très inspiré. On dîne avec Tom au Château Marmont. Nicole s'est barrée, il est triste, à son tour, je me réjouis, à mon tour. C'est pas le tout d'être heureux, disait l'autre, encore faut-il s'assurer que les autres soient malheureux. Naomi était l'interprète idéale pour ce trip lynchéen, elle va puiser dans son sac perso les angoisses d'une comédienne candide qui se transforme d'un coup en créature fatale. La scène du casting me traverse tout le corps, et le sien devient sublime. Elle est au top : je suis très amoureux. Je veux lui coller un bébé, me la coudre à la poitrine. C'est là que les fils vont péter.

« Tu me quittes ? » Oui, elle me quitte. Ça danse avec Clooney, ça bouffe bio chez Spielberg, alors forcément, ma chair est triste sous ses dents désormais aiguisées. Je suis le miroir des années creuses, le rappel de la dèche, alors dehors.

Quelle ingrate ! À peine deux ans plus tard, elle tombe amoureuse d'un acteur – quelle audace ! – et je subis ses interviews dans les canards du monde entier. Elle me pond deux gamins dans le dos. En suivant la mode grotesque des prénoms composés. Le premier, qui devrait être le mien, s'appelle Alexander Pete, et le second, qui devrait être mon cadet, s'appelle bientôt Samuel Kai. Deux d'un coup, dans ma gueule. Moi qui ai tant donné. Pour si peu. Je l'entends dire à un micro, lors du festival de Berlin : « Avant j'attachais de l'importance aux cinéastes, au scénario, aujourd'hui je regarde en priorité où se déroule le tournage et pour combien de temps. Liev (l'enculé) est un mari et un père idéal, jamais je n'aurais cru rencontrer un tel bonheur sentimental. »

Connasse. Et tes poèmes qui inondaient ma boîte aux lettres, torchés avec ton français approximatif et tes clichés cucul la praloche ? Et cette gourmette de mauvais goût que j'ai portée par politesse alors qu'elle me vrillait les nerfs du poignet ? Et ce voyage en Asie durant lequel je t'ai fait découvrir le romancier Somerset Maugham, espèce d'inculte, celui dont tu produiras et joueras l'adaptation dix ans plus tard, au bras du tristounet Edward Norton, ce dadais que les femmes semblent adorer parce qu'il a toujours l'air prêt à pardonner leurs infidélités ? Et mon pauvre père qui t'a présenté Claude Lelouch, en 1995, une rencontre inespérée dont tu n'as même pas profité ?

De mon côté, depuis, je me suis cassé les dents sur toutes les autres, me voilà même pas vieux beau. Je traîne à Cannes. Chez ma tante. Le festival démarre, en fanfare, pareil à ma vengeance. Voilà des années que dans ma solitude, Naomi, je m'interroge : « Ne jouais-tu pas déjà un rôle quand, dans mon lit, tes larmes ruisselaient après un orgasme trop mélodieux pour être vrai ? » Plus j'y pense, plus je me demande : ne feignais-tu pas l'humilité, la naïveté, toi que j'observe de loin, aussi déterminée avec tes rôles que Carla Bruni avec ses hommes.
Je t'ai vue passer de Benicio Del Toro à Sean Penn, et ce jour-là mon cœur pesait plus lourd que 21 grammes. Je t'ai vue faire l'égérie pour des produits de beauté, toi qui m'as tant culpabilisé quand je t'ai envoyée poser chez les niacs. Depuis notre rupture, tu m'en as fait voir de toutes les couleurs, dans tous les genres, sur toutes les chaînes, dans plusieurs langues, et je suis mort d'amour contrarié. C'est pourquoi tout à l'heure, après m'être faufilé dans le Palais des festivals, je t'ai dit : « Reviens ou crève. » Je suis un démocrate, je t'ai laissé le choix. Comme toujours. C'est toi qui as choisi le scénario que tu allais tourner. La fin est triste, certes, mais on ne peut

profiter des autres sans représailles, mon ange. Je n'ai pas la frilosité de Tom, moi. Et puis aucune Penélope ou Katie n'est venue panser mes plaies.

Le couteau t'a pénétrée avec grâce. Tu as roulé sur les marches dans une robe Balenciaga. La plus belle chute de l'histoire de la mode. Adieu, mon amour. Par bonheur, cette fois-ci, tu n'as même pas eu le temps de verser tes fameuses larmes. À la toute fin, je suis parvenu à t'apprendre la sobriété. Décidément, tu me dois tout.

Remerciements à :

Sylvie Delassus, mon éditrice, sans qui ce livre n'aurait jamais vu le jour. Daphné Hezard, rédactrice en chef de *L'Officiel*, Sophie Bouillard, Benjamin Biolay, Joe Bedos, David Foenkinos, Michel Denisot, Thierry Ardisson, Pom Klementieff, Arnaud Ngatcha, Fabrice Luchini, Frédéric Beigbeder, Sophie Des Déserts, Benjamin Seznec.

Table

À la télévision

À la radio
(Oui FM - 2009-2010)

Comment j'ai tué...
(nouvelles parues dans L'Officiel de la mode*)*

Table

Cet ouvrage a été composé et mis en pages
par ÉTIANNE COMPOSITION
à Montrouge.

Impression réalisée par

La Flèche

pour le compte des Éditions Robert Laffont
en décembre 2011

Dépôt légal : octobre 2011
N° d'édition : 52279/06 – N° d'impression : 67270
Imprimé en France